CHERUB

KURIER

Robert Muchamore

Tłumaczenie Bartłomiej Ulatowski

EGMONT

Tytuł oryginalny serii: *Cherub*
Tytuł oryginału: *Class A*

Copyright © 2004 Robert Muchamore
First published in Great Britain 2004
by Hodder Children's Books

www.cherubcampus.com

© for the Polish edition by Egmont Polska Sp. z o.o.,
Warszawa 2007

Redakcja: *Joanna Egert-Romanowska*
Korekta: *Małgorzata Kąkiel, Anna Sidorek*
Projekt typograficzny i łamanie: *Mariusz Brusiewicz*

Wydanie pierwsze (w oprawie prostej), Warszawa 2010
Wydawnictwo Egmont Polska Sp. z o.o.
ul. Dzielna 60, 01-029 Warszawa
tel. 22 838 41 00

www.egmont.pl/ksiazki

ISBN 978-83-237-7434-1

Druk: Zakład Graficzny COLONEL, Kraków

CZYM JEST CHERUB?

CHERUB to sekcja brytyjskiego wywiadu zatrudniająca agentów w wieku od dziesięciu do siedemnastu lat. Wszystkie dzieci są sierotami zabranymi z domów dziecka i wyszkolonymi na profesjonalnych szpiegów. Mieszkają w tajnym kampusie ukrytym wśród angielskich wzgórz.

DLACZEGO DZIECI?

Ponieważ nikt nie podejrzewa dzieci o udział w tajnych operacjach wywiadu, co oznacza, że mogą z sukcesem działać tam, gdzie dorośli byliby bezradni.

KIM SĄ BOHATEROWIE?

W kampusie CHERUBA mieszka około trzystu dzieci. Głównym bohaterem opowieści jest dwunastoletni JAMES ADAMS, chłopiec o złotym sercu i wyjątkowym talencie do pakowania się w kłopoty. LAURA jest jego młodszą siostrą. KERRY CHANG to urodzona w Hongkongu mistrzyni karate, z którą przyjaźni się GABRIELLE O'BRIEN. BRUCE NORRIS, kolejny małoletni mistrz karate, lubi zgrywać twardziela, ale wciąż sypia z niebieskim pluszowym misiem pod brodą. KYLE BLUEMAN, doświadczony agent CHERUBA, choć starszy od Jamesa o dwa lata, jest jego dobrym kumplem.

O CO CHODZI Z TYMI KOSZULKAMI?

Rangę członka CHERUBA można rozpoznać po kolorze noszonej w kampusie koszulki. Pomarańczowe są dla gości. W czerwonych chodzą dzieci, które mieszkają i uczą się w kampusie, ale są jeszcze zbyt młode, by zostać agentami. Niebieskie wkładają nieszczęśnicy przechodzący torturę studniowego szkolenia podstawowego. Szara koszulka oznacza agenta uprawnionego do udziału w operacjach. Granatowa jest nagrodą za wyjątkową skuteczność podczas akcji. Kto się zasłużył, kończy karierę w organizacji w czarnej koszulce, znaku rozpoznawczym najlepszych z najlepszych. Byli agenci mają koszulki białe, podobnie jak kadra.

1. UPAŁ

Miliardy owadów wirowały brzęczącymi chmarami w promieniach zachodzącego słońca. James i Bruce już dawno przestali się od nich opędzać. Chłopcy przebiegli dziesięć kilometrów żwirową drogą wijącą się pod górę w stronę willi, gdzie przetrzymywano zakładników: dwoje ośmiolatków.

– Zaczekaj chwilę – wysapał James, pochylając się i opierając dłonie na kolanach. – Jestem wykończony.

Gdyby wyżął swoją koszulkę, mógłby napełnić potem spory kubek.

– Jesteś o rok starszy ode mnie – zirytował się Bruce. – To ty powinieneś mnie popędzać. Ale przeszkadza ci sadło, które dźwigasz na sobie.

James ocenił swój wygląd.

– Daj spokój, wcale nie jestem tłusty.

– Chudy też nie. Zobaczysz, że na następnym badaniu okresowym cię ukrzyżują. Walną ci dietę i każą wszystko wybiegać.

James wyprostował się i pociągnął łyk wody z bidonu.

– Nie moja wina, Bruce, to genetyczne. Szkoda, że nie widziałeś mojej mamy, zanim umarła.

Bruce roześmiał się.

– Wczoraj w naszym koszu leżały trzy opakowania po toffee crisp i jedno po snickersie. To nie genetyka, James. Prosię z ciebie i tyle.

– Nie wszyscy muszą być takimi patyczakami jak ty – powiedział kwaśno James. – Gotowy?

– Skoro i tak stoimy, to może rzućmy okiem na mapę. Zobaczymy, czy daleko jeszcze do willi.

James wydobył mapę z plecaka. Bruce miał GPS-a przypiętego do szortów. Niewielkie urządzenie podawało swoje położenie na powierzchni Ziemi z dokładnością do kilku metrów. Bruce precyzyjnie naniósł współrzędne na mapę i przesunął palcem wzdłuż krętej ścieżki do punktu oznaczającego willę.

– Najwyższy czas zejść z drogi – oświadczył. – Zostało mniej niż pół kilometra.

– Strome to zbocze – zauważył James. – Ziemia jest sucha i sypka. To będzie koszmar.

– Cóż – westchnął Bruce – jeżeli twój plan nie zakłada, że podejdziemy do bramy i zawołamy: „Przepraszamy najmocniej, czy moglibyście wydać nam zakładników?", to sugeruję, żebyśmy mimo wszystko wybrali skrót na przełaj.

Miał rację. James zrezygnował z prób prawidłowego złożenia mapy i wepchnął ją byle jak do plecaka. Bruce pierwszy wkroczył w zarośla, miażdżąc adidasami wysuszoną na pieprz ściółkę. Na wyspie nie padało od dwóch miesięcy. Na wschodzie pożary pochłaniały busz. Kiedy nie było chmur, w oddali wznosiły się wyraźne pióropusze dymu.

Wilgotna skóra Jamesa szybko pokryła się warstwą kurzu. Chwytając się drzewek i krzaków, podciągał się w górę stromego zbocza. Musiał uważać. Niektóre rośliny miały kolce; inne przy mocniejszym pociągnięciu wyskakiwały z suchej ziemi. Jeden błąd i sunął w dół w lawinie piasku z kępą zielska w garści, rozpaczliwie machając rękami w poszukiwaniu punktu zaczepienia.

Kiedy zobaczyli przed sobą ogrodzenie z drucianej siatki, przypadli płasko do ziemi i podpełzli za krzak, żeby w ukryciu zebrać myśli. Bruce zaczął mamrotać coś o swojej dłoni.

– Czego znowu marudzisz? – zirytował się James.

Bruce pokazał mu wewnętrzną stronę dłoni. Nawet w półmroku widać było krew cieknącą po ręce.

– Gdzie to sobie zrobiłeś?

Bruce wzruszył ramionami.

– Po drodze. Dopiero teraz zauważyłem.

– Lepiej ci to oczyszczę.

Spłukał większość krwi wodą z bidonu. Z plecaka wydobył apteczkę, po czym włączył małą latarkę i chwycił ją zębami, żeby mieć wolne ręce. Oświetlił dłoń Bruce'a. W fałdzie skóry pomiędzy palcem środkowym i serdecznym tkwił gruby kolec.

– Paskudna sprawa – syknął James. – Boli?

– Co za głupie pytanie! Jasne, że boli – zdenerwował się Bruce.

– Mam ci to wyciągnąć?

– Tak! – Bruce wzniósł oczy ku niebu. – Czy ty w ogóle nie uważasz na kursach? Zawsze usuwaj drzazgi, chyba że rana obficie krwawi lub zachodzi podejrzenie przebicia żyły bądź tętnicy. Ranę zdezynfekuj, a następnie zabandażuj lub zaklej plastrem opatrunkowym.

– Mówisz, jakbyś połknął podręcznik.

– Byłem na tym samym kursie pierwszej pomocy co ty, James, tyle że ja nie zmarnowałem całych trzech dni, smaląc cholewki do Susan Kaplan.

– Szkoda, że ma chłopaka – westchnął James.

– Susan nie ma chłopaka – wyszczerzył się Bruce. – Próbowała się ciebie pozbyć.

– Och... – zająknął się James. – Myślałem, że mnie lubi.

Bruce nie odpowiedział. Zacisnął zęby na pasku od plecaka, żeby nie krzyknąć, jeśli ból okaże się trudny do zniesienia.

James złapał kolec pęsetą.

– Gotowy?

Bruce skinął głową.

Kolec nie stawiał oporu. Bruce jęknął, a po dłoni pociekła mu strużka świeżej krwi. James wytarł ją, posmarował ranę maścią antyseptyczną, przyłożył gazik i zabandażował, nie krępując Bruce'owi palców.

– Zrobione – oznajmił. – Jesteś pewien, że dasz sobie radę?

– Za daleko doszliśmy, żeby rezygnować – odparł Bruce.

– Odsapnij chwilę. Podkradnę się do siatki i sprawdzę zabezpieczenia.

– Uważaj na kamery. Spodziewają się nas.

James pstryknął przełącznikiem i światło latarki zgasło, pozostawiając mdłą księżycową poświatę. Podczołgał się do ogrodzenia. Willa wyglądała imponująco: dwie kondygnacje, garaż na cztery samochody, a przy domu basen w kształcie nerki. Zraszacze cykały cicho, a chmury wodnej mgiełki płynęły nad trawnikiem w świetle lamp wiszących na ganku. James nie dostrzegł żadnych kamer ani nowoczesnych zabezpieczeń, tylko żółtą syrenę tandetnego alarmu, który musiał być wyłączony, skoro ktoś przebywał w domu. Odwrócił się do Bruce'a.

– Chodź tutaj. Nie wygląda to zbyt poważnie.

Wyjął z plecaka nożyce do drutu i wyciął w siatce otwór dość duży, by mogli się przezeń przecisnąć. Ruszył za Bruce'em przez trawnik, zwinnie czołgając się w stronę domu. Nagle poczuł, że coś ciepłego rozmazuje mu się na nodze.

– Oż w mordę... Kurde! – zawołał głosem pełnym obrzydzenia.

Bruce odwrócił się gwałtownie.

– Cicho, na miłość boską – zasyczał. – Co się stało?

– Właśnie przejechałem kolanem przez kolosalną stertę świeżego psiego gówna.

Bruce uśmiechnął się szeroko. James wyglądał, jakby miał zwymiotować.

– Niedobrze – powiedział Bruce, nagle poważniejąc.

– Co ty powiesz. Miewałem to na podeszwie, ale na gołej skórze...

– Wiesz, co oznacza ta wielka psia kupa? – przerwał Bruce.

– Tak – burknął James. – Że zaraz mnie szlag trafi...

– Oznacza wielkiego psa.

Spojrzeli na siebie, po czym bez słowa ruszyli w stronę domu, czołgając się jeszcze szybciej niż poprzednio. Zatrzymali się przy ścianie obok wieloskrzydłowych, przeszklonych drzwi tarasowych. Bruce usiadł plecami do muru i ostrożnie zajrzał do pokoju. Zobaczył skórzane kanapy i stół bilardowy. Światło było włączone. Chłopcy spróbowali przesunąć drzwi, ale ani jedno skrzydło nie drgnęło. Dziurki od klucza, umieszczone tylko po wewnętrznej stronie, uniemożliwiały użycie wytrychów.

HAU!

Chłopcy gwałtownie odwrócili głowy. Pięć metrów od nich stał król wszystkich rottweilerów świata, olbrzymi potwór z węzłami muskułów poruszającymi się pod lśniącą, czarną sierścią. Z pyska zwisały mu dwa długie i drżące sople śliny.

– Doobry piesek – powiedział Bruce, próbując zachować spokój.

Pies zawarczał i podszedł bliżej, przygważdżając chłopców spojrzeniem czarnych ślepi.

– No kto jest dobrym pieskiem? – szczebiotał Bruce.

– Bruce, chyba nie sądzisz, że on padnie na plecy, żebyś mógł podrapać go po brzuszku? – szepnął nerwowo James.

– Masz lepszy pomysł?

– Nie okazuj strachu. Nie wytrzyma naszego wzroku. Prawdopodobnie boi się nas tak samo jak my jego.

– Jasne – zadrwił Bruce. – To widać. Biedna psina sika po nogach ze strachu.

James zaczął się cofać, powoli, na ugiętych nogach. Pies wydał z siebie kilka gardłowych szczeknięć. Coś zagrzechotało – James potknął się o metalową szpulę z wężem ogrodowym. Niewiele myśląc, odwinął kilka metrów giętkiej rury. Pies stał zaledwie kilka kroków od niego.

– Bruce, leć i otwórz drzwi. Spróbuję go zająć tym wężem. – Nie miał nic przeciwko temu, by pies pobiegł za Bruce'em, ale bestia nie spuszczała go z oczu. Skradała się coraz bliżej, aż poczuł na nogach jej wilgotny oddech. – Dobry piesek – pisnął.

Rottweiler uniósł się na tylnych łapach, próbując powalić chłopca, ten jednak się wywinął. Pazury zapiszczały na szklanych drzwiach. James zamachnął się wężem i smagnął psa w pierś. Potwór zaskowyczał i odskoczył w tył. James trzasnął zaimprowizowanym biczem w płytki patio w nadziei, że hałas odstraszy psa, ale zwierz wyglądał na jeszcze bardziej rozsierdzonego. Na myśl o tym, jak łatwo potężne psisko mogłoby wgryźć się w jego ciało, James poczuł ucisk w żołądku. Kiedyś omal nie utonął – dotąd sądził, że nie ma nic bardziej przerażającego, ale ten pies był gorszy.

Tuż za jego głową szczęknął zamek i skrzydło drzwi bezgłośnie odsunęło się w bok.

– Czy pozwoli pan zaprosić się do środka? – spytał Bruce.

James cisnął wąż na ziemię i skoczył przez próg. Bruce zatrzasnął drzwi tuż przed nosem psa.

– Co tak długo? Gdzie wszyscy? – spytał James nerwowo, starając się powstrzymać drżenie rąk.

– Nie ma żywego ducha – odparł Bruce. – Co jest zdecydowanie dziwne. Muszą być głusi, skoro nie usłyszeli szczekania tego kundla psychola.

James złapał jedną z zasłon i zaczął wycierać sobie nogę z psich odchodów.

– Ohydztwo. Ale przynajmniej nie ufajdałeś sobie ciuchów – zauważył Bruce.

– Sprawdziłeś wszystkie pokoje?

Bruce potrząsnął głową.

– Pomyślałem, że najpierw ocalę cię przed pożarciem, nawet gdyby mieliby nas przez to złapać.

– Miło mi – powiedział James.

Przeszli przez cały parter, podkradając się do drzwi i zaglądając do wszystkich pokojów. Willa wyglądała na zamieszkaną. W popielniczkach piętrzyły się niedopałki, a na stołach porzucono brudne kubki. W garażu stał mercedes. Bruce podrzucił kluczyki i wsunął je do kieszeni.

– Tym uciekniemy – oświadczył z zadowoleniem.

Na parterze nie było żywej duszy, co zwiększało prawdopodobieństwo, że na schodach zastawiono jakąś pułapkę. Wspinali się ostrożnie, oczekując, że w każdej chwili ktoś może wypaść na szczyt schodów z wymierzoną w nich bronią.

Na piętrze znajdowały się łazienka i trzy sypialnie. Zakładników odnaleźli w największej z nich, przywiązanych do nogi łóżka. Ośmiolatki, Jake i Laura, ubrani byli w brudne koszulki i szorty. W ustach mieli kneble.

James i Bruce dobyli zza pasów myśliwskie noże i uwolnili dzieci. Na powitania nie było czasu.

– Laura – rzucił James. – Kiedy ostatnio widzieliście porywaczy? Masz jakiś pomysł, gdzie mogą być teraz?

Laura miała zaczerwienioną twarz i wyglądała na spiętą.

– Nie wiem – wzruszyła ramionami. – Siku mi się chce.

Ani Laura, ani Jake nie mieli pojęcia o niczym. Bruce i James spodziewali się znacznie większych kłopotów z dotarciem do zakładników. To była łatwizna.

– Idziemy do samochodu – zarządził James.

Laura pokuśtykała do toalety. Miała zabandażowaną kostkę.

– Nie pora teraz na sikanie – zdenerwował się James. – Oni są uzbrojeni, a my nie.

– Zaraz zleję się w majtki – powiedziała Laura, zatrzaskując się w ubikacji.

James poczerwieniał ze złości.

– Tylko się pośpiesz.

– Ja też muszę – oznajmił Jake.

Bruce potrząsnął głową.

– Nic z tego. Możesz się odlać w kącie garażu, kiedy będę uruchamiał samochód.

Sprowadził Jake'a na dół. James odczekał pół minuty, po czym załomotał pięścią w drzwi.

– Laura, wyłaź stamtąd! Ile można siedzieć w kiblu?

– Myję ręce – wyjaśniła. – Nie mogłam znaleźć mydła.

James nie wierzył własnym uszom.

– Na miłość boską! – krzyknął, waląc pięścią w zamknięte drzwi. – Musimy uciekać!

Wreszcie trzasnął odsuwany rygielek. James złapał siostrę pod ramię i pociągnął za sobą. W garażu Bruce czekał już za kierownicą mercedesa. Laura wśliznęła się na tylne siedzenie obok Jake'a.

– To trup! – wrzasnął Bruce, wyskakując z samochodu i kopiąc w przedni błotnik. – Kluczyk wchodzi, ale nie daje się przekręcić. Nie wiem, co mu jest.

– Ktoś zepsuł stacyjkę! – odkrzyknął James. – Założę się o każde pieniądze, że to pułapka.

Na twarz Bruce'a powoli wypłynęło zrozumienie.

– Racja. Wynośmy się stąd.

James pochylił się do okna mercedesa.

– Przykro mi, moi drodzy – powiedział do Laury i Jake'a. – Musimy uciekać na piechotę.

Niestety, było za późno. James usłyszał hałas, a kiedy się odwrócił, zobaczył wycelowaną w siebie lufę. Bruce krzyknął i w tym samym ułamku sekundy James poczuł dwa pchnięcia w pierś. Ból odebrał mu oddech. Zatoczył się w tył, patrząc tępo na dwie plamy czerwieni na jego koszulce.

2. PODPUCHA

Trzecia kulka z farbą, wystrzelona z małej odległości, powaliła Jamesa na betonową posadzkę. Kerry Chang podeszła bliżej, przez cały czas trzymając go na muszce. James podniósł ręce nad głowę.

– Poddaję się!

– Co mówisz? – spytała Kerry i nacisnęła spust.

Czwarta kulka rozbiła się o udo Jamesa. Paintballowe pociski nie mogły zrobić mu poważnej krzywdy, ale ból był obezwładniający.

– Kerry, proszę, przestań! – skamlał James. – To naprawdę boli.

– Słucham? – Kerry nadstawiła ucha. – Zupełnie nie słyszę, co mówisz.

Stanęła okrakiem nad Jamesem, trzymając wycelowany w niego karabinek. Za samochodem rozległ się wrzask Bruce'a trafionego dwukrotnie przez Gabrielle.

Strzałem w brzuch Kerry zwinęła Jamesa w kłębek.

– Ty wściekła krowo! – zawył. – Mogłaś mi wybić oko! Miałaś przestać strzelać, kiedy tylko się poddam!

– A poddałeś się? – uśmiechnęła się Kerry. – Myślałam, że powiedziałeś: proszę, strzel jeszcze raz.

Dziewczęta odłożyły karabinki na dach samochodu.

– I co? I co? Wysmagałyśmy wam małe różowe pupcie? – wykrzykiwała podniecona Gabrielle ze swoim silnym, jamajskim akcentem.

James usiadł, przyciskając dłonie do brzucha. Ból był silny, ale sto razy mocniej bolała przegrana z dziewczynami na głupiej akcji treningowej.

Automatyczne drzwi garażu zaczęły się unosić, odsłaniając sylwetkę potężnego mężczyzny, odcinającą się na tle księżycowej poświaty. To był Norman Large, szef wyszkolenia CHERUBA. W dłoni ściskał krótką smycz zakończoną olbrzymim rottweilerem.

– Dobra robota, moje panny – huknął Large. – Tym razem wasze śliczne główki zasłużyły na wyróżnienie.

Kerry i Gabriela uśmiechnęły się szeroko. Large wmaszerował do garażu, zatrzymując się dopiero wtedy, gdy jego wielgachne buty prawie dotknęły nogi leżącego chłopca. James uniósł dłoń do twarzy, starając się osłonić nos przed cuchnącym oddechem psa.

– Nie ugryzie? – spytał bojaźliwie.

Large roześmiał się.

– Na szczęście twoje i Bruce'a Thatcher wyszkolono tak, by przygważdżała intruza do ziemi, ale nigdy nie gryzła. Jej brat Saddam... O, to zupełnie inna historia. Ten wie, jak używać zębów. Gdyby to on strzegł domu, teraz grabilibyśmy z trawnika strzępki waszego mięska. Niestety, Prezes nie pozwolił mi wziąć Saddama... No, nieważne. Wstawaj, James. Gabrielle, pomóż się podnieść temu drugiemu idiocie.

Bruce przekuśtykał dookoła mercedesa, opierając się o maskę. Żółta farba z pocisków Gabrielle ciekła mu po nogach. Chłopcy stanęli obok siebie, plecami do samochodu. Large zawisł nad nimi niczym chmura gradowa.

– Powiedzcie mi, kochaneczki, jakie popełniliście błędy?

– Ja... Szczerze mówiąc, nie wiem. – James wzruszył ramionami.

Bruce wbił wzrok w ziemię.

– Zacznijmy od początku – warknął Large. – Dlaczego dotarcie do willi zajęło wam aż tyle czasu?

– Przecież biegliśmy truchtem całą drogę – zdziwił się James.

– Truchtem?! – wrzasnął Large. – Gdyby to mnie porywacze trzymali pod lufą, spodziewałbym się, że moi ratownicy okażą co najmniej tyle przyzwoitości, by pogalopować mi na pomoc.

– Był straszny upał – poskarżył się James.

– Ja mogłem biec, ale on padł po dziesięciu minutach – powiedział Bruce.

James rzucił mu wściekłe spojrzenie. Koledzy powinni trzymać się razem, a nie wrabiać się nawzajem przy pierwszej okazji.

– Nie zdzierżyłeś tych głupich dziesięciu kilosów sprintu, James? – Large wykrzywił twarz w złośliwym grymasie. – Wygląda na to, że byczenie się na słoneczku nie wpłynęło korzystnie na twoją kondycję.

– Kondycję mam dobrą – mruknął James. – To przez ten upał.

– A zatem przez własną opieszałość przybyliście do willi po zmroku, a ciemność, jak wiecie, bardzo utrudnia dokonanie właściwego rozpoznania. Jednak w waszym wypadku to bez znaczenia, bo rzetelne rozpoznanie nie jest czymś, czym zawracalibyście sobie wasze słodkie główki, prawda?

– Zajrzałem przez płot i porządnie się rozejrzałem – naburmuszył się James.

Large grzmotnął pięścią w dach mercedesa.

– I to ma być rozpoznanie? Czego uczono was na szkoleniach?

– Przed wkroczeniem na posesję przeciwnika zawsze dokonuj gruntownego rozpoznania, badając cel ze wszystkich stron. Jeśli to możliwe, sprawdź rozkład zabudowań i zabezpieczeń z wysokości pobliskiego drzewa bądź wzniesienia terenu – wyrecytował Bruce.

– Skoro tak dobrze pamiętacie, co mówi podręcznik, to czemu uznaliście, że zerknięcie za płot wystarczy za rozpoznanie?!

Bruce i James spojrzeli po sobie z zakłopotaniem. Dziewczęta z błogim uśmiechem rozkoszowały się męczarnią kolegów.

– Gdybyście zrobili porządny zwiad, to może zauważylibyście kojec dla psa – wrzeszczał Large. – Może opracowalibyście właściwą taktykę wkroczenia i opuszczenia posesji, zamiast czołgać się przez środek trawnika i liczyć na łut szczęścia. Potem, kiedy już uwolniliście zakładników, postanowiliście uciec samochodem. Nie przyszło wam do głowy, że to najbardziej oczywisty sposób i że auto prawie na pewno będzie pułapką? A może oślepiła was perspektywa przejażdżki mercedesem?

– Nawet pomyślałem, że to podejrzane... – zaczął James.

– To po co braliście samochód?! – zawył Large.

– No bo... Ja... Kiedy to pomyślałem, to one właśnie zaczęły strzelać.

– W życiu nie widziałem, żeby ktoś tak położył ćwiczenie! – darł się Large. – Złamaliście chyba każdą zasadę, jakiej uczono was na szkoleniach. Gdyby to była prawdziwa akcja, zginęlibyście po dziesięć razy! Obaj dostajecie pałę, a ty, James, przechodzisz na awaryjny program kondycyjny: dziesięć kilometrów dziennie. A ponieważ tak bardzo nie lubisz upałów, pozwolę ci biegać, kiedy jest przyjemny chłodek. Co powiesz na piątą rano?

James wiedział, że i tak nie warto protestować. Jedyne, co mógłby tym zyskać, to pompki.

Large cofnął się o krok i zaczerpnął haust powietrza. Po napadzie wściekłości jego głowa wyglądała jak wielka czerwona porzeczka.

– A co dostaniemy ja i Gabrielle? – spytała Kerry najbardziej przymilnym tonem ze swojego repertuaru.

– Należy się wam po piąteczce – powiedział Large. – To był kawał dobrej roboty, ale nie mogę postawić wam szóstek ze względu na wyjątkowo słabych przeciwników.

Gabrielle i Kerry uśmiechnęły się do siebie. James miał ochotę złapać te dwie zarozumiałe głowy i stuknąć je czołami.

– No dobra, moje panie, pora wracać do schroniska – oznajmił Large. – Bruce, kluczyki.

Bruce podał instruktorowi breloczek z kluczem.

– Ten nie pasuje, jest od frontowych drzwi domu – wyjaśniła Gabrielle. – Zamieniłam breloczki, żeby wyglądał jak samochodowy. Od mercedesa jest ten.

Large złapał klucz w locie i wpuścił Thatcher na przednie siedzenie. Gabrielle i Kerry usiadły z tyłu, ściskając między sobą parę ośmiolatków.

– Och, co za pech – uśmiechnął się Large, wtłaczając swoje ogromne ciało za kierownicę. – Nie ma już wolnych miejsc. Wygląda na to, że Bruce i James będą musieli znaleźć inny sposób na powrót do domu.

– Ale furgonetka jechała strasznie długo, zanim nas wysadziła – przeraził się James. – Nie mam pojęcia, jak dostać się stąd do schroniska.

– Naprawdę ogromnie mi przykro – rozpromienił się Large. – Coś wam powiem. Jeśli zdołacie wrócić przed północą, podwyższę wam ocenę na mierną i nie będziecie musieli powtarzać ćwiczenia.

Large przekręcił kluczyk w stacyjce i samochód potoczył się do przodu. Thatcher wystawiła łeb przez okno i głośno szczeknęła na pożegnanie. Kiedy ucichł chrzęst opon na żwirowym podjeździe, James i Bruce popatrzyli na siebie z żałością.

– Powinno się nam udać – powiedział Bruce po chwili. – Do północy zostały jeszcze trzy godziny, no i teraz mamy z górki.

James spojrzał niepewnie na kolegę.

– Mam nogi jak z drewna.

– Ja idę. Jeśli chcesz przechodzić przez to jeszcze raz, to proszę bardzo, ale beze mnie.

James westchnął z rezygnacją.

– Najgorsze, że wszyscy od dawna mówili, żebym wziął się w garść, a ja nie chciałem słuchać.

3. SŁOŃCE

Wszystkie dzieci z CHERUBA – jeżeli akurat nie są na akcji – spędzają pięć tygodni lata na śródziemnomorskiej wyspie C. Jest to przede wszystkim rodzaj wakacji, okazja do poleniuchowania na plaży, pogrania w piłkę i badmintona, pojeżdżenia quadami po piasku, słowem, do posmakowania życia normalnego dziecka. Chodzi jednak o to, że członkowie CHERUBA nie są normalnymi dziećmi. Każdy w każdej chwili może zostać posłany na tajną misję, dlatego nawet na wakacjach oczekuje się od nich dbałości o kondycję oraz sprawdza stopień gotowości do działania, posyłając na akcję treningową.

Jak niezliczone rzesze agentów przed nim James odkrył, że łatwo stracić formę, kiedy ma się plażę tuż pod bokiem, a wokół siebie tłum potencjalnych towarzyszy zabaw. Przez minione cztery tygodnie treningi kondycyjne były mu jakoś nie po drodze. Dnie spędzał na plaży, a noce na organizowanych z kolegami maratonach filmowych, pakując w siebie tony popcornu i czekolady. Kiedy otrzymał materiały dotyczące zadania treningowego, zamiast rzetelnie je przestudiować, jak sugerowała Kerry, poszedł na narty wodne.

Brnąc przez lepkie, nocne powietrze w stronę schroniska, James dumał nad rozmiarami swojej głupoty. Wiedział, że instruktorzy od zaprawy fizycznej przemienią jego życie w koszmar. Kiedy już dało się im powód, nie odpuszczali, dopóki ofiara nie odzyskała szczytowej formy. James nie miał nic na swoje usprawiedliwienie. Amy, Kyle i wszyscy nauczyciele radzili mu, by ćwiczył i traktował sprawdzian poważnie, ale on tracił wszelkie poczucie odpowiedzialności, kiedy tylko zobaczył plażę.

Mimo kilkakrotnego pomylenia drogi chłopcom udało się dotrzeć do schroniska przed północą. James miał otarty łokieć po potknięciu się o wyrwę w asfalcie i obaj umierali z pragnienia.

W ogrodzie przed schroniskiem grupa starszych dzieci urządziła sobie nocne party przy grillu. Amy Collins od razu spostrzegła przybyszów i podbiegła do nich przez trawnik. Była efektowną szesnastolatką o długich jasnych włosach. Wyglądała fantastycznie w dżinsowych szortach i kwiecistym topie kończącym się tuż powyżej złotej obrączki w pępku.

– Ładny kamuflaż, chłopcy – zachichotała. – Podobno Gabrielle i Kerry wytarły wami podłogę.

– Jesteś pijana – mruknął James.

Picie alkoholu było zabronione, ale dopóki nie dochodziło do specjalnych ekscesów, kadra przymykała oko na to, co robią nastolatki na imprezach.

– Oj, tylko odrobinkę. – Amy czknęła, przyciskając wierzch dłoni do nosa. – Byliśmy dziś na łódce i łapaliśmy ryby. – Rozpostarła ramiona, żeby pokazać rozmiar złowionego okazu. Nagle zatoczyła się do tyłu i zgięła wpół w pijackim napadzie histerycznego śmiechu. – Chcecie rybki z rusztu? – wyrzuciła z siebie. – Mamy świeżutki chlebek z wioski.

James potrząsnął głową.

– Jest późno. Lepiej pójdziemy się umyć.

– Opróżniliśmy całe morze – zachichotała Amy. – No, nieważne. Idę na siku. Do zobaczenia rano, wymoczki. – Machnęła im ręką na pożegnanie. Po kilku niepewnych krokach zatrzymała się i obejrzała na chłopców. – Jeszcze jedno, James.

– Co?

– Mówiłam, że tak będzie – zaśpiewała.

James pokazał jej środkowy palec i ruszył w stronę głównego wejścia do schroniska, holując za sobą Bruce'a. Im skuteczniej unikali kontaktu z innymi, tym mniej czekało ich upokorzeń w związku z zawaloną akcją. Chłopcy przemknęli chyłkiem przez zaciemnioną świetlicę, gdzie około trzydziestu małych agentów oglądało horror wyświetlany z projektora. Jakieś dzieciaki w czerwonych koszulkach spojrzały ze zdziwieniem na ich ubrania upstrzone plamami farby. James i Bruce, niezaczepiani, wspięli się na piętro i pobiegli do pokoju, który dzielili z Gabrielle i Kerry.

Pokój miał kształt litery L z łóżkami dziewczyn na jednym końcu, a chłopców na drugim, za zakrętem. Do tego sufitowe wentylatory, terakotowa posadzka, wiklinowe krzesła i malutki telewizorek. Nie było tu tak przytulnie jak w jednoosobowych pokojach w kampusie, ale nikomu to nie przeszkadzało, ponieważ dzieci zawsze miały mnóstwo zajęć i używały pokojów niemal wyłącznie do odsypiania dziennych szaleństw.

Kerry i Gabrielle wróciły dwie godziny wcześniej. Teraz oglądały w telewizji *Simpsonów*, wprawdzie w wersji hiszpańskiej, ale zrozumiałej dla obu dziewcząt. Od wejścia chłopców nie odezwały się ani słowem, nie komentując nawet mdlącego odoru potu, jaki wypełnił cały pokój.

– No i? – zagadnął James, rozkładając ręce.

Kerry uśmiechnęła się niewinnie.

– No i co?

– I tak nam nie odpuścicie – powiedział James, siadając na łóżku i ściągając trampki. – No dalej, do dzieła. Cieszcie się naszym nieszczęściem.

– Nigdy – oświadczyła Gabrielle z mocą. – My nie jesteśmy z takich.

– Akurat – mruknął pod nosem Bruce.

Kerry usiadła na łóżku. Miała zaróżowioną i pomarszczoną skórę, jakby dopiero wyszła z długiej kąpieli. James ściągnął brudną koszulkę polo i cisnął ją na podłogę.

– Kiedy się wykąpiecie, lepiej zanieście to do pralni. Zasmrodzicie cały pokój – rzekła Kerry.

– Jeśli ci się nie podoba mój smród, to sama zanieś. – Bruce skopał ze stóp adidasy, ściągnął zaskorupiałą skarpetkę i rzucił ją na kołdrę koleżanki.

Kerry podniosła skarpetkę końcem długopisu i odrzuciła na podłogę.

– Mówicie, że ile czasu zajął wam powrót? – spytała, walcząc z rozbawieniem.

Jeszcze nie skończyła mówić, kiedy Gabrielle wybuchła głośnym rechotem.

– A ty z czego się śmiejesz? – zirytował się James. – Stąd do willi jest czternaście kilosów. Ciekawe, ile wam by to zajęło.

– Ale debile! – wyła Gabrielle. – Nie do wiary!

– O co wam chodzi? – James był coraz bardziej zdezorientowany.

– Tam, w willi, nie przyszło wam do głowy, żeby się trochę rozejrzeć? – spytała Kerry z uśmiechem.

– Nie było czasu – wyjaśnił Bruce. – Musieliśmy dotrzeć tu przed północą.

– W kuchennej szafce była kupa forsy – oznajmiła Kerry.

Bruce wzruszył ramionami.

– I co by nam z niej przyszło?

– Był też działający telefon – ciągnęła Kerry. – I książka telefoniczna.

James zaczął się niecierpliwić.

– No i co z tego?

– To nie Mongolia – powiedziała Gabrielle i przyłożyła do ucha dłoń, jakby rozmawiała przez telefon. – Dlaczego po prostu nie wezwaliście taryfy?

– Eee... – zająknął się James, odwracając się i rzucając Bruce'owi puste spojrzenie.

– Taksówka! Taxi! TA-XI! – zaryczała Kerry, płacząc ze śmiechu. – Normalny samochód, tylko na dachu ma koguta, a w środku kierowcę, który zawozi cię, dokąd chcesz.

– Taa... Może mi powiesz, czemu nie wzięliśmy taksówki? – wycedził James, patrząc na Bruce'a.

– Nie patrz tak na mnie. Ty też na to nie wpadłeś.

Gabrielle zwinęła się w kłębek i tarzała ze śmiechu, aż łóżko się trzęsło.

– Ci dwaj kretyni maszerowali czternaście kilometrów, choć mogli wezwać taksówkę i wrócić do domu w godzinę! – wołała Kerry, z zachwytu pedałując nogami w powietrzu.

James zauważył czerwone plamy na swoich skarpetkach – musiał poobcierać sobie stopy do krwi. Plecy i ramiona bolały go od niesienia plecaka, otarcie na łokciu niemiłosiernie piekło, a noga wciąż cuchnęła psim łajnem mimo obmycia jej wodą. Któregoś dnia pewnie będzie się z tego śmiał, ale teraz był bliski płaczu.

– Co za gówno! – krzyknął wściekły, ciskając trampkami w ścianę.

Z rozmachem kopnął swoją szafkę, ale był tak zmęczony, że stracił równowagę i runął w stos ubrań na podłodze, prowokując kolejny wybuch śmiechu. Bruce wyglądał na równie wkurzonego. Gwałtownymi ruchami zdarł z siebie resztę ubrania i ruszył w stronę łazienki.

– Daj mi minutkę, zanim wejdziesz – poprosiła Kerry, ocierając załzawione od śmiechu oczy. – Chcę się już położyć. Mogę szybciutko umyć zęby?

Bruce cmoknął z niezadowoleniem.

– Dobra, tylko nie siedź tam całą noc.

Kerry poczłapała boso do łazienki, stanęła przed lustrem i wycisnęła trochę pasty na szczoteczkę. Bruce i James czekali w samych bokserkach przy otwartych drzwiach. Kerry próbowała zachować powagę, ale nie wytrzymała.

– Czternaście kilometrów! – parsknęła, opluwając białą pianą pół lustra.

Bruce miał tego powyżej uszu. Wszedł do łazienki i stanął za Kerry, która nachyliła się nad umywalką, żeby wypłukać usta.

– Tak ci, kurde, wesoło?! – wrzasnął i pacnął ją otwartą dłonią w tył głowy.

Chciał ją tylko lekko szturchnąć, żeby opryskała sobie twarz, ale w złości uderzył zbyt mocno. Ząb Kerry zadzwonił o kran. Dziewczyna gwałtownie odskoczyła w tył.

– Ty idioto! – zawołała, nerwowo badając palcem stan uzębienia. – Ukruszyłeś mi ząb.

Bruce wiedział, że przegiął, ale nie zamierzał przepraszać kogoś, kto od dziesięciu minut robił wszystko, żeby popsuć mu humor.

– I dobrze – rzucił. – Masz za swoje.

Kerry złapała szklankę z umywalki i cisnęła nią w głowę Bruce'a. Na szczęście zdążył się uchylić. Szklanka rozprysnęła się na ścianie.

– Dajcie spokój – łagodził James. – Nie warto się tłuc z takiego powodu.

– Myślisz, że ząb mi odrośnie?! – krzyknęła Kerry.

Podeszła do Bruce'a i pchnęła go na ścianę. Bruce uniósł pięści.

– No co, solówa?!

Kerry otarła usta rękawem koszuli nocnej. Jej oczy płonęły ze złości.

– Jeśli chcesz po raz drugi dostać dzisiaj baty od dziewczyny, to jestem do usług – warknęła.

James wcisnął się pomiędzy Kerry i Bruce'a. Był od nich wyższy i masywniejszy.

– Nie wtrącaj się, James – ostrzegł Bruce.

– Dorwę go, czy ci się to podoba, czy nie. Złaź mi z drogi, bo dostanie się i tobie – zagroziła Kerry, świdrując Jamesa wściekłym spojrzeniem.

James mógłby pokonać Kerry albo Bruce'a w pojedynku na rękę, ale w walce wręcz liczy się nie tylko siła. Kerry i Bruce od pięciu lat trenowali sztuki walki pod okiem instruktorów CHERUBA. James trafił do organizacji dopiero przed rokiem. Nie miał z nimi najmniejszych szans.

– Nic z tego – odparł niepewnie, mając nadzieję, że Kerry blefowała. – Nie pozwolę wam na to.

Kerry odbiła łokieć Jamesa w bok, wsadziła mu dwa palce między żebra i wypchnęła z łazienki. Posłużyła się prostą techniką obezwładniania przeciwnika, niegrożącą poważnymi obrażeniami. Skulony z bólu James pokuśtykał w stronę łóżka, nie oglądając się na wybuch przemocy za sobą.

Po zwaleniu Jamesa z nóg Kerry na ułamek sekundy straciła równowagę. Bruce natychmiast to wykorzystał i poczęstował dziewczynę bardzo mocnym ciosem. Oszołomiona Kerry zatoczyła się, gwałtownie wciągając powietrze. Telewizor zaryczał końcowym motywem muzycznym z *Simpsonów*. Bruce, przekonany, że wyłączył przeciwniczkę z akcji, ruszył naprzód, by zmiażdżyć jej głowę w tak zwanym krawacie. Przeliczył się. Kerry szybko odzyskała równowagę, wyślizgnęła się spod jego ręki, po czym zaczepiła stopę o jego kostki i podcięła silnym szarpnięciem.

James wspiął się na swoje łóżko, nieco przerażony, ale i zaciekawiony przebiegiem pojedynku. Nie było możliwe, by on albo Gabrielle przerwali bójkę czy choćby sprowadzili pomoc – walczący tarasowali dostęp do drzwi.

W ciągu kilku chwil od zejścia walczących do parteru zasady walki wpajane przez lata na kursach samoobrony zostały odrzucone na rzecz szamotaniny pijaczków turlających się po chodniku. Bruce usiłował wyrwać swojej przeciwniczce kłąb włosów, który owinął sobie wokół pięści, a Kerry orała mu paznokciami policzek. Tarzali się po podłodze, przeklinając, aż wreszcie wpadli pod stolik z telewizorem. Pierwsze dwa potrącenia przesunęły odbiornik na brzeg blatu. Za trzecim telewizor runął na podłogę, ekranem w dół. Huknęło. Kineskop pękł, rozsypując wokół pomarańczowe iskry. Część z nich opadła na nagie nogi Kerry i Bruce'a. W tej samej chwili zgasło światło i umilkł szum wentylatorów.

James wyjrzał za okno. Wszystkie światła na zewnątrz także pogasły. Eksplozja telewizora doprowadziła do zwarcia i spalenia głównych bezpieczników instalacji schroniska. Tymczasem walka toczyła się nadal, ale jedyne, co James mógł dostrzec, to posapujące i jęczące cienie.

Przetoczywszy się po strzaskanym telewizorze, Bruce i Kerry odsłonili drzwi. James zerwał się z łóżka i sięgnął do klamki, niemal zderzając się z Gabrielle, która pomyślała o tym samym w tej samej chwili.

Korytarz rozświetlały zielone lampy awaryjne. Dzieci wystawiały głowy z pokojów i dopytywały się, dlaczego nie ma prądu. James rozpoznał głos Arifa, napakowanego siedemnastolatka, mierzącego grubo ponad sto osiemdziesiąt centymetrów. Dokładnie kogoś takiego potrzebował do przerwania bójki.

– Pomocy! – krzyknął James. – Bruce i Kerry próbują się pozabijać!

W tej chwili ktoś włączył bezpieczniki i światło się zapaliło. Arif puścił się biegiem w stronę pokoju Jamesa razem z dwudziestką dzieciaków węszących niezłą rozrywkę. Siedemnastolatek wparował do pokoju tuż przed Jamesem i Gabrielle.

Bruce gdzieś zniknął. Kerry, z twarzą wykrzywioną bólem, siedziała na środku pokoju, trzymając się za kolano.

– O Boże... Pomóż mi – szlochała.

Kilka lat wcześniej Kerry strzaskała sobie rzepkę podczas treningu. Kolano naprawiono tytanowymi sworzniami, ale wciąż było słabe. Arif wziął dziewczynę na ręce i pognał do pokoju pierwszej pomocy.

– A gdzie, do diabła, jest Bruce? – spytała Gabrielle ze złością.

James wypchnął gapiów za próg i zatrzasnął drzwi. Zajrzał do łazienki.

– Bóg jeden wie. Tu go nie ma.

Nagle usłyszał chlipnięcie. Dobiegło z łóżka Bruce'a, który był tak drobny i chudy, że kiedy cały schował się pod kołdrą, wyglądała, jakby była po prostu mocno skotłowana.

– Bruce? – zaczął James.

– Nie chciałem jej nic zrobić w kolano – załkał Bruce. – Przepraszam.

– Jak kogoś bijesz, to robisz mu krzywdę. Tak to działa – stwierdziła szorstko Gabrielle.

James okazał więcej współczucia. Podszedł do kolegi i usiadł na brzegu łóżka.

– Zostaw mnie, James. I tak stąd nie wyjdę – oznajmił Bruce.

– Bruce, chodź ze mną na dół. Każdemu zdarza się czasem stracić cierpliwość. Wychowawcy na pewno zrozumieją, a poza tym, wiem to z doświadczenia, lepiej wcześniej przedstawić swoją wersję.

– Nie – chlipnął Bruce. – Idź sobie.

Drzwi otworzyły się z hukiem i do pokoju wpadła Meryl Spencer, była olimpijska sprinterka i opiekunka Jamesa. Koszula nocna i niezawiązane trampki sugerowały, że właśnie wyciągnięto ją z łóżka.

– Co tu się dzieje?! – krzyknęła.

– Pobili się – wyjaśnił James. – Bruce jest pod kołdrą i nie chce wyjść.

Na twarz Meryl wypłynął zły uśmiech.

– Doprawdy? – Sprinterka nachyliła się nad łóżkiem. – Bruce! – krzyknęła. – Zraniłeś Kerry i będziesz musiał ponieść konsekwencje. Przestań zachowywać się jak dzieciak i wyłaź stamtąd.

– Odejdź! Nie zmusisz mnie, żebym wyszedł! – zawołał Bruce, jeszcze szczelniej opatulając się kołdrą.

– Masz trzy sekundy, a potem stracę cierpliwość.

Chłopak nawet nie drgnął.

– Raz... Dwa... Trzy! – Na trzy złapała stalowe łóżko za nogę i przewróciła na bok. Bruce gruchnął na podłogę. Meryl szybko zdarła z niego kołdrę. – Wstawaj! – wrzasnęła. – Masz jedenaście lat, nie pięć.

Bruce zerwał się na równe nogi. Twarz miał opuchniętą i całą we łzach. Meryl chwyciła go za ramię i pchnęła na ścianę.

– Cała trójka do mojego gabinetu! Macie poważne kłopoty. Takie zachowanie jest po prostu niedopuszczalne!

– Gabrielle i ja niczego nie zrobiliśmy – zaprotestował James. – Próbowaliśmy ich rozdzielić.

– Omówimy to w moim gabinecie. – Meryl wciągnęła powietrze i uświadomiła sobie, że James i Bruce wciąż cuchną. – Wy dwaj, macie dziesięć minut na prysznic, przebranie się w czyste ciuchy i zejście na dół. A kto wpadnie na pomysł, żeby znów schować się pod kołdrą, będzie biegał codziennie, aż do końca swojego nędznego życia!

4. TRAWNIKI

– Co nabroiłeś tym razem? – dopytywała się Laura. – Kiedy wróciłeś do kampusu? Dlaczego odesłali cię stamtąd tak wcześnie?

James jeszcze się nie rozbudził i nie był w nastroju do rozmów ze swoją dziewięcioletnią siostrą. Laura dobijała się do drzwi trzy razy. Trzy razy zignorowana po prostu włamała się do pokoju. Mieszkanie w kampusie CHERUBA miało tę irytującą wadę, że wszystkie dzieci umiały posługiwać się wytrychami. James obiecywał sobie, że przy najbliższej wyprawie do miasta kupi sobie zasuwkę, której nie otworzy żaden wytrych.

– No dawaj – zachęcała Laura, sadowiąc się na obrotowym krześle przy biurku Jamesa. – Gadaj, co się stało. Wszyscy widzieli, jak karetka wiozła Kerry do ambulatorium.

Laura stanowiła całą rodzinę Jamesa, odkąd prawie rok wcześniej zmarła ich mama. James kochał swoją siostrę, ale i tak sporą część życia spędzał na marzeniu, by poszła sobie do diabła i przestała wtykać nos w nie swoje sprawy. Potrafiła być jak wrzód na tyłku.

– No gadaj – zażądała Laura. – Wiesz, że się stąd nie ruszę, dopóki nie powiesz.

James odrzucił kołdrę i usiadł, dłubiąc palcem w oku.

– Czemu wstałaś tak wcześnie? – zapytał. – Jest jeszcze ciemno.

– Jest wpół do jedenastej. Tyle że pada – oznajmiła Laura, kręcąc się powoli na krześle.

James odwrócił się do okna i wyjrzał pomiędzy listwami żaluzji. Po szybie ciekły strużki deszczu. Niebo było szare, a na korcie tenisowym przed budynkiem utworzył się skomplikowany system kałuż.

– Super – westchnął James. – Nic tak nie poprawia nastroju jak brytyjskie lato.

– Fajnie się opaliłeś – powiedziała Laura. – Ja już całkiem zbladłam, a wróciłam ze schroniska dopiero trzy tygodnie temu.

James uśmiechnął się.

– Najlepsze wakacje, jakie kiedykolwiek miałem. Musimy jakoś zakombinować, żebyśmy w przyszłym roku pojechali razem. Ja, Kerry i jeszcze sześcioro znajomych urządziliśmy sobie obłędny wyścig na quadach.

– Nie wolno się ścigać – zauważyła Laura.

– Naprawdę? – James uśmiechnął się z miną winowajcy. – W każdym razie była totalna kraksa. Ja i Shakeel. Mówię ci, masakra. Przednie opony zerwane z kół, wszędzie benzyna, no obłęd!

– Nic wam się nie stało?

– Shakeel skręcił kostkę, to wszystko. Nie mogę się doczekać następnych wakacji.

Laura uśmiechnęła się.

– My zaś podpuściłyśmy brata Bethany, żeby wjechał quadem do stołówki. Ale było śmiechu, kiedy dostał szlaban... Powiesz mi wreszcie, dlaczego wykopali cię wcześniej, czy nie?

James nagle oklapł, uświadomiwszy sobie, że oto znalazł się bardzo, ale to bardzo daleko od plaży i wyścigów.

– To było totalnie niesprawiedliwe – westchnął z żałosną miną.

– Daj spokój, James, zawsze tak mówisz.

– Ale tym razem naprawdę tak było. Bruce i Kerry wzięli się za czuby. Zdemolowali nasz pokój, a Kerry rozwaliła sobie kolano. No i Meryl odesłała mnie i Gabrielle razem z nimi. Dziś po południu widzimy się z Prezesem.

– Coś musiałeś zbroić – powiedziała Laura.

– Gabrielle i ja staraliśmy się tylko przerwać bójkę – tłumaczył James. – To naprawdę było totalnie niesprawiedliwe. Meryl w ogóle nie chciała mnie słuchać.

Laura uśmiechnęła się pod nosem.

– To kara za wszystkie twoje grzeszki, na których cię nie przyłapano. Jak tam Kerry?

– Strasznie ją boli. Odesłali ją do domu specjalnym samolotem, bo nie może nawet zgiąć nogi.

– Biedaczka.

– Pójdę zobaczyć, jak ona się czuje. Tylko się ubiorę. Idziesz ze mną?

– Za chwilę mam zajęcia z karate – poinformowała Laura, kręcąc głową. – Chcę być w szczytowej formie, kiedy pójdę na szkolenie.

– A tak – uśmiechnął się James. – Jeszcze tylko miesiąc. Ale będę miał ubaw, słuchając opowieści o tym, jak trenerzy przemieniają twoje życie w piekło.

Laura skrzyżowała ramiona na piersi i rzuciła bratu posępne spojrzenie.

– Nie przestraszysz mnie, wiesz?

*

Ambulatorium znajdowało się dziesięć minut marszu od głównego budynku. Kiedy James wszedł do pokoju Kerry, ujrzał także Gabrielle.

– Patrz, co jej zrobił twój kolega – rzuciła z pretensją w głosie, jakby to była jego wina.

Kerry siedziała podparta poduszkami pod znakiem „nic doustnie". W zawieszonym nad łóżkiem przenośnym telewizorku brzęczało MTV. Dziewczynę nafaszerowano środkami przeciwbólowymi, ale wciąż miała mokre oczy i wyglądała, jakby nie spała całą noc.

James położył na stoliku odtwarzacz MP3 Kerry.

– Pomyślałem, że trochę muzy pomoże ci na chwilę zapomnieć... o tym. Mam nadzieję, że się nie gniewasz, że wszedłem do twojego pokoju.

– Żaden problem. Dzięki – powiedziała Kerry.

– Badali cię już?

Kerry skinęła głową i wyciągnęła palec w stronę podświetlarki na ścianie.

– Pokaż mu – poleciła.

Na podświetlarce wisiało zdjęcie rentgenowskie. Gabrielle podeszła i włączyła lampę.

– To rzepka Kerry – wyjaśniła, wskazując okrągłą, szarą plamę na fotografii. – Widzisz te cztery czarne kreski?

James kiwnął głową.

– To metalowe sworznie, które założyli jej dwa lata temu, kiedy rozłupała sobie rzepkę – podjęła Gabrielle. – Podczas bójki Bruce wykręcił jej nogę, a wtedy ten sworzeń wygiął się i teraz sterczy z tyłu rzepki. Za każdym razem, kiedy Kerry poruszy nogą, metal wrzyna się w ścięgna pod spodem.

– Auć! – skrzywił się James. – Mogą coś z tym zrobić?

– Kerry jedzie do szpitala. Zoperują ją dziś po południu. Przed narkozą nie może nic jeść ani pić. Muszą dostać się pod rzepkę i odciąć wygięty pręt. Kość zrosła się już dawno, więc metal i tak niczego już nie podtrzymuje.

James wyobraził sobie narzędzia chirurgiczne gmerające w krwawym wnętrzu nogi i poczuł przypływ mdłości.

– AAAAUUUUUUUUUU! Boże, zlituj się! – krzyknęła Kerry.

James przyskoczył do łóżka.

– Co się stało? Nic ci nie jest?

– To nic – wyjaśniła Kerry słabym głosem. – Po prostu poruszyłam stopą. Boli bardziej, niż kiedy złamałam kolano.

Wydała z siebie niski, przeciągły jęk. James usiadł przy łóżku i pogłaskał ją po dłoni.

– Był u ciebie Bruce? – spytał po chwili.

– A skąd – naburmuszyła się Gabrielle. – Ten dupek nie ma dość klasy, żeby tu przyjść i przeprosić.

– James, mogę cię prosić o przysługę? – spytała Kerry.

– Jasne, a jaką?

– Idź do Bruce'a. Powiedz mu, że nie robię z tego wielkiej sprawy.

– Chcesz powiedzieć, że to nic wielkiego? – roześmiał się James. – Chyba żartujesz.

– Nie żartuję – odparła twardo Kerry. – Nie zamierzam z tego robić jakiejś wielkiej wojny. Pamiętasz, jak ci mówiłam, że złamałam mu nogę, kiedy nosiliśmy jeszcze czerwone koszulki?

James przytaknął.

– To się stało na treningu karate. Bruce źle upadł, a ja wykorzystałam sytuację i skoczyłam na niego całym ciężarem. W czasie ćwiczeń nie robi się takich rzeczy, ale Bruce powiedział, że jest spoko. Machnął ręką, jakby nic się nie stało. Każdemu zdarza się czasem zrobić coś głupiego. Pamiętasz to, James? – Kerry wyciągnęła przed siebie dłoń. Przecinała ją długa blizna, w miejscu, gdzie James nadepnął na nią podczas szkolenia podstawowego. – Nie można chować urazy do ludzi za każdy błąd, jaki zdarzyło im się popełnić – dodała.

– Zrozumiałem aluzję – powiedział James. – Pogadam z nim.

*

James nienawidził plastikowych krzeseł ustawionych rzędem przy drzwiach gabinetu Prezesa. Kiedy spotkanie dotyczyło czegoś przyjemnego, doktor McAfferty – lepiej znany jako Mac – wpuszczał delikwenta od razu. Jeśli miało się kłopoty, czekało się w niepewności przez całe wieki.

James usiadł między Gabrielle i Bruce'em. Był uczesany, wypachniony i ubrany w swój najlepszy uniform: wypolerowane na lustro glany, wojskowe spodnie khaki i granatową koszulkę z wyhaftowanym z przodu godłem CHERUBA. Jego koledzy byli ubrani podobnie, z tą różnicą, że ich koszulki były szare. Policzek Bruce'a przecinały cztery czerwone pręgi, ślady po paznokciach Kerry.

Kerry wybaczyła Bruce'owi, ale Gabrielle nie zamierzała tego uczynić. James czuł się, jakby stąpał po naprężonej linie. Za każdym razem, kiedy odezwał się do jednego, drugie robiło obrażoną minę. James uznał, że najlepiej będzie siedzieć cicho.

Czekali dobre pół godziny, nim drzwi się uchyliły i zza framugi wyjrzał Mac. Miał około sześćdziesięciu lat, wypielęgnowaną szarą brodę i szkocki akcent.

– Właźcie – powiedział zmęczonym głosem. – Pora rozprawić się z waszą trójką.

James ruszył w stronę mahoniowego biurka.

– Nie, nie. Chodźcie i spójrzcie na to – polecił Mac, stając obok makiety architektonicznej na stoliku przy oknie.

Dzieci podeszły do modelu budynku w kształcie półksiężyca. Biała plastikowa makieta miała metr długości, a uzupełniały ją figurki ludzi ustawionych w alejkach wśród miniaturowych drzew ze styropianu.

– Co to jest? – spytał James.

– Nasze nowe centrum planowania misji – oznajmił Mac entuzjastycznie. – Te nędzne biura na ósmym piętrze przerabiamy na pokoje mieszkalne, a zamiast nich budujemy to cudeńko. Ponad pięć tysięcy metrów kwadratowych powierzchni biurowej! Każda ważna operacja otrzyma własną centralę z nowymi komputerami i masą nowoczesnego sprzętu. Będziemy mieli szyfrowane łącza satelitarne i stałą łączność z naszymi koordynatorami na całym świecie, kwaterą główną brytyjskiego wywiadu oraz CIA i DOHS w Ameryce. Architekci właśnie przysłali nam tę makietę. Czyż nie jest fantastyczna?

Dzieci skinęły głowami. Nawet gdyby uważały, że projekt jest koszmarny, za żadną cenę by tego nie ujawniły, nie chcąc się narażać Macowi. Prezes traktował kampus jak osobisty zestaw lego. Ciągle coś burzył, budował i przerabiał.

– To architektura ekologiczna – oznajmił z dumą, zdejmując plastikowy dach, żeby zademonstrować biura wypełnione miniaturowymi meblami. – Specjalne szkło nie przepuszcza ciepła, dzięki czemu zimą łatwiej ogrzać wnętrze. Baterie słoneczne na dachu zasilają wentylatory i podgrzewają wodę.

– Kiedy rusza budowa? – zapytał Bruce.

– Budynek jest już gotowy i w postaci prefabrykowanych segmentów czeka w fabryce w Austrii. Dzięki temu ograniczymy do minimum liczbę robotników kręcących się po terenie kampusu. Po wylaniu betonowego fundamentu resztę poskręca się do kupy w kilka tygodni. Z wyposażaniem pomieszczeń powinniśmy zdążyć do przyszłej wiosny. Nie uwierzylibyście, ile osób musiałem przycisnąć, żeby zapewnić fundusze.

– Jest naprawdę super – powiedział James z nadzieją, że jego entuzjazm wpłynie na zmniejszenie kary.

– No fajnie, a teraz sprawa naszej trójki chuliganów – westchnął Mac. Widać było, że zdecydowanie wolałby rozmawiać o swoim nowym budynku. – Posadźcie zadki przy biurku.

James, Gabrielle i Bruce usiedli na obitych skórą krzesłach naprzeciw biurka. Mac oparł się o blat, splótł dłonie na brzuchu i spojrzał na winowajców.

– Rozmawiałem już z Kerry – oznajmił. – Co wy macie mi do powiedzenia?

– To niesprawiedliwe, że Gabrielle i mnie odesłano z obozu. Próbowaliśmy tylko ich rozdzielić – pożalił się James.

W tej samej chwili dostrzegł Laurę i jej najlepszą przyjaciółkę Bethany, rozpłaszczające nosy na szybie wielkiego okna za biurkiem Maca.

– Meryl Spencer twierdzi, że kiedy wróciliście z treningu, poszliście do pokoju, zaczęliście sobie dogryzać i doszło do awantury. Czy to prawda? – spytał Mac.

Troje agentów smętnie pokiwało głowami. Na zewnątrz Laura i Bethany wystawiały języki i bezgłośnie wypowiadały nieprzyzwoite słowa.

– Zatem w mojej opinii za to, co się stało, odpowiadacie wszyscy czworo – ciągnął Mac. – Delikatna drwina przemienia się w uszczypliwe uwagi, które przeradzają się w obelgi, co prowadzi nierzadko, tak jak w tym wypadku, do rękoczynów oraz rachunku na osiem tysięcy funtów za powietrzny ambulans. Namawiam was, byście podczas odbywania kary zastanowili się nad swoją postawą. I pamiętajcie przy tym, że gdybyście mieli dość rozsądku, żeby zachowywać się przyzwoicie, a nie nawzajem nakręcać, wasze wakacje trwałyby dwa tygodnie dłużej. Czy wyrażam się wystarczająco jasno?

Trzy głowy skinęły potakująco. Jamesowi nie podobało się, że manipulując faktami, Mac próbuje wywołać w nim poczucie winy. To przecież nie on pobił się z Kerry. Jeszcze bardziej irytująca była kartka, którą Laura przyciskała teraz do szyby. Napisała na niej wielkimi czarnymi literami JAMES TO FRAJER. Na jej widok Gabrielle doznała nagłego ataku kaszlu. Kiedy się opanowała, na jej ustach drgał złośliwy uśmieszek.

– W ramach kary cała wasza trójka, począwszy od jutra, będzie się zgłaszać u głównego ogrodnika codziennie po lekcjach. Nie mamy dość ludzi, by poświęcać naszym trawnikom tyle uwagi, na ile zasługują, a trzy osoby koszące trzy godziny dziennie przez miesiąc z pewnością okażą się bardzo pomocne.

James jęknął w duchu. Z dodatkową zaprawą fizyczną rano i koszeniem po południu nadchodzący miesiąc zapowiadał się wyjątkowo koszmarnie.

– To wszystko. Jakieś pytania? – spytał Mac po chwili milczenia.

Dzieci pokręciły głowami, po czym wstały i ruszyły do wyjścia.

– Jeszcze jedno, James – rzucił za nimi Mac.

– Słucham.

Prezes zdjął z biurka fotografię w ramce i pokazał ją Jamesowi. Przedstawiała Maca, jego żonę i sześcioro dorosłych dzieci na tle oceanu wnuków w różnym wieku.

– James, bądź łaskaw poinformować swoją siostrę, że szkło w tej ramce znakomicie odbija wszystko, co dzieje się za moim oknem. Niech Laura i Bethany zajrzą do mnie jak najszybciej. Możesz im powiedzieć, że do końca tygodnia będą wam pomagać przy trawnikach.

5. MĘKA

DWA TYGODNIE PÓŹNIEJ

James wstał o wpół do szóstej, choć całe ciało rozpaczliwie błagało, by został pod kołdrą. Przebrał się w strój sportowy i przy świetle wschodzącego słońca wybiegł na tor lekkoatletyczny. Pokonanie dwudziestu pięciu okrążeń – czyli dystansu dziesięciu kilometrów – zajęło mu godzinę. Potem wziął prysznic i poszedł na śniadanie, przy którym przepisał od Shakeela rozwiązania zadań domowych. Lekcje trwały od wpół do dziewiątej do drugiej z półgodzinną przerwą na lunch. Po lekcjach był jeszcze trening karate i trzy kwadranse zaprawy fizycznej. Zgrzany jak kocioł parowy James pochłonął pół litra soku pomarańczowego i wyprowadził samobieżną kosiarkę z magazynu ogrodnika. Prowadzenie maszyny nie było trudne, ale popołudniowe słońce niemiłosiernie grzało, a od pyłku traw szczypały oczy.

Kwadrans po szóstej James po raz pierwszy mógł się odprężyć. Obiad był wydarzeniem towarzyskim, okazją do spotkania się z kolegami i wymiany plotek. Większość dzieci odrobiła lekcje przed obiadem i wieczór miała dla siebie, ale przez koszenie James jeszcze nawet nie zaczął. Teoretycznie praca domowa powinna zajmować dwie godziny dziennie. Niektórzy nauczyciele byli przyzwoici. Inni zadawali taką masę ćwiczeń, że odrabianie trwało o wiele dłużej.

Kiedy James wrócił do swojego pokoju, było już po siódmej. Usiadł przy biurku, wyjął podręczniki i otworzył zeszyt. Zaległe prace, jakie uzbierały mu się w ciągu dwóch tygodni od powrotu z obozu, wysysały z jego dni każdą wolną minutę.

Wieczór był ciepły. Przez otwarte okno wpadał delikatny wiaterek, grzechocząc plastikowymi listwami żaluzji. James wsłuchał się w miarowy stukot. Powieki ciążyły mu coraz bardziej, druk w podręczniku rozmywał się przed oczami. Wreszcie głowa opadła na biurko. Usnął, zanim napisał jedno słowo.

*

Kyle mieszkał w pokoju naprzeciwko. Miał prawie piętnaście lat, ale nie był dużo większy od Jamesa.

– Pobudka! – zawołał, pstrykając przyjaciela w ucho.

Głowa śpiącego wystrzeliła w górę. James otworzył oczy, ziewnął i spojrzał na zegarek. Minęła dziesiąta.

– O kurczę! Jak nie napiszę na jutro tego wypracowania z historii, to jestem trupem. Dwa tysiące słów, a ja jeszcze nawet nic nie przeczytałem.

– Zgłoś nieprzygotowanie – poradził Kyle.

– Już zgłosiłem, Kyle. Dwa razy. Więcej mi nie przysługuje. Przez te dodatkowe rundki przed lekcjami i koszenie po południu mój dzień ma za mało godzin. Odrabiam lejby w każdej wolnej chwili, nawet w niedzielę, a i tak mam coraz większe zaległości.

– Pogadaj z opiekunką.

– Próbowałem. Wiesz, co powiedziała Meryl?

– No?

– Że gdybym naprawdę był tak zawalony pracą, to nie miałbym czasu na siedzenie w jej gabinecie i użalanie się nad sobą.

Kyle roześmiał się.

– Mówię ci, oni próbują mnie zabić – jęknął James.

– Nie – powiedział Kyle. – Starają się zaszczepić w tobie poczucie obowiązku. Jak poharujesz jak wół przez miesiąc, być może pomyślisz dwa razy, zanim znowu olejesz zasady. To wyłącznie twoja kretyńska wina. Jedyne, co miałeś robić na wakacjach, to utrzymywać względną formę i przeczytać wprowadzenie do zadania treningowego. Wszyscy cię ostrzegali: ja, Kerry, Meryl, Amy... Ale nie, James zawsze wie lepiej.

James ze złością machnął ręką, zrzucając na podłogę książki i kubek z długopisami.

– Dobry pomysł – wyszczerzył się Kyle. – W ten sposób rozwiążesz wszystkie swoje problemy.

– Oszczędź mi swoich wykładów! – krzyknął James. – Jestem tak wykończony, że ledwo patrzę na oczy i rzygać mi się chce od tego waszego ciągłego „a nie mówiłem?".

– Co to za wypracowanie, które piszesz? – zainteresował się Kyle.

– Dwa tysiące słów o początkach brytyjskiego wywiadu i jego roli podczas pierwszej wojny światowej – burknął nadąsany James.

– Ciekawy temat.

– Wolałbym zjeść twojego gluta, niż to pisać.

– Niewykluczone, że mogę ci pomóc, mój mały. Przerabiałem to dwa lata temu. Gdzieś w pokoju powinienem mieć jeszcze stare notatki i wypracowanie.

Twarz Jamesa rozjaśnił szeroki uśmiech.

– Dzięki, Kyle. Jesteś wielki, wiesz?

– Dycha.

– Co? – zachłysnął się James. – Ale z ciebie przyjaciel. Próbujesz zarobić na mnie, kiedy akurat jestem w najgorszym dołku...

– Ta praca to majstersztyk, James. Materiał na szóstkę. Dziewczyna, której to zwinąłem, studiuje teraz historię na Harvardzie w Stanach.

– Pięć funtów – rzucił James.

Doszedł do wniosku, że wypracowanie musi być warte co najmniej piątaka. Będzie musiał pozamieniać fragmenty miejscami i przepisać wszystko własnym charakterem pisma, ale to zajmie najwyżej godzinę, a pisanie wszystkiego od podstaw to praca na całą noc.

– Wysysasz ze mnie krew – powiedział Kyle i ściągnął usta, jakby głęboko się namyślał. – No dobra, masz szczęście, że chwilowo brakuje mi funduszy. Dostaniesz pracę za piątaka, ale kasę dajesz mi teraz.

James sięgnął pod biurko i wydobył z kasetki pięć funtów. Kyle wepchnął banknot do kieszeni.

– I lepiej niech to będzie dobre wypracowanie – ostrzegł James.

– No, ale nie przyszedłem tu, żeby pomagać ci w lekcjach – uśmiechnął się Kyle. – Zrobili mnie starszym agentem w zbliżającej się ważnej operacji. Potrzebujemy jeszcze trojga młodszych dzieci. Rozmawiałem z Ewartem Askerem i mogę ci powiedzieć, że masz tę robotę. Chyba że nie chcesz.

James nie okazał entuzjazmu.

– Nie chcę, żeby Ewart był moim koordynatorem. To psychopata.

– Ewart jest tobą zachwycony – poinformował Kyle. – Uważa, że świetnie się spisałeś podczas tej akcji antyterrorystycznej. Poza tym ekipa będzie spora i jedzie też żona Ewarta, a ona trzyma go pod pantoflem.

– Kto jeszcze jedzie?

– Ja, rzecz jasna, no i Kerry. Chodzi o lasce, ale lekarze uważają, że zdąży wyzdrowieć przed dniem D. Mamy miejsce jeszcze dla jednej dziewczyny. Miała z nami jechać Gabrielle, ale coś ją zatrzymało w Afryce Południowej.

– Nicole Eddison – rzucił James.

– Kto?

– No, wiesz która. Była ze mną na szkoleniu, ale odpuściła po pierwszym dniu. Szarą koszulkę zdobyła za drugim razem. Była nawet na paru akcjach, ale na żadnej ważnej.

– Chyba wiem, o kogo ci chodzi – powiedział powoli Kyle. – Czy to ta dziewczyna z rozbudowaną klatką, o której ciągle gadasz?

– Taaakie balony – zamruczał James marzycielsko, gładząc się po wyimaginowanym biuście.

– James... – Głos Kyle'a nagle zrobił się szorstki. – Nie bierze się dziewczyny do zespołu dlatego, że ma duże piersi.

– Niby dlaczego?

– Cóż, przede wszystkim dlatego, że to niewiarygodnie seksistowskie podejście.

– Daj spokój, Kyle. Nicole to naprawdę fajna babka. Chodziła ze mną na ruski i ciągle ją wywalali za robienie różnych numerów. Poza tym, dopóki Kerry nie dowie się i nie skopie mi tyłka, kogo obchodzi, czy to seksistowskie podejście, czy nie?

– Poproszę Ewarta, żeby ją wpisał na listę kandydatek – zgodził się Kyle z niechęcią. – Ale jeśli ją wybierze, to ze względu na jej przydatność do misji, nie biust. Pierwsza odprawa jutro. Masz tonę materiałów do przestudiowania.

– Ekstra – westchnął James. – Ciekawe, kiedy mam to zrobić.

– Nie mówiłem ci? – spytał Kyle tonem niewiniątka. – Z Meryl wszystko już ustalone. Wciąż masz poranne bieganko, ale obcięli ci trochę lekcji, a Mac odpuścił ci koszenie trawnika.

– Super – ucieszył się James. – Po kolejnych dwóch takich tygodniach chyba poszedłbym prosto do piachu. Jakie przedmioty mi obcięli?

– Plastykę, rosyjski, religię i historię.

– Cudnie! – James z zachwytem zabębnił dłońmi o biurko. Nagle trybiki zaskoczyły. – Powiedziałeś: historię?

– Mhm. – Kyle skinął głową.

– Właśnie zapłaciłem ci piątaka za wypracowanie z historii.

– Zapewniam cię, że jest tyle warte.

James zerwał się z krzesła.

– Mam gdzieś, czy napisał to na złotym pergaminie ten kolo z programów historycznych na Kanale Czwartym. Nie potrzebuję wypracowania, skoro nie muszę chodzić na historię.

– Kolejny dowód, że stare powiedzenie mówi prawdę.

– Jakie znowu powiedzenie?

– Oszustwo nie popłaca.

– Zaraz ci powiem, komu się to nie opłaci – zawarczał James, zgarniając z biurka długopis i celując nim w kolegę.

– Tobie! A wiesz dlaczego? Bo jak zaraz nie oddasz mi mojej piątki, wepchnę ci ten długopis w nos.

– Jakiej piątki? – zdziwił się Kyle. – Nie przypominam sobie... Masz jakieś pokwitowanie czy coś?

James odepchnął Kyle'a od siebie.

– Bandyta z ciebie, wiesz? Normalni ludzie nie naciągają przyjaciół na kasę.

Kyle cofnął się, osłaniając wyciągniętymi przed siebie rękami.

– Hola, spokojnie! – zawołał ze śmiechem. – Coś ci powiem. Mam poważne braki w budżecie, dlatego wbrew moim świętym zasadom etycznym zawrę z tobą układ.

– Co ty powiesz? A jeśli...

– Jeśli pozwolisz mi zatrzymać pięć funtów, ściągnę Nicole do zespołu.

– No, to jest warte pięć funtów – błyskawicznie rozchmurzył się James. – A o co w ogóle chodzi w tej misji?

– O narkotyki – oświadczył Kyle.

6. PLAN

WPROWADZENIE DO ZADANIA.
OTRZYMUJĄ: JAMES ADAMS, KYLE BLUEMAN,
KERRY CHANG, NICOLE EDDISON.
NIE WYNOSIĆ Z POKOJU 812, NIE KOPIOWAĆ,
NIE SPORZĄDZAĆ WYPISÓW

DZIECI I HANDEL NARKOTYKAMI
Na całym świecie handlarze narkotyków wykorzystują dzieci do kupna, dystrybucji i przemytu narkotyków. Dzieci są dla nich cenne z kilku powodów:

(1) Dzieci zażywające narkotyki lub handlujące nimi postrzega się na ogół jako ofiary, a nie przestępców. W większości krajów nieletni handlarze otrzymują łagodne wyroki, podczas gdy dorosłemu, przyłapanemu z dużą ilością narkotyków w rodzaju heroiny lub kokainy, grozi od pięciu do dziesięciu lat więzienia.

(2) Dzieci mają dostęp do szkół i młodzieży. Handlarze zachęcają podopiecznych, by rozdawali darmowe próbki narkotyków swoim kolegom. Ktoś, kto zostaje dilerem w wieku dwunastu lub trzynastu lat, do czasu osiągnięcia pełnoletności może zdobyć setki klientów.

(3) Dzieci mają niewiele źródeł dochodu, za to mnóstwo wolnego czasu. Są takie, które chętnie wyświadczą handlarzowi przysługę, dostarczając klientowi towar w zamian za kilka funtów, a niekiedy nawet za darmo, tylko po to, by zaimponować kolegom.

CZYM JEST KOKAINA?

Kokaina to nielegalny narkotyk otrzymywany z liści krasnodrzewu pospolitego zwanego też koką (nie mylić z kakaowcem, z którego nasion wyrabia się kakao). Koka rośnie na dużych wysokościach w górzystych rejonach Ameryki Południowej. Jej liście przerabia się na krystaliczny biały proszek. Zanim trafi on do odbiorców, jest mieszany z tanimi wypełniaczami, takimi jak laktoza i boraks, albo z innymi narkotykami, takimi jak metamfetamina (potocznie zwana spidem).

Proszek zażywa się, wciągając go do nosa. Można także wstrzykiwać sobie jego roztwór albo wymieszać z innymi chemikaliami dla otrzymania odmiany kokainy nadającej się wyłącznie do palenia (krak). Zażywający doznaje stanu euforii i zwiększonej pewności siebie przez piętnaście do trzydziestu minut. Kokaina ma także właściwości przeciwbólowe i dlatego była niegdyś stosowana przez chirurgów i dentystów. Dziś dostępne są znacznie doskonalsze środki znieczulające.

Choć w odróżnieniu od heroiny czy choćby papierosów kokaina nie wywołuje fizycznego uzależnienia, w większości wypadków jej działanie podoba się zażywającym tak bardzo, że szybko uzależniają się psychicznie i zaczynają brać coraz częściej, doprowadzając do ruiny swoje organizmy.

Inaczej niż uzależniony od heroiny lub palacz, który musi regularnie dostarczać sobie pewnej dawki narkotyku, narkoman kokainowy często potrafi wytrzymać wiele dni bez zażywania, nim wpadnie w tak zwany ciąg. Zażywanie kokainy może prowadzić do zawału serca, wyniszczenia wątroby, udarów, uszkodzenia śluzówki nosa, a także depresji, stanów lękowych i zaburzeń osobowości.

KOKAINA W WIELKIEJ BRYTANII
Niegdyś kokaina była rarytasem narkotykowego półświatka, luksusem dla najbogatszych. W miarę powściągliwy amator potrafi w ciągu wieczoru zużyć jeden gram kokainowego proszku. W 1984 r. gram kokainy kosztował od dwustu do dwustu pięćdziesięciu funtów. Dwadzieścia lat później uliczna cena narkotyku spadła do około pięćdziesięciu, a w niektórych rejonach Wielkiej Brytanii nawet do dwudziestu pięciu funtów za gram.

Stany Zjednoczone płacą rządom krajów Ameryki Południowej za poszukiwanie i niszczenie plantacji koki. Mimo to detaliczna cena kokainy nadal spada, co sugeruje, że podaż wciąż jest olbrzymia.

Większość kokainy trafiającej do Wielkiej Brytanii przybywa przez Karaiby. W brytyjskich więzieniach tkwią tysiące przemytników, ale surowe wyroki nie zdołały powstrzymać narkotykowej lawiny. Wciąż nie brakuje chętnych do wzięcia na siebie roli kuriera, często w zamian za jedyne tysiąc funtów i bilet lotniczy.

Schwytanie wszystkich szmuglerów przekraczających brytyjską granicę jest niemożliwe. Policja musi zwiększyć wysiłki i osaczać ludzi rządzących narkotykowymi gangami. Blisko jedna trzecia trafiającej do kraju kokainy przechodzi przez organizację znaną jako GKM. Skrót ten tłumaczy się po prostu jako Gang Keitha Moore'a.

KEITH MOORE I GKM: BIOGRAFIA
1964   Keith Moore przyszedł na świat na nowym osiedlu
        Thornton na obrzeżach Luton w Bedfordshire.

1977   *Po przyłapaniu na sprzedawaniu marihuany w szkolnej bibliotece Keith został aresztowany przez policję i wydalony ze szkoły. Wkrótce dał się poznać jako notoryczny wagarowicz. Był podejrzany o sporą liczbę kradzieży samochodów i włamań.*

1978   *Keith zaczął trenować boks w Centrum Młodzieżowym JT Martina. JT Martin był emerytowanym bokserem i gangsterem, który kontrolował przestępczy półświatek Bedfordshire od początku lat 60. aż do 1985 r. Swój klub bokserski wykorzystywał do werbowania młodych kryminalistów.*

1980   *Keith zaczął pojawiać się na fotografiach policji nadzorującej JT Martina. Szczupły, drobny szesnastolatek wyróżniał się w gangu złożonym głównie z masywnych bokserów i wykidajłów.*

1981   *Keith zaczął pracować jako szofer JT Martina po tym, jak poprzedni kierowca został zatrzymany za brawurową jazdę. Towarzysząc JT przy załatwianiu jego interesów, młodzieniec stopniowo poznawał tajniki branży narkotykowej.*

1983   *Po stoczeniu jedenastu amatorskich walk Keith wycofał się z boksu, mając na koncie jedno zwycięstwo, dwa remisy i osiem przegranych. Jakiś czas potem poślubił Julię Robertson, dziewczynę, którą znał od przedszkola.*

1985   *Policja przymknęła JT Martina i grupę jego wspólników za handel narkotykami. JT skazano na dwanaście lat więzienia. Keith Moore był jego kierowcą od czterech lat, ale reszta gangu pogardzała nim, uważając za fagasowatego pochlebcę i mięczaka.*

1986   *Gdy JT znalazł się za kratkami, wśród jego byłych pracowników wybuchła walka o władzę. Keith nie mieszał się do krwawych porachunków, ale jego za-*

interesowanie wzbudziły kokainowe kontakty byłego szefa. *Handel kokainą stanowił jedynie uboczną działalność przestępczego imperium, które większość zysków czerpało z rozprowadzania heroiny i marihuany. JT miał również kluby nocne, puby, kasyna, a także tuziny drobnych przedsiębiorstw, takich jak pralnie samoobsługowe i salony fryzjerskie.*

1987 *Cena kokainy spadała, a jej dostępność rosła. Keith Moore jako jeden z pierwszych w Wielkiej Brytanii uświadomił sobie, że rynek narkotykowy wkrótce czeka kokainowa eksplozja. Podczas gdy koledzy z gangu wykłócali się o zyski z klubów i handlu heroiną, Keith poleciał do Ameryki Południowej, by spotkać się z szefami potężnego peruwiańskiego kartelu narkotykowego, znanego pod nazwą Lambayeke. Zgodził się regularnie kupować hurtowe partie kokainy po obniżonej cenie. Aby sprawnie upłynniać zwiększone dostawy, uruchomił system zamówień przez telefon, wzorowany na podobnych serwisach robiących furorę w Stanach Zjednoczonych. System wykorzystywał dwie telekomunikacyjne nowości: telefonię komórkową i pagery do przesyłania wiadomości. Zamiast włóczyć się po podejrzanych zaułkach w poszukiwaniu dilera, klient wykręcał numer i ktoś od Keitha dostarczał mu towar do domu, zazwyczaj w ciągu godziny.*

1988 *Na kokainowym biznesie Keith zarabiał dziesięć tysięcy funtów tygodniowo. Pieniądze umożliwiły mu – chociaż miał dopiero dwadzieścia trzy lata – przejęcie faktycznej kontroli nad przestępczym cesarstwem JT Martina. Keith unikał przemocy, jeżeli tylko było to możliwe. Manipulował zazdrosnymi rywalami, szczując jednych przeciwko drugim, tam zaś, gdzie zawiodły intrygi, przeciągał wrogów na swoją stronę, oddając im władzę nad tymi gałęziami biznesu, które go nie interesowały.*

Ambicją Keitha było przekształcenie dochodowego kokainowego przedsiębiorstwa w największą firmę w całym kraju. Poza nim jedyną częścią dawnego imperium JT, jaką sobie pozostawił, było Centrum Młodzieżowe z klubem bokserskim w dzielnicy, w której dorastał.

1989   *Urodził się pierwszy syn Keitha Ringo. Dziś ma piętnaście lat.*

1990   *W ciągu trzech lat biznes Keitha rozrósł się dziesięciokrotnie. Kokainę na telefon dowożono już w Hertfordshire i Londynie. Ponadto Keith zaczął sprzedawać hurtowe ilości kokainy innym handlarzom w Wielkiej Brytanii i na kontynencie.*

1992   *Julia Moore urodziła bliźnięta – April i Keitha juniora. Dziś mają po dwanaście lat.*

1993   *Urodziło się najmłodsze z dzieci Keitha Erin. Obecnie jedenastolatka.*

1998   *Handel narkotykami to często krótkotrwały biznes. Każdy, kto osiąga sukces, zwraca uwagę policji i celników. Na ogół też prędzej czy później kończy za kratkami.*

Ponieważ śledztwa nie przynosiły spodziewanych efektów, policja podjęła próbę wprowadzenia swoich ludzi na najwyższe szczeble organizacji Keitha. Wkrótce postawiono zarzuty tuzinom osób pracujących dla GKM. Choć wiele z nich zgodziło się współpracować z policją, detektywi nie zdołali zgromadzić jednoznacznych dowodów łączących Keitha Moore'a z handlem narkotykami. W samym sercu GKM zespół wysoko opłacanych prawników wraz z grupą bezwzględnie lojalnych współpracowników jak dotąd skutecznie chroni szefa przed odsiadką.

2000 *Kokainowy interes rozkwitał. Osobisty majątek Keitha Moore'a oceniano już na dwadzieścia pięć milionów funtów. Po zatrzymaniu pod zarzutem oszustwa podatkowego Keith przyznał się do winy i zapłacił pięćdziesiąt tysięcy funtów grzywny.*

2001 *Julia Moore odeszła od Keitha po osiemnastu latach małżeństwa. Keith zatrzymał prawo do opieki nad dziećmi i rodzinny dom. Julia przeprowadziła się do budynku przy tej samej ulicy i pozostaje w dobrych stosunkach ze swoim byłym mężem.*

2003 *Policja zorganizowała operację „Ścieżka", największą akcję antynarkotykową w historii Wielkiej Brytanii. Oficjalnym celem było powstrzymanie handlu kokainą. Nieoficjalnie wszyscy doskonale wiedzieli, że operacja ta jest wymierzona przeciwko Keithowi i GKM.*

Akcja przerodziła się w chaos, kiedy ujawniono skalę korupcji w siłach policyjnych w całym kraju. Aż czterdziestu stróżom prawa udowodniono branie łapówek od GKM. Ośmioro z nich brało udział w „Ścieżce", a jednym z przekupionych okazał się sam nadinspektor dowodzący całą operacją.

Wprawdzie operacja „Ścieżka" trwa, jednak jej impet skutecznie wyhamowały wewnętrzne konflikty wynikające z wzajemnych oskarżeń o łapówkarstwo. Pewna ogólnokrajowa gazeta tak skomentowała efekty pracy policji: „Gdyby wszystkie te zarzuty okazały się prawdziwe, musielibyśmy pogodzić się z faktem, że Keitha Moore'a chroni więcej policjantów niż jej wysokość królową i pana premiera łącznie".

2004   (sytuacja aktualna) Mimo fortuny, szacowanej obecnie na trzydzieści pięć do pięćdziesięciu milionów funtów, Keith Moore unika ostentacji typowej dla milionerów. Mieszka wraz z czworgiem dzieci w dużym, położonym na uboczu domu, niespełna dwadzieścia minut jazdy od osiedla, na którym się wychował. Jego dzieci uczą się w miejscowej szkole wielokierunkowej. On sam prowadzi swoje interesy z domu. Utrzymuje też stałe kontakty z rodziną oraz przyjaciółmi z dzieciństwa. Jego jedyną ekstrawagancją jest kolekcja sportowych porsche i dom nad oceanem w Miami na Florydzie.

GENEZA ZADANIA
Na początku 2004 r. władze zniecierpliwione niepowodzeniami operacji „Ścieżka" i zirytowane doniesieniami o szerzącej się korupcji zwróciły się do wywiadu z prośbą o opracowanie metody infiltracji GKM na najwyższym poziomie. MI5, „dorosły" wydział brytyjskich służb bezpieczeństwa, uznał, że ma niewielkie szanse osiągnąć lepsze wyniki niż policja. CHERUBA zaproponowano jako środek ostatniej szansy.

Najbardziej związane z Keithem Moore'em są jego dzieci. Odpowiednio dobrani agenci CHERUBA mogą nawiązać z nimi bliskie kontakty i zdobyć ważne informacje.

PLAN ZADANIA
Koordynatorzy misji, małżeństwo Zara i Ewart Askerowie, wprowadzą się do domu w Thornton wraz z synem w wieku niemowlęcym oraz czworgiem agentów CHERUBA. Na potrzeby zadania agenci przyjmą role adoptowanych dzieci Zary i Ewarta. Rodzinne nazwisko brzmi Beckett. Dla uniknięcia dezorientacji wszyscy będą używać swoich prawdziwych imion.

CEL ZADANIA (GŁÓWNY)

Każdy agent otrzyma zadanie zaprzyjaźnienia się z jednym z dzieci Keitha Moore'a według następującego schematu:

James Adams   – Junior Moore (Keith junior)
Kyle Blueman   – Ringo Moore
Kerry Chang   – Erin Moore
Nicole Eddison – April Moore

W razie udanego nawiązania przyjaznych relacji z celem agent podejmie próbę podtrzymania kontaktu poza szkołą i przeniknięcia do domu Keitha Moore'a, nie zapominając o gromadzeniu informacji z wszelkich dostępnych źródeł. Każdy agent zostanie umieszczony w klasie, do której uczęszcza jego cel.

CEL ZADANIA (DODATKOWY)

Wielu nieletnich z osiedla Thornton dorabia sobie wykonywaniem drobnych zleceń dla członków GKM. Agenci powinni dołożyć wszelkich starań, by w swoim towarzystwie rozpoznać osoby zatrudniane przez organizację i samemu pójść w ich ślady. Na ogół dzieci pracują dla dilerów niższego stopnia jako dostawcy narkotyków. Poruszają się na rowerach, a z przełożonymi kontaktują za pomocą telefonów komórkowych.

Zebrane informacje sugerują, że dzieci trenujące w klubie bokserskim Keitha Moore'a i sprawdzające się w roli kurierów szybko awansują i są wykorzystywane do przerzucania hurtowych ilości narkotyków. Jeżeli uda się rozpoznać te osoby i zdobyć ich zaufanie, mogą one posłużyć policji do postawienia zarzutów członkom kierownictwa GKM.

UWAGA: 13 SIERPNIA 2004 r. NINIEJSZY PLAN ZADANIA ZOSTAŁ ZATWIERDZONY PRZEZ KOMISJĘ ETYKI

STOSUNKIEM GŁOSÓW 2:1, POD WARUNKIEM ŻE WSZYSCY AGENCI PRZYJMĄ DO WIADOMOŚCI, CO NASTĘPUJE:

Zadanie zostało zakwalifikowane jako operacja WYSOKIE-GO RYZYKA. Agentom przypomina się, że mają pełne prawo odmówić udziału w akcji oraz wycofać się z niej w dowolnym momencie. Agenci będą narażeni na przemoc i kontakt z nielegalnymi narkotykami. Oświadcza się, że każdy agent, który świadomie zażyje kokainę lub inny środek odurzający klasy A, zostanie niezwłocznie wydalony z CHERUBA.

*

Było to złamanie wszelkich zasad, ale Zara Asker pozwoliła członkom misji zabrać materiały na dwór i zapoznać się z nimi na świeżym powietrzu. Urządziła piknik, rozpościerając obrus na trawie i zdobiąc go mnóstwem kanapek i przekąsek. Dzięki temu mały Joshua mógł poznać Kyle'a, Kerry, Nicole i Jamesa i przyzwyczaić się do nich trochę. Ośmiomiesięczny osesek leżał sobie w cieniu ubrany jedynie w pieluszkę. Nicole i Kerry pochylały się nad nim, strasząc dziecko gigantycznymi uśmiechami.

– Spójrz na te mikroskopijne paluszki, James. Jest tak słodki, że mogłabym go schrupać! – szczebiotała Kerry.

James leżał z rękami pod głową, rozmyślając o tym, jak świetnie wygląda w nowych ciemnych okularach i jakim cudem Kyle zdołał wciągnąć Nicole do zespołu.

– To niemowlę, Kerry – powiedział, odwracając głowę. – Widziałem już takie. Wszystkie wyglądają dokładnie tak samo.

Kerry połaskotała Joshuę w brzuszek.

– To James – wyjaśniła. – Powiedz, kto dziś jest panem Zrzędzińskim? No kto?

– Pucipucipuu! – dodała Nicole.

Do grupki zbliżał się Ewart kroczący przez trawę z turystyczną chłodziarką pod pachą i kilkoma butelkami napojów. Był dużym, muskularnym facetem z tlenionymi włosami i mnóstwem kolczyków. Nosił koszulkę Carhartta i stare dżinsy z uciętymi nogawkami.

Zara była starsza od męża. Wyglądała jak typowa umęczona mama z rozczochranymi włosami i mlecznymi wymiocinami na bluzce. Jak większość dorosłego personelu CHERUBA w dzieciństwie była agentką. Potem studiowała na uniwersytecie i pracowała dla ONZ, by wreszcie powrócić do firmy jako koordynatorka misji. Kyle był z nią na akcji kilka razy. Twierdził, że należy do najlepszych przełożonych, jakich można sobie wyobrazić. Dla odmiany Ewart był jednym z najgorszych – co do tego zgadzali się wszyscy.

– Hej, Nicole! – zawołał Kyle, przeganiając muchę z papierowego talerza. – Szkoda, że nie widziałaś, jak James piszczał z radości, kiedy dowiedział się, że jedziesz.

James usiadł, zaskoczony wyskokiem kolegi. Nicole odwróciła się od dziecka.

– Doprawdy? – zdziwiła się. – Ucieszyłeś się, James?

Jamesowi zrobiło się gorąco. Kerry zabiłaby go, gdyby się dowiedziała, że zapłacił Kyle'owi za wzięcie Nicole do zespołu.

– No... tak – przyznał James. – W sumie prawie się nie znamy, ale kilka razy gadaliśmy ze sobą i zawsze wydawałaś mi się... miła.

– Dziękuję, James – uśmiechnęła się Nicole. – Bałam się, że zostanę na uboczu, bo wasza trójka jest taka zżyta...

Kyle wyszczerzył się w złośliwym grymasie.

– Wpadłaś mu w oko, wiesz?

– Odwal się, Kyle! – zawołał James.

Chociaż Kyle był jednym z najlepszych kumpli Jamesa, to wciąż starał się albo go oszwabić, albo rozdrażnić. Po pewnym czasie stawało się to nieco męczące. Zara klepnęła Kyle'a w tył głowy.

– No co? Mówię tylko prawdę – odciął się Kyle ze śmiechem.

– Zachowuj się – warknęła Zara. – A ty, James, uważaj, jak się wyrażasz przy dziecku.

James czuł, że twarz płonie mu z gniewu i wstydu.

– To przecież bzdura – podjęła Nicole. – Każdy wie, że James i Kerry mają się ku sobie.

– Kto tak powiedział? – zachłysnęła się Kerry.

– Właśnie – poparł ją James. – Byliśmy razem na szkoleniu podstawowym i jesteśmy dobrymi przyjaciółmi, ale to nie znaczy, że łączy nas coś więcej.

Kyle roześmiał się.

– Skoro tak twierdzicie, papużki nierozłączki...

– Ja przynajmniej miałem dziewczynę – James przeszedł do ataku. – Masz prawie piętnaście lat, a jeszcze nikt nigdy nie widział cię z żadną.

Kyle skrzywił się urażony.

– Miewałem dziewczyny.

James uśmiechnął się, wyczuwając, że trafił w czuły punkt.

– Te w snach się nie liczą, pędzlu jeden.

W następnej sekundzie zdumiony James poczuł, że wisi w powietrzu, a Ewart mierzy go wzrokiem rozjuszonego byka.

– Pięćdziesiąt okrążeń – warknął koordynator.

– Za co? – stęknął James.

– Za otwieranie plugawej gęby przy moim synu.

– To przecież dziecko, nie rozumie ani słowa.

– Ale się uczy! – krzyknął Ewart. – Na bieżnię, już!

Pokonanie pięćdziesięciu okrążeń zajmowało dwie godziny, odbierało chęć do życia i sprawiało, że następnego ranka delikwent nie mógł się ruszać. Na szczęście Zara interweniowała, zanim James powiedział Ewartowi, gdzie może sobie wsadzić swoje okrążenia.

– Ewart, kochanie – tłumaczyła łagodnym tonem – James musi być z nami, kiedy będziemy omawiać operację. Jestem pewna, że wystarczą przeprosiny.

James, który wciąż dyndał w powietrzu, nie uważał, by ktokolwiek poza nim zasługiwał na przeprosiny, ale uznał, że lepsze to niż pięćdziesiąt okrążeń.

– Już dobrze, przepraszam – mruknął.

– Za co? – spytała Zara.

– Nie powinienem tak mówić przy dziecku.

– Przeprosiny przyjęte, James. Kyle, przestań się wydurniać. Jesteś starszym agentem i spodziewam się, że będziesz pomagał mniej doświadczonym kolegom, a nie grał im na nerwach.

Gdy Ewart postawił go na ziemi, James wygładził zmiętą koszulkę, usiadł na trawie i zaczął w skupieniu zapełniać swój talerz udkami kurczaka i kanapkami. Nicole przysunęła się do niego i wzięła sobie kilka chipsów. Zara wyciągnęła notatki.

– No dobrze, jak wszyscy wiecie, wyruszamy pojutrze z samego rana. Spakujcie się rozsądnie. Jest nas siedmioro, a dom mały. Rok szkolny rozpoczyna się we wtorek, więc macie prawie tydzień na aklimatyzację, zanim pójdziecie do szkoły. Przygotowałam sto sześćdziesiąt stron akt dotyczących Keitha Moore'a, jego wspólników i rodziny. Wszyscy musicie je przeczytać i zapamiętać tyle, ile zdołacie...

7. PRZEPROWADZKA

Nastało pandemonium. Przed głównym budynkiem kampusu stała duża furgonetka przewozowa i minivan. Furgonetka była wyładowana po brzegi, głównie takimi rzeczami jak dziecięce chodziki i wózki. Kerry spakowała się w pięć wielkich toreb, które James musiał zatargać na dół, bo jej kolano wciąż było słabe. Kyle, znany ze schludności posuniętej aż do przesady, nie wyobrażał sobie wyjazdu bez przenośnej garderoby na kółkach, ośmiu par butów i własnej deski do prasowania. Wszystko to za nic nie chciało się zmieścić w samochodzie. Ewart wył z wściekłości i używał wyrażeń, za jakie James dostałby tysiące karnych okrążeń.

– Robię tylko jeden kurs, więc lepiej dogadajcie się i wypracujcie jakiś kompromis – oznajmił wreszcie.

Tylko James potraktował poważnie polecenie, by spakować się rozsądnie. Miał plecak z przyborami toaletowymi, zapasowe adidasy, kurtkę i kilka zmian ubrań. Playstation i telewizor odjechały poprzedniego dnia razem z meblami.

Nagle zza rogu wypadła Laura i podbiegła do kompletnie zaskoczonego Jamesa. Płakała.

– Co się dzieje? – spytał James, biorąc siostrę w ramiona.

Miała przepoconą koszulkę i trzęsła się od spazmatycznego łkania.

– Ja tylko... – Laura pociągnęła nosem.

James przytulił ją mocniej i pogłaskał po plecach.

– No powiedz. Ktoś ci dokucza?

– Za dwa tygodnie kończę dziesięć lat. Nie mogę przestać myśleć o szkoleniu podstawowym.

Na co dzień Laura udawała twardzielkę, ale czasem nie mogła ukryć natury dziewięcioletniej dziewczynki ukrytej pod maską hardej chłopczycy. Kiedy tylko w jej pancerzu pojawiała się szczelina, szukała pocieszenia u Jamesa.

– Laura, nawet ja przeszedłem szkolenie, chociaż nie miałem pojęcia o karate i ledwie umiałem pływać – powiedział James, czując, że jemu także zbiera się na płacz. – Po wszystkich tych zajęciach i treningach, na jakie chodziłaś, jesteś przygotowana do zadania milion razy lepiej niż ja.

Laura otarła pięścią oczy. Kerry podała jej chusteczkę.

– Dzieciaki, tempo! – krzyknęła Zara, sadowiąc się za kierownicą minivana. – Chcę mieć większość drogi za sobą, zanim Joshua obudzi się i zacznie wrzeszczeć.

– Szkoda, że wyjeżdżasz – szepnęła Laura.

– Bethany idzie na szkolenie razem z tobą – rzekł James. – Pewnie będzie twoją partnerką. Jestem przekonany, że świetnie wam pójdzie.

Laura odsunęła się od brata. Kerry pochyliła się, by uścisnąć ją na pożegnanie.

– Tylko pomyśl, Laura – rzuciła z uśmiechem. – Za cztery miesiące szkolenie podstawowe stanie się tylko wspomnieniem, a ty będziesz jeździć na akcje. Założę się, o co chcesz.

Laura uśmiechnęła się niewyraźnie.

– Tak... Mam nadzieję.

– Jeśli chcesz, to mogę spróbować pokombinować tak, żebyś odwiedziła nas w Luton w twoje urodziny. Wymyślimy coś fajnego – zaproponował James.

Laura wyglądała na zaskoczoną.

– Pozwolą mi?

– A czemu nie? To będzie dla ciebie dobre doświadczenie. Zobaczysz, jak to jest na akcji i w ogóle...

– Lepiej już idź – powiedziała Laura przez nos, osuszając oczy chusteczką. – Nie wiem, czemu się popłakałam. Ja tylko... Przepraszam. Teraz mi głupio.

James cmoknął siostrę w policzek, powiedział „cześć" i wsiadł do mikrobusu. Kyle wytknął głowę przez okno.

– Przejdziesz szkolenie bez trudu, Laura – zapewnił. – Przestań bez sensu się zamartwiać.

James zatrzasnął drzwi i zapiął pas.

– Przepraszam, że krzyczałam, James – usprawiedliwiała się Zara z miejsca kierowcy. – Nie wiedziałam, że Laura jest zdenerwowana. Wszystko z nią w porządku?

James pokiwał głową.

– Chyba tak.

Laura machała ręką, dopóki było ją widać. Jamesowi nieco zwilgotniały oczy, ale tak naprawdę nie martwił się o siostrę. Laura miała głowę na karku i była w świetnej kondycji. Tylko jakiś poważny uraz mógł przeszkodzić jej w ukończeniu szkolenia podstawowego.

*

Ewart i Nicole pojechali furgonetką z bagażami. Zara prowadziła minivan. Kyle siedział obok niej, a James i Kerry z tyłu, rozdzieleni małym Joshuą w dziecięcym foteliku. Niemowlak obudził się godzinę przed końcem jazdy i natychmiast zaczął wrzeszczeć, prężąc się w foteliku. Kerry spróbowała go nakarmić, ale tylko pogorszyła sytuację. Kiedy w kolejnym napadzie histerii wytrącił jej butelkę z ręki, oddała go Jamesowi, by poszukać zguby pod nogami.

Joshua zamilkł, gdy tylko znalazł się na kolanach Jamesa. Kiedy Kerry zamierzała go odebrać, urządził kolejną scenę. Wreszcie James wziął od niej butelkę i Joshua zaczął ssać, cicho pomrukując.

– Wygląda na to, że mamy zajęcie dla Jamesa. Z jakiegoś powodu cię lubi – powiedziała Zara z uśmiechem.

– Kerry musiała zrazić go do siebie tymi głupimi minami – roześmiał się Kyle.

James nie przywykł do dzieci. Siedział jak sparaliżowany, bojąc się, że niechcący zrobi mu krzywdę albo że Joshua na niego zwymiotuje. Wszystko skończyło się dobrze, jeśli nie liczyć kilku kropel mleka, jakie spłynęły niemowlęciu po policzku. Syty i zadowolony Joshua leżał spokojnie na kolanach Jamesa, bawiąc się sznurkami jego szortów. James ochłonął nieco po pierwszym szoku i pomyślał nawet, że trzymanie na rękach ciepłego, ruchliwego ciałka to całkiem przyjemne uczucie.

*

Zaledwie jedna trzecia domów w Thornton miała lokatorów. Puste budynki wyglądały przyzwoicie, ale nikt nie chciał w nich mieszkać ze względu na bliskość lotniska położonego kilometr na południe od osiedla. Co parę minut samolot z kilkoma setkami osób przetaczał się z grzmotem po niebie, wstrząsając ziemią i napełniając powietrze mdłą wonią spalonego paliwa.

W Thornton mieszkali już tylko ci, którzy nie mieli innego wyjścia. Lokalną społeczność stanowiła mieszanina uchodźców, studentów, byłych skazańców i rodzin wyrzuconych z lepszych miejsc za niepłacenie czynszu.

Grupa wyrostków musiała przerwać mecz, żeby przepuścić samochód Zary. Ewart i Nicole przyjechali kilka minut wcześniej. Nicole rozpakowała kubki i poszła zaparzyć herbatę.

Dom miał potrójne szyby tłumiące hałas, ale przy każdym przelocie samolotu cały dygotał. Zresztą było zbyt gorąco, żeby zamykać okna.

Trzy sypialnie przypadały na siedem osób. Kyle i James dostali pokój z piętrowym łóżkiem, komódką i miniaturową szafą.

– Jak za dawnych czasów – powiedział James, nawiązując do okresu przed swoim wstąpieniem do CHERUBA, kiedy mieszkał wraz z Kyle'em w domu dziecka.

– No i nie mam gdzie powiesić ubrań. Wszystko się pognecie – rzucił Kyle żałosnym tonem.

– Jak chcesz, to bierz całą szafę – zaproponował James. – Ja będę trzymał rzeczy w torbie i pod łóżkiem.

– Jak znajdę cokolwiek śmierdzącego, wywalam to – ostrzegł Kyle. – Nie obchodzi mnie, czy to skarpetka, czy adidasy za siedemdziesiąt funtów. Wszystko, co jedzie tobą, ląduje w śmietniku.

James roześmiał się.

– Już prawie zapomniałem, jaka z ciebie lalunia.

*

Zara przyrządziła dla wszystkich obiad: paluszki rybne, frytki i groszek – wszystko z mrożonek.

– Przykro mi – powiedziała, rozdając talerze dzieciom usadowionym przed telewizorem. – Musicie przywyknąć do mojej kuchni. Nie jest specjalnie wyszukana.

Przed domem coś głośno huknęło. Wszyscy rzucili sztućce i popędzili do okna. Na trawniku leżały rozsypane śmiecie, a w stronę rynsztoka toczył się powoli blaszany śmietnik. Na chodniku dwaj chłopcy rzucili się do ucieczki. Ewart wypadł przed dom, ale żartownisie znikli już za zakrętem.

Kiedy James ostatnią frytką wycierał keczup z talerza, Ewart nagle wstał i wyłączył telewizor.

– Ale ja zawsze oglądam *Sąsiadów* – zaprotestowała Kerry.

– Nie dzisiaj. Macie robotę – odparł Ewart.

– Idźcie na dwór i zacznijcie poznawać ludzi – poleciła Zara. – Po takiej okolicy na pewno kręci się wiele dziwnych typów, więc trzymajcie się razem. I chcę widzieć wszystkich z powrotem, zanim na dobre się ściemni.

– A ty, James, przed wyjściem pozbieraj te śmiecie z trawnika – dodał Ewart.

– Dlaczego ja? – obruszył się James.

Ewart uśmiechnął się szeroko.

– Bo ja tak mówię.

James przez chwilę rozważał możliwość podjęcia dyskusji, ale z kimś takim jak Ewart po prostu się nie wygrywa.

*

Nawiązanie kontaktów okazało się łatwe. Wakacje wlokły się już od tygodni i miejscowa młodzież była mocno znudzona. James i Kyle grali z mieszkańcami w piłkę, dopóki im się nie znudziło. Kerry i Nicole stały przy krawężniku i paplały z jakimiś dziewczynami. Kiedy zaczęło się ściemniać, wszystkich czworo zaproszono na miejscowy plac zabaw.

Miejsce nie wyróżniało się niczym szczególnym: wypalona szopa stróża parku, cała w graffiti, zepsuta karuzela, drabinka i zjeżdżalnia. Jednak kiedy słońce zaszło, placyk ożył. Bywalcy w wieku od dziesięciu do szesnastu lat zbierali się w kilkuosobowe grupki, by palić, kłócić się i robić wokół siebie zamieszanie. Atmosfera stawała się gęsta. Szpanerzy przypominający żywe reklamy Nike'a naigrawali się z emigrantów w ciuchach z Czerwonego Krzyża. Chłopcy zaczepiali dziewczęta, a wszyscy powtarzali plotkę o gangu z sąsiedniego osiedla, który miał zjawić się tego wieczoru na zadymę. Podobno dwa miesiące wcześniej na placu zabaw jakiś chłopak został dźgnięty nożem. Skończył z ośmioma albo dwustoma szwami, zależy w którą wersję się wierzyło.

– Co za nuda. Chodźmy do domu – powiedziała Kerry po półgodzinie, podczas której nie wydarzyło się nic poza mnóstwem gadania.

– Jak chcesz, to idź – odrzekł James. – Ja zostaję. Zobaczę, czy będzie zadyma. To może być dobre.

– A także niebezpieczne – zauważyła Kerry. – Widziałam tu paru chłopaków z nożami, a poza tym Zara powiedziała, żebyśmy wrócili, zanim...

– Zara powiedziała, pitu pitu kilo kitu. Wyluzuj, Kerry. Na co komu godzina policyjna, jeśli nikt jej nie narusza?

Kerry spojrzała na Nicole w nadziei, że otrzyma wsparcie.

– Idziesz?

– Nie ma mowy. Chcę zobaczyć trochę akcji – odparła Nicole.

Odczekali jeszcze dwadzieścia minut. Jakiś piętnastolatek podszedł, żeby zagadać do Nicole. Potem zadzwonił czyjś telefon i w obieg poszła nowina: jedzie fura.

– No to co? – Kerry wzruszyła ramionami.

– Kradziona – wyjaśnił jeden z miejscowych. – Chłopakom znowu zachciało się pojeździć. Zwykle dają niezły pokaz.

Jakieś pół setki dzieciaków wylało się z placu zabaw i pomknęło na pusty parking, kilkaset metrów dalej. Kiedy w oddali pojawiły się światła, rozległy się wiwaty. To był subaru impreza, srebrny metalik, z ogromnym skrzydłem na kufrze. Kierowca z impetem wjechał na parking i wykręcił kilka nieporadnych bączków, zasmradzając powietrze dymem z palonej gumy. Przy kolejnym obrocie źle wymierzył i grzmotnął w słupek, zdzierając trochę lakieru z tylnego błotnika. Tłum zawył z zachwytu, choć samochód omal nie rozgniótł przy tym dwóch dziewczyn stojących nieopodal z rowerami.

– Normalnie walnięci – cieszył się James. – Sam bym się przejechał czymś takim!

Kerry rzuciła mu złe spojrzenie.

– Co za głupota. Mogą pozabijać siebie i innych.

– Przestań, Kerry – machnął ręką James. – Mówisz jak stary pierdziel.

Impreza zatrzymała się z piskiem kilka metrów dalej. Kiedy rozwiał się dym, kierowca i jego pasażer wyskoczyli z auta, żeby zamienić się miejscami. Obaj wyglądali na piętnaście lat.

– A gdzie nasze lale?! – zawołał nowy kierowca.
Dwie krzykliwie ubrane panienki podbiegły do samochodu i wgramoliły się na tylne siedzenie. Kierowca ruszył, podpalając koła, po czym zaczął kręcić rundki dookoła osiedla. Próbował driftować na każdym zakręcie, kilka razy omal nie tracąc panowania nad wozem i zamiatając tyłem chodniki. Nawet kiedy samochód znikał za szeregiem opuszczonych domów, wciąż było słychać ryk zadręczanego silnika i pisk opon. Nocni rajdowcy wracali raz po raz na parking po nową porcję wiwatów od swojej publiczności.

Poziom emocji sięgnął zenitu, kiedy rozległ się dźwięk policyjnych syren. James miał nadzieję na pościg, ale rajdowcy nie zamierzali ryzykować. Natychmiast zatrzymali wóz, wyskoczyli z niego i wmieszali się w tłum wyrostków. Kiedy na parking wpadły trzy radiowozy, wszyscy zaczęli uciekać. Jeden z chłopców, z którymi James grał w piłkę, pociągnął go za koszulkę.

– Nie stój tak z otwartą gębą – powiedział szybko. – Jak psy cię złapią, to zapuszkują.

Kerry, Kyle i Nicole znikli. James rzucił się do ucieczki, ale nie mógł przypomnieć sobie drogi do domu. W nocy Thornton wszędzie wyglądało tak samo. Wreszcie trafił na sam środek osiedla – duży plac, od którego rozchodziły się promieniście szeregi identycznych domów, w sześciu różnych kierunkach.

– Wiesz, w którą stronę? – spytał zdyszany głos.

James odwrócił się gwałtownie i odetchnął z ulgą, widząc Kyle'a, Kerry i Nicole.

– Możemy spytać policjantów – zaproponowała Kerry.

– Czy tobie mózg obumarł? – zawołał James, klepiąc się otwartą dłonią w czoło. – Policja szuka dwóch chłopaków i dwóch dziewczyn. Zgarną nas w pięć sekund.

Kerry nie zrozumiała.

– Przecież to nie my ukradliśmy samochód.

– Kerry, nie bądź naiwna – powiedział Kyle ze śmiechem. – W takich okolicach jak ta gliny i dzieci są jak olej i woda: źle na siebie wpływają.

Kerry fuknęła gniewnie.

– Cóż, nie znaleźlibyśmy się w takiej sytuacji, gdybyśmy poszli do domu wtedy, kiedy mówiłam.

– Och, zamknij się już – rzucił zniecierpliwiony James.

Nicole popatrzyła na swoich kolegów.

– No to w którą stronę?

*

Wpadli do domu zziajani i podnieceni. Tylko szczęśliwemu przypadkowi zawdzięczali, że znaleźli właściwą ulicę już za drugim podejściem, nie natykając się na żadnego gliniarza. Zara wychyliła się z kuchni, żeby zobaczyć, co się dzieje.

– Aaa... nareszcie. Moje małe potworki jak zwykle spóźnione – uśmiechnęła się promiennie.

Spodziewali się awantury, ale uszło im na sucho, ponieważ przy stole w kuchni siedziała para staruszków popijających herbatę z Zarą i Ewartem.

– To nasze adoptowane dzieci – wyjaśnił Ewart. – Dzieci, poznajcie Rona i Georginę. Mieszkają tuż obok i przynieśli ciasteczka, żeby powitać nas w sąsiedztwie. Domowy wypiek – zaznaczył.

– Wcinajcie, maluchy – zachęciła staruszka. – Moje ciasteczka zdobywały medale.

Zanurzyli ręce w podsuniętej puszce i wzięli po jednym ciastku. Smakowały, jakby upieczono je w 1937 roku, ale przecież nie mogli ich wypluć śledzeni ufnym spojrzeniem starszej damy.

– Pycha – stęknął James, sięgając po wodę, by spłukać zatęchły posmak.

– Może jeszcze jedno? – rozpromieniła się staruszka.

Zara zatrzasnęła wieko puszki.

– Już czas, żeby poszli do swoich pokojów. Nie pozwalam im jeść słodyczy o tej porze. To szkodzi na zęby – dodała tonem wyjaśnienia.

Cała czwórka popatrzyła z wdzięcznością na swoją opiekunkę i z rumorem wtarabaniła się na schody.

– CIIICHOOO, bałwany! Joshua śpi – rzuciła za nimi Zara.

James pierwszy wparował do łazienki i zaraz dorwał się do kranu. Reszta ustawiła się w kolejce. Żeby pozbyć się resztek wstrętnego smaku, wypłukali gardła płynem do ust.

– Zupełnie jakby każdy kęs wysysał z ust całą ślinę – powiedziała Kerry.

– Zakład, że wie, jakie są ohydne? – zaśmiał się Kyle. – Musi mieć niezły ubaw, kiedy patrzy, jak inni cierpią.

– Mam nadzieję, że stare ścierwo zdechnie – zawarczała Nicole.

James parsknął śmiechem.

– Nie przesadzasz trochę, Nicole?

– Nie znoszę starych ludzi. Dać im czas do sześćdziesiątki, a potem pod ścianę i kula w łeb.

– Moja babcia była super – oświadczył James, nagle poważniejąc. – Zawsze miała dla mnie kit kata, kiedy ją odwiedzałem... Byłem jej ulubieńcem. Za Laurą raczej nie przepadała.

Kerry odchrząknęła znacząco.

– Gustu to ona nie miała. Kiedy umarła?

– Jak miałem dziesięć lat.

– Z Laurą już w porządku? – spytał Kyle.

– Nie rozmawiałem z nią od wyjazdu – przyznał James. – Zadzwonię przed pójściem spać.

James przebrał się, wgramolił na łóżko i zadzwonił do Laury ze swojej komórki. Powiedziała, że wstydzi się za swój poranny wybuch i że nie chce już o tym rozmawiać.

8. KONTAKT

To był pierwszy dzień nowego roku szkolnego. Do szkoły ściągały rzesze smutnych, krótko ostrzyżonych uczniów w nowych, za dużych mundurkach. Kyle zaproponował, że przeprasuje rzeczy Jamesa, żeby były, jak sam to ujął, „świeżutkie i schludne". James zdążył zapomnieć, jak irytujące jest noszenie przez cały dzień krawatu i blezera. Jedyną pociechą była Nicole, wyglądająca naprawdę seksownie w swojej białej bluzce i krawacie zawiązanym luźno wokół kołnierzyka. Przerobiła też swoją spódniczkę tak, że była o połowę krótsza niż spódniczka Kerry.

Od śmierci mamy James miał okazję uczęszczać do kilku różnych szkół. Grey Park wydała mu się najnędzniejszą z nich. Pachniała toaletami i pastą do podłóg. Zasłony i ściany głównego korytarza były upstrzone tysiącami kulek gumy do żucia. Połowa uczniów nie miała przepisowych uniformów, a w szkolnym akwarium, wypełnionym wodą tylko w jednej trzeciej, oprócz kilku martwych ryb pływało krzesło.

James odłączył się od pozostałych i odszukał swoją klasę. Juniora Moore'a rozpoznał natychmiast – siedział z tyłu z kolegą. Stan mundurków obu chłopców i pozycja, w jakiej siedzieli, ze stopami na ławkach, nie pozostawiały wątpliwości, że pragną uchodzić za twardzieli. James wiedział, że powinien zachowywać się ostrożnie. Gdyby po prostu podszedł i się przedstawił, potraktowaliby go jak przygłupa. Musiał z wyczuciem odgrywać swoją rolę, nie narzucać się, ale przyciągnąć uwagę Juniora bezczelnym zachowaniem.

Do klasy wszedł nauczyciel, pan Shawn: tyci, pulchniutki pączuś w beżowym garniturze. Robił wrażenie zachwyconego sobą zarozumialca. Reprezentował ten typ belfra, na którego widok czuje się nieprzepartą chęć wycinania mu kolejnych numerów dla czystej przyjemności patrzenia, jak stopniowo popada w obłęd.

– NOOO DOOOBRA! – zawołał pan Shawn, trzaskając dziennikiem w biurko, by przyciągnąć uwagę uczniów. – Lato się skończyło, witam w drugiej klasie. Znajdźcie sobie miejsca i usiądźcie.

James zajął pustą ławkę w środkowym rzędzie. Tuż obok usiadł jakiś nieźle porąbany dzieciak. Był wysoki, ale chudy jak patyk, nosił za mały uniform i chodził dziwacznie, jakby próbował poruszać się w dwudziestu kierunkach naraz.

– Ty jesteś ten nowy, wiem – zagaiło dziwadło. – Ja jestem Charles.

James nie chciał być nieuprzejmy, ale było oczywiste, że znajomość z tym walniętym kolesiem nie pomoże mu w zdobyciu szacunku Juniora.

– Jak chcesz, to oprowadzę cię po szkole – zaproponował Charles.

– Nie trzeba – skrzywił się James. – Dam sobie radę, ale i tak dzięki.

Charles nie nosił plecaka jak inni uczniowie. Miał brązową, skórzaną teczkę. Sądząc po hałasie, jaki wydawała przy stawianiu na podłodze, w środku musiały tkwić co najmniej dwie cegły.

Chłopak zgarbił się nad swoją ławką i zaczął zapamiętale drapać wierzch dłoni. Na blat spłynęła chmura białych płatków.

– Mam egzemę. Najgorzej jest latem, kiedy się pocę – wyjaśnił Charles tak głośno, jakby oznajmiał to wszystkim w klasie.

Pan Shawn zaczął rozdawać plany lekcji, bulgocąc coś o niesamowitych możliwościach otwierających się przed członkami szkolnego kółka szachowego i teatralnego. James był na lekcji od dziesięciu minut, a już miał ochotę wybiec z niej z wrzaskiem i czmychnąć w siną dal. Zawsze uważał, że szkoła to nuda, ale po lekcjach w szkole CHE-RUBA, gdzie klasy były kilkuosobowe, a nauczyciele mieli poczucie misji, w zwyczajnym gimnazjum czuł się, jakby życie płynęło w zwolnionym tempie.

Charles również był znudzony. Po kilku minutach wy-ciągnął z teczki jabłko i wgryzł się w nie ze smakiem. Pan Shawn przestał mówić. Odwrócił się i wbił w chłopca zdu-miony wzrok.

– Charles, można wiedzieć, co ty wyprawiasz?

– Jem jabłko – powiedział Charles takim tonem, jakby nauczyciel zadał najgłupsze pytanie świata.

– Nie ma jedzenia podczas lekcji, pamiętasz? – zauważył pan Shawn.

Gruchnął śmiech. Gdyby to popularny dzieciak jadł jabł-ko na lekcji, koledzy pialiby z zachwytu, uznając, że nie ma nic bardziej cool. Ale Charles był klasowym pierdołą, więc wszyscy rechotali, kręcąc głowami nad jego bezbrzeżną głupotą. W wybuchłej wrzawie dało się słyszeć takie słowa jak niedorozwój i kretyn.

– Wyrzuć to do kosza, Charles.

Charles odgryzł ostatni kęs, a resztę rzucił w kierunku metalowego kosza za biurkiem pana Shawna. Chybił, więc wygramolił się zza ławki, żeby podnieść jabłko z podłogi. Gdy się pochylił, tył spodni obsunął mu się, odsłaniając ja-skrawozielone slipy.

– Fajne majty, Charles! – zawołała jakaś dziewczyna.

– Tak, ale były białe, kiedy je zakładał – dorzucił ktoś, wywołując kolejną falę śmiechu.

Charles chybił po raz drugi, choć celował z odległości mniejszej niż metr. Tym razem stracił cierpliwość i kopnął kosz, który odbił się od ściany, lekko zdeformowany.

– Uspokój się, Charles! – zawołał pan Shawn.

– Nienawidzę śmietników! – krzyknął chłopiec i kopnął kosz jeszcze raz.

– Na miejsce, Charles, ale już! Chyba że chcesz wylądować w kozie.

Charles powlókł się do swojej ławki.

*

Nauczycielka matematyki wyglądała na lekko stukniętą. Przyniosła klucz do innej sali i poszła szukać woźnego, zostawiając uczniów na korytarzu. Junior i jego kumpel podeszli do Charlesa. James stał tuż obok.

– Tęskniłeś za nami w wakacje? – spytał Junior.

Charles milczał. Junior złapał go jedną ręką za nadgarstek, a drugą za kciuk.

– Przywiozłeś nam prezenty? – dopytywał się Junior, wyginając kciuk coraz bardziej. Charles skrzywił się z bólu.

– Nie – jęknął.

– To nieładnie. Myślę, że zasłużyłeś na klapsa.

Junior puścił Charlesa i wymierzył mu kilka policzków. Właściwie nie były mocne. Miały tylko upokorzyć ofiarę.

– A jak ma na imię twój nowy kolega? – spytał Junior.

– Ja... James – wyjąkał Charles przez łzy.

Junior zmierzył Jamesa wzrokiem. On sam był nieco niższy, ale miał szerokie bary, wielkie łapy, no i kumpla za sobą. Pchnął Jamesa na ścianę.

James stłumił narastający gniew. Na szkoleniach uczono go, że pierwsza konfrontacja na zawsze ustala przyszłe relacje. Gdyby teraz okazał słabość, Junior nigdy nie uznałby go za równego sobie i raczej trudno byłoby się z nim zaprzyjaźnić. Z drugiej strony, gdyby po prostu mu przyłożył, zostaliby wrogami, a to byłoby jeszcze gorsze. Musiał wypracować starannie wyważony kompromis. James wzruszył ramionami.

– Spróbuj popchnąć mnie jeszcze raz – powiedział niedbałym tonem. – Choć w sumie nie radzę.

Junior odwrócił się do swojego kolegi i uśmiechnął się radośnie.

– Patrz, Del, zdaje się, że nowy ma się za twardziela.

Nagle Junior sięgnął po nadgarstek Jamesa, który wywinął się i wbił mu pod żebra dwa palce. Junior zgiął się wpół.

– Za wolno – cmoknął James, kręcąc głową z pogardą.

Junior skoczył jeszcze raz. Pięść trafiła Jamesa w brzuch, pozbawiając go tchu. Siła ciosu zaskoczyła go. W przypływie gniewu zahaczył stopą o kostkę Juniora i podciął go, posyłając z łomotem na podłogę. Pozostali uczniowie przezornie odsunęli się na bok. James stanął nad swoim przeciwnikiem z zaciśniętymi pięściami i ruchem głowy zachęcił go do powstania, ale Junior nie wyglądał już na pewnego siebie. Po kilku pełnych napięcia chwilach James wyciągnął dłoń.

– Jeśli musisz się na kimś wyżyć, to masz tu łatwiejsze cele ode mnie – zauważył z uśmiechem.

Junior wyglądał na wkurzonego, ale pozwolił się podnieść do pionu.

– Gdzie się tego nauczyłeś? – zapytał z podziwem, otrzepując spodnie.

– Od Zary, mojej macochy. Jest instruktorką karate.

– Ekstra. Jaki masz pas?

– Czarny, oczywiście. A ty? Gdzie się nauczyłeś tak mocno walić?

– Trenuję w klubie bokserskim. Jestem niepokonany. Osiem zwycięstw na osiem walk – pochwalił się Junior.

Zanim nauczycielka zdołała otworzyć drzwi klasy, minęło pół lekcji. Obok Juniora była wolna ławka.

– Mogę tu usiąść? – spytał James.

– Wolny kraj! – Junior wzruszył ramionami. – To Del, a ja jestem Keith. Ale tak samo ma na imię mój ojciec, więc wszyscy mówią do mnie Junior.

– Jestem James. Dzięki, że uratowaliście mnie od towarzystwa tamtego popaprańca.

James był z siebie zadowolony. Nawiązanie kontaktu zajęło mu tylko godzinę. Zawarcie nowej przyjaźni zostało przypieczętowane donośnym pierdnięciem, jakim skomentował prośbę nauczycielki o ciszę. Junior i Del zarechotali obleśnie.

Kiedy po lekcji wychodzili z klasy, Junior klepnął Jamesa w plecy.

– Masz jaja, James – pokiwał głową z uznaniem, po czym odwrócił się do Dela. – Co mamy następne?

Del wyjął z plecaka plan lekcji.

– Histę.

– Chrzanić ją. A po południu?

– Matma i francuz.

– Jakoś nie mam dziś na to nastroju – oświadczył Junior. – Wyczepiamy, Del?

Del zrobił zalęknioną minę.

– No, nie wiem. Chyba nie powinniśmy się zrywać tak pierwszego dnia. Ojciec mnie zabije, jak znów mnie zawieszą.

– Jak chcesz – westchnął Junior. – Pogoda jest super i nie ma mowy, żebym garbił się w klasie cały dzień. Idziesz, James?

– Dokąd?

– A bo ja wiem? Możemy wszamać po burgerze, pokręcić się po centrum...

– Nieważne – uciął James. – Wszystko będzie lepsze od lekcji.

W tajnych operacjach najbardziej lubił to, że jako agent mógł łamać wszelkie zasady, nie bojąc się konsekwencji.

*

Chłopcy przeczołgali się pod tylną bramą i puścili biegiem, zatrzymując dopiero kilkaset metrów od szkoły. Junior zaczął zdejmować uniform. Pod spodem miał koszulkę Pumy i szorty.

– No wiesz, jak zrywasz się z budy, to lepiej bez mundurka – tłumaczył. – Jeszcze jakiś stary nietoperz przyuważy tarczę, zadzwoni do szkoły i będzie problem.

– Cwane – pochwalił James. – Ale ja nie mam nic pod spodem, a wolałbym nie paradować po ulicach w samych bokserkach.

– Chcesz iść do Reeve'a? – spytał Junior.

– Co to jest?

– Centrum handlowe. Poważnie nigdy tam nie byłeś?

– Jestem tu dopiero od tygodnia – wyjaśnił James.

– Jak to?

– Mieszkaliśmy w Londynie. Mój ojczym dostał pracę na lotnisku, więc przenieśliśmy się tutaj – skłamał James, powtarzając bajeczkę, której wszyscy z zespołu musieli nauczyć się na pamięć.

– Skoro nigdy nie byłeś w Reevie, to zdecydowanie musimy tam iść – postanowił Junior. – Mają tam sklepy sportowe, gry i mnóstwo dobrego żarcia.

– Brzmi nieźle, ale mam tylko trzy funty. Tyle dostałem na lunch.

– Mogę pożyczyć ci piątkę, James, ale jak nie oddasz, moi kumple połamią ci nogi.

James roześmiał się.

– Dzięki.

9. KRADZIEŻ

Wałęsali się po galerii handlowej przez godzinę, oglądając buty i gry, za drogie na ich kieszenie. Nie wiało taką nudą jak w szkole, ale nie było też specjalnie ekscytująco. Kiedy zgłodnieli, poszli do fast foodu z meksykańskim jedzeniem.

– Mój tata jest dziany, ale to taki kutwa... – poskarżył się Junior, odgryzając kęs burrito. – Twierdzi, że nie chce zrobić ze mnie rozpuszczonego gnojka. Mówię ci, połowa tych biednych meneli z Thornton ma więcej fajnych rzeczy niż ja.

– Właśnie tam mieszkam – wtrącił James.

– Bez obrazy – uśmiechnął się Junior przepraszająco. – Nie gniewasz się?

– Spoko.

– Tak naprawdę to w Thornton jest całkiem klawo. Raz, kiedy byłem tam w wakacje, jakieś dzieciaki zaczęły rzucać cegłami w radiowozy.

James roześmiał się.

– Super!

– No. A w jednym poszła cała przednia szyba. Poza tym chodzę tam na treningi. Byłeś kiedyś w klubie?

– Nie.

– Mój tata go sponsoruje. Wpadnij kiedyś. Wszyscy bokserzy są walnięci. Równe towarzystwo.

– Może spróbuję – powiedział James. – Czy to boli?

– Tylko kiedy obrywasz – zaśmiał się Junior. – Właśnie dlatego należy za wszelką cenę tego unikać.

– Skąd twój tata ma tyle kasy? Gdzie pracuje?

James dobrze wiedział, gdzie pracuje Keith Moore, ale był ciekaw, co powie Junior.

– Noo... jest biznesmenem. Import, eksport... Tak naprawdę jest milionerem.

James udał zaskoczonego.

– Serio?

– No. Dlatego tak mnie wpienia, że nie daje mi uczciwego kieszonkowego. Jest sześć gier na PS, które po prostu muszę mieć. Dwie dostanę na urodziny, ale to będzie dopiero w listopadzie.

– Zwiń je – rzucił James.

Junior popatrzył mu w oczy, a potem wybuchnął śmiechem.

– Jasne. Chciałbym, ale przy moim szczęściu na pewno mnie nakryją.

– Trochę się znam na kradzieżach sklepowych – oświadczył James. – Moja mama siedziała w tym biznesie, zanim umarła.

– A za kratkami nie siedziała?

– Nigdy. Kradzież sklepowa to pestka, pod warunkiem że masz głowę na karku i folię aluminiową.

– Ile razy już to robiłeś?

James machnął ręką.

– Setki – skłamał.

W rzeczywistości próbował ukraść coś ze sklepu tylko raz, niedługo po śmierci mamy. Skończył wtedy w komisariacie.

– No a ta folia to po co? – dopytywał się Junior.

– Mogę ci pokazać, jeśli nie pękasz.

– Wchodzę w to, skoro uważasz, że to bezpieczne.

James skończył swoją colę.

– Gwarancji nie daję, ale jeszcze nigdy mnie nie złapali.

Uznał, że kradzież będzie świetnym sposobem na scementowanie jego przyjaźni z Juniorem. Jeśli się uda, zostanie równym gościem i nikt nie odmówi mu prawa do wproszenia się do domu Keitha Moore'a na mały maraton gier. Trudniej może być w razie wpadki, ale nawet wtedy wspólna przygoda powinna ich zbliżyć jeszcze bardziej.

James był w zasadzie bezpieczny, ponieważ w najgorszym wypadku policja aresztowałaby i oskarżyła Jamesa Becketta – chłopca, który nie istnieje. Natychmiast po zakończeniu operacji CHERUB dyskretnie zniszczyłby materiały w sprawie Becketta, by żaden ślad, odcisk palca ani próbka DNA nie mogły pomóc w ustaleniu jego prawdziwej tożsamości.

James kupił rolkę folii aluminiowej w sklepie Wszystko za Funta. Potem zamknęli się obaj w nieczynnej toalecie. James wypakował swoje rzeczy i oddał Juniorowi, po czym wyłożył wnętrze plecaka podwójną warstwą lśniącego aluminium.

– Po co to? – zapytał Junior.

– Kojarzysz te bramki, które piszczą, kiedy próbujesz wynieść coś ze sklepu?

Junior skinął głową.

– To wykrywacze metalu – wyjaśnił James. – Do każdej rzeczy jest przyklejona plastikowa metka z kawałkiem metalu w środku. Gdy próbujesz przejść przez bramkę, włącza się alarm.

– To z folią aluminiową też tak będzie.

– Metal musi mieć odpowiednie rozmiary, inaczej alarm wyłby przy każdej parasolce i sprzączce od paska. Ale jeśli schowasz metkę zabezpieczającą w czymś metalowym, bramka wykrywa tylko opakowanie i alarm się nie włącza.

– Genialne – westchnął Junior, uśmiechając się od ucha do ucha.

– Ale musimy pójść tam, gdzie na półkach są płyty, a nie puste pudełka.

– Gameworld – rzucił Junior.

– Pójdziemy oddzielnie. Ja schowam płyty do plecaka, a ty będziesz odciągał uwagę ochrony i personelu, jeśli znajdzie się za blisko mnie.

– Jak?

– Jakkolwiek, byle skupili się na tobie. Zapytaj, gdzie coś jest albo...

– Jesteś pewien, że się uda? – denerwował się Junior. – Jeśli wpadniemy, ojciec mnie ukrzyżuje.

– Zaufaj mi. Poza tym to ja ryzykuję, nie ty.

Idąc za Juniorem w stronę sklepu Gameworld, James był pewny siebie. Przy wejściu stał ochroniarz. James ruszył prosto do działu z grami na Playstation. Wyłożony folią plecak miał już rozpięty. Znalazł cztery tytuły, na których zależało Juniorowi, po czym pomyślał, że skoro już nadstawia karku, równie dobrze mógłby wziąć kilka płyt dla siebie. To było śmiesznie łatwe. Ochroniarz dłubał w nosie, a facet przy kasie pisał SMS-y.

James zasunął plecak i przewiesił sobie przez ramię. Przy wejściu strażnik pokazywał palcem dział DVD i mówił coś do kiwającego głową Juniora. James ruszył w ich stronę tak nonszalancko, jak tylko potrafił, choć serce waliło mu jak młotem. Kiedy tylko przekroczył bramkę, zawył alarm, a głośnik zagrzmiał mechanicznym głosem:

„Przykro nam, z twojego artykułu nie usunięto zabezpieczenia. Prosimy o powrót do sklepu. Przykro nam...".

Ochroniarz zdążył złapać Jamesa za plecak i zaczął ciągnąć do sklepu. Junior mógł siedzieć cicho i nikt by mu nie udowodnił, że był zamieszany w kradzież, dlatego James nie krył zdumienia, kiedy jego nowy kolega skoczył na strażnika i przyłożył mu pięścią w głowę. James poprawił kopniakiem z kolana w żołądek i rzucił się do ucieczki. Junior biegł kilka kroków za nim.

Strażnik ze sklepu naprzeciwko widział całą scenę i ruszył za złodziejami. Kiedy James zerknął przez ramię, strażnik darł się w krótkofalówkę, domagając się wsparcia.

– Ty cycu! – krzyczał Junior, roztrącając przechodniów.

– No, po prostu genialny plan!

James nie miał pojęcia, co zrobił źle. Z supermarketu po drugiej stronie wypadli dwaj ochroniarze, którzy przecięli chłopcom drogę, zmuszając ich do skręcenia do sklepu z damskimi ubraniami. Jakaś kobieta odbiła się od Jamesa i runęła na wystawę legginsów. Sklep był zastawiony wieszakami i biegnący roztrącali szeregi ubrań. Junior potknął się. Jeden ze strażników zdołał go złapać, ale chłopak wyrwał się i odzyskał równowagę. James wypadł przez wyjście ewakuacyjne na tyłach sklepu, uruchamiając kolejny alarm. Miał nadzieję, że drzwi wychodzą na ulicę, ale znalazł się w głównym holu centrum handlowego. Wyrosła przed nim duża fontanna i wystawa, gdzie umieszczano tymczasowe ekspozycje. Wiszący powyżej żółty banner wprawił Jamesa w osłupienie:

PROGRAM PREWENCYJNY KOMENDY POLICJI
BEDFORDSHIRE
DOWIEDZ SIĘ, JAK CHRONIĆ SWÓJ DOM
I SAMOCHÓD PRZED ZŁODZIEJAMI.

Poniżej stał długi stół, a za nim trzej policjanci wręczający kupującym ulotki.

– O w dupę! – jęknął Junior, rozpaczliwie hamując.

Z policjantami z przodu i ochroniarzami z tyłu ich szanse wyglądały cieniutko. James pomyślał o kapitulacji, ale w tejże chwili Junior dostrzegł drzwi z symbolem toalety i niewiele myśląc, staranował je barkiem. Chłopcy pokłusowali wąskim korytarzem, popędzani tupotem sześciu par męskich butów. Minęli wejście do damskiej toalety i wypadli przez drzwi pożarowe prosto w mroczną czeluść wielopiętrowego parkingu.

Pobiegli w stronę windy, ale czekanie na nią trwałoby za długo. Ruszyli więc klatką schodową w dół, przeskakując po trzy stopnie naraz. Adrenalina dodawała im sił. James skręcił nogę w kostce, ale nie miał czasu myśleć o bólu, jak również o tym, że jeśli się potknie, rozłupie sobie czaszkę na gołym betonie.

Ścigający okazali się ostrożniejsi na schodach i chłopcy znacznie powiększyli swoją przewagę, nim wypadli przez dwuskrzydłowe drzwi na rozświetloną słońcem wąską alejkę zatarasowaną wielkimi stalowymi śmietnikami i stosami tekturowych pudeł. Przedarli się jakoś na drugą stronę, by dopaść końca alejki akurat w chwili, gdy w drzwiach pojawili się policjanci. Ochroniarze zrezygnowali z pościgu.

James i Junior znaleźli się przed frontem centrum handlowego. Nieopodal było przejście dla pieszych i dwupasmówka pełna samochodów stojących na światłach. Spostrzegłszy, że zielony człowieczek już miga, chłopcy puścili się biegiem na drugą stronę. Zdążyli w ostatniej chwili. Na parkingu zewnętrznym pobiegli wzdłuż szeregu samochodów, pochylając się nisko, by z daleka nie było ich widać.

Policjanci utknęli na czerwonym świetle. Jeden z nich próbował przedrzeć się na drugą stronę i omal nie wpadł pod motocykl. Zanim w końcu udało im się wstrzymać ruch i przejść przez ulicę, James i Junior byli już kilkaset metrów dalej.

Trzej gliniarze stanęli na chodniku obok parkingu, bezradnie rozglądając się po rzędach zaparkowanych aut. Chłopcy trzymali się blisko ziemi, dopóki nie dotarli na drugą stronę parkingu. Po sforsowaniu ściany zarośli wyłonili się na wąskim chodniku przy ruchliwej dwupasmów-ce. Junior zaczął biec.

– Ej, stój! – krzyknął za nim James. – Spokojnie.

Junior odwrócił się.

– Co jest?

– Nie biegnij. Nie chcemy zwracać na siebie uwagi.

Szli przez dwadzieścia minut, zerkając niepewnie przez ramię i czując gwałtowne bicie serca za każdym razem, kie-dy mijał ich biały samochód. Ujrzawszy autobus, pomknę-li sprintem na przystanek.

– Sorry za wszystko. Nie gniewasz się, co? – wydyszał James, gdy zamknęły się za nimi automatyczne drzwi.

Junior zaniósł się opętańczym śmiechem.

– To był OBŁĘD! I miny tych gliniarzy, kiedy ich zgubi-liśmy... Człowieniu...!

– Jestem idiotą – oznajmił James. – Wiesz, co zrobiłem? Kiedy wkładałem gry, musiałem niechcący zepchnąć folię na dół, tak że nie zakrywała wszystkiego.

– Kogo to teraz obchodzi? – machnął ręką Junior. – No dawaj, dawaj, dawaj!

James otworzył plecak i wyjął po kolei dziewięć gier na Playstation. Junior odczytywał metki z cenami.

– Czterdzieści, czterdzieści, dwadzieścia pięć, trzydzieści pięć... Ile to będzie?

– Sto czterdzieści.

– Trzydzieści osiem, dwadzieścia cztery i trzy po trzy-dzieści pięć.

– Trzysta siedem funtów.

– Szybko dodajesz – przyznał z uznaniem Junior. – Po-nad trzy stówy w grach. Ale jazda! Musimy to kiedyś po-wtórzyć.

– No, nie wiem – uśmiechnął się James. – Moja bielizna może źle znieść taki stres.

*

– Spóźniłeś się, James. Obiad już prawie gotowy – powiedziała Zara.

Kerry i Kyle siedzieli przy kuchennym stole, czekając, aż odgrzeje się mrożona lasagne.

– Przepraszam – wybąkał James.

– Mogłeś zadzwonić. Martwiliśmy się o ciebie – ciągnęła z wyrzutem Zara.

Kerry podniosła głowę.

– Gdzie byłeś? Nie widziałam cię w stołówce na dużej przerwie?

– Och... tu i tam – odparł James wymijająco.

– Jak było w szkole? – spytała Zara.

– No wiesz... w sumie nic nowego. Ta sama nuda co zwykle.

Zara z pewnością nie miałaby mu za złe, że zerwał się ze szkoły z Juniorem, jednak James nie chciał, żeby dowiedziała się o kradzieży i pościgu. Jeśli podczas tajnej operacji agent nielegalnie zarobił pieniądze albo coś ukradł, musiał wszystko zwrócić lub przekazać na cele dobroczynne. James nie miał zamiaru oddawać pięciu gier po tym, co przeszedł, żeby je zdobyć.

– Jak ci poszło z Juniorem? – spytała Zara.

– Bardzo dobrze – ożywił się James. – To mój typ. Myślę, że zostalibyśmy kumplami, nawet gdybym się o to nie starał. A gdzie Nicole?

– Odrabia lekcje z April Moore i zgrają innych dziewczyn – wyjaśnił Kyle.

– Uuu! – James uniósł brwi z podziwem. – Szybka jest. A jak tam wasze postępy?

– Erin Moore i jej wkurzające psiapsiółki rzucały we mnie papierkami i przezywały kuternogą – poskarżyła się Kerry.

– A Ringo to kujon – dorzucił Kyle. – Miły chłopak, do małej matury podchodzi śmiertelnie poważnie i chyba jest zbyt uczciwy, żeby mieszać się w szemrane interesy tatusia.

– James, dlaczego masz w plecaku folię aluminiową? – zainteresowała się Kerry.

– Że co? – James szarpnął się nerwowo.

– Wystaje kawałek...

Kerry sięgnęła po plecak, ale James zgarnął go, zanim zdążyła zajrzeć do środka. Na jej twarz wypłynął szelmowski uśmiech.

– Przyznaj się, co knujesz? Co tam jest?

– Nic – pisnął James, zrywając się od stołu. – Lepiej pójdę i eee... Zadzwonię do Laury, zanim obiad będzie gotowy.

James pognał po schodach na górę, a Kerry i Kyle spojrzeli na siebie znacząco.

– Folia? – szepnęła Kerry, nie chcąc, by usłyszała ją Zara.

Kyle wzruszył ramionami.

– Mnie nie pytaj. Ale chłopak coś kombinuje, to pewne.

10. CIOSY

W piątek po szkole James, Kyle, Kerry i Nicole siedzieli na kanapach w salonie, sącząc colę z puszek. Telewizor był włączony, ale nikt niczego nie oglądał.

James spojrzał na Kyle'a.

– Wybieram się dziś z Juniorem do klubu bokserskiego. Idziesz z nami?

– Ty na ringu! – zachichotała Kerry. – Zapłaciłabym, żeby to zobaczyć.

James cmoknął z irytacją.

– To trening, idiotko. Nie walczy się pierwszego dnia.

– Odpuszczę sobie mordobicie – powiedział Kyle. – Idę na imprezę.

– To fajnie. Dzięki, że mnie zaprosiłeś – naburmuszył się James.

– Do Ringa Moore'a i jego znajomych? To sami licealiści. Nie lubią, kiedy tacy jak ty pętają im się pod nogami.

– Ja spotykam się z April w Klubie Młodych – pochwaliła się Nicole. – Klub bokserski jest piętro wyżej.

James uśmiechnął się złośliwie.

– Czyli ja wychodzę dziś z Juniorem, Kyle bawi się z Ringiem, a Nicole idzie do Klubu Młodych z April. A ty, Kerry? Co dziś robisz z Erin?

– Cha, cha. Bardzo śmieszne – nadąsała się Kerry. – Erin to straszna kretynka. Hiszpańskiego uczy nas taka jedna studentka...

– Panna Perez – podpowiedział James. – Też ją mam.

– Właśnie. Erin i jej kumpele tak ją zdenerwowały, że się popłakała i uciekła z klasy. Strasznie mi jej szkoda.

– Co ty powiesz – zachichotał James. – Ta Perez to ciągle ryczy. Raz doprowadziliśmy ją do płaczu trzy razy na jednej lekcji. Ale były jaja...

Kerry zamarła ze zgrozy.

– James, to jest okropne! Pomyśl, jak ta biedna kobieta musiała się czuć!

James wzruszył ramionami.

– Kogo to obchodzi? To tylko nauczycielka.

– Wiesz co, James? Nauczyciele też mają uczucia, tak samo jak wszyscy ludzie.

– E tam! – James machnął ręką. – Wściekasz się, bo nie poszło ci z Erin, i boisz się, że wykopią cię z misji.

– Och, zamknij się, James! – powiedziała Kerry, przyciskając rozpostartą dłoń do twarzy. – Spędziłam pół dnia, użerając się z bandą wrednych, głupich baranów. Wracam do domu i muszę męczyć się z kolejnym.

– O ho, ho, jaka wrażliwa – zachichotał James.

Kyle klepnął go w tył głowy.

– Daj już spokój, dobra?

James zrozumiał, że przegiął. Także Nicole patrzyła na niego z odrazą.

– Przepraszam, Kerry – rzucił po chwili. – Ale ty też nabijałaś się ze mnie, że nie umiem boksować.

Kerry milczała, wpatrując się ponuro w dno swojej puszki po coli.

– Nie musisz spędzać wieczoru przed telewizorem – odezwała się Nicole. – Jak chcesz, to chodź ze mną do klubu.

– Nie potrzebuję twojej litości, Nicole – odrzekła opryskliwie Kerry. – Plan misji mówi, że w razie trudności w nawiązaniu kontaktu z celem należy próbować dotrzeć do

GKM przez kogoś innego. Dlatego, wyobraźcie sobie, nie będę dziś siedzieć przed telewizorem. Będę w Centrum Młodzieżowym tak jak Nicole i nasz Muhammad Ali.

Zerwała się z kanapy i ciężkim krokiem poszła do swojego pokoju. Kyle wychylił się i walnął Jamesa w ramię.

– A to niby za co? – zawołał James ze złością.

– Za bycie nieczułą świnią. Wiesz, jak bardzo Kerry się stara, żeby być najlepsza we wszystkim.

– Jezu! – skrzywił się James, masując sobie ramię. – Przecież tylko żartowałem. Nie moja wina, że jest taka drażliwa.

– Idź do niej i przeproś – powiedział Kyle.

– Lepiej nie. Pewnie chce być sama.

James przechwycił wrogie spojrzenie Nicole.

– No dobra – westchnął. – Pójdę i powiem, że mi przykro.

Wstał z ociąganiem i powlókł się na górę. Pokój Kerry i Nicole był na końcu korytarza. W miarę zbliżania się do drzwi James coraz bardziej zwalniał kroku. Kerry miała gorący temperament, a on wolał nie przebywać w okolicy w momencie wybuchu jej złości. Po raz pierwszy ucieszył się, że słyszy płacz Joshuy. Zajrzał do pokoju Zary i Ewarta. Upewniwszy się, że ich nie ma, podszedł do łóżeczka i wziął niemowlaka na ręce. Joshua oparł główkę na jego ramieniu i głośne zawodzenie błyskawicznie przemieniło się w spokojną kompozycję cichych pomruków i cmoktania.

– No co, mały – zaczął James, kołysząc malucha w ramionach. – Idziemy szukać mamy?

Zszedł do kuchni. Przy stole siedział Ewart.

– Dzięki, że się nim zająłeś – powiedział. – Zara poszła po chleb.

– Podgrzej mu butlę – zaproponował James. – Wezmę go do salonu. Lubi oglądać telewizję.

Ewart uśmiechnął się do Jamesa.

– Joshua nie dopuszcza do siebie Kyle'a ani dziewcząt. Wiesz, czemu cię tak lubi?

James wzruszył ramionami.

– Czemu?

– Masz jasne włosy, tak samo jak ja i Zara.

– Może i tak.

James wszedł do pokoju i usiadł obok Nicole.

– Paćcie, kto do nas psised – zaskrzeczała Nicole, tarmosząc Joshuę za palec u stopy.

Od rozpoczęcia operacji James nauczył się o dziewczynach jednej rzeczy: jeżeli chcesz, żeby cię polubiła, daj spokój z kupowaniem prezentów. Przestań zamartwiać się, co masz powiedzieć albo dokąd ją zabrać. Wystarczy, że złapiesz najbliższego zaplutego niemowlaka i posadzisz sobie na kolanach. Nicole, przed paroma minutami gotowa rozszarpać Jamesa na strzępy, teraz kocim ruchem przysunęła się do niego na kanapie.

– Wiesz co, James? – zamruczała przymilnie. – Pewnego dnia będzie z ciebie naprawdę niezły tata.

*

Klatkę schodową prowadzącą do klubu na piętrze zdobiły fotografie z autografami i wycinki prasowe o bokserach, o których James nigdy nie słyszał. Drzwi nad schodami skrzypnęły i w nozdrza chłopca wdarł się powalający zapach straszliwego upału i starego potu. W środku ćwiczyło około dwudziestu drabów w koszulkach upstrzonych ciemnymi plamami. Machali hantlami i okładali pięściami worki treningowe. James czuł się bardzo niepewnie. Wyobrażał sobie, że wszyscy taksują go wzrokiem, oceniając, ile milisekund zajęłoby im wklepanie go w glebę.

Olbrzymi facet przestał robić brzuszki i zaczął polerować swoją łysą czaszkę przepoconym ręcznikiem.

– Nowa rybcia? – spytał, patrząc na Jamesa.

James skinął głową.

– Ja, tego...

Olbrzym wskazał kciukiem za siebie.

– Dzieciaki ćwiczą w drugiej sali. Spróbuj nikogo nie zdeptać.

James podszedł do drugich drzwi, lawirując między matami gimnastycznymi i sztangami. Druga sala była większa, zajęta przez dwudziestu kilku chłopców w wieku od dziewięciu do czternastu lat. Na ringu z tyłu stali dwaj młodzi trenerzy z rękawicami treningowymi, przyjmujący ciosy od grupy małych dzieci. James rozpoznał Juniora, Dela i kilku chłopaków, których widywał na osiedlu i w szkole. Z tyłu dobiegł go ochrypły głos.

– Nowy kolega Juniora?

James odwrócił się. Na plastikowym krześle siedział facet w spodniach od dresu i poplamionym podkoszulku. Ramiona pokrywał mu gąszcz szarych, poskręcanych włosów. Choć koleś był przeterminowany o jakieś trzydzieści lat, wciąż nie wyglądał na kogoś, z kim nie warto byłoby zadzierać.

– Jestem Ken – zachrypiał yeti. – Jak chcesz zostać na wieczór, pięćdziesiąt pensów.

– Junior mówił, że jest taniej, jeśli wykupię karnet miesięczny...

– Pięćdziesiąt pensów za dziś – uciął Ken. – Nie chcę cię okradać, mały. Dla większości dzieciaków to zbyt ciężka praca. Wchodzą przez te drzwi raz, czasem dwa... Jeśli nie stracisz zapału, odejmę ci z ceny karnetu to, co już zapłaciłeś.

James skinął głową i wyszperał z kieszeni szortów kilka monet.

– Idź do Juniora i spróbuj robić to co on – polecił Ken. – Jesteś tu, żeby trenować, czyli nie ma podpierania ścian i pogaduszek. Żadnego obijania się i żadnych kawałów. Jak zaczniesz z kimś boksować bez mojego przyzwolenia, pstryknę palcami i ktoś zrobi ci dużą przykrość. Wszystko jasne?

James skinął głową po raz drugi.

– Nie będzie mnie nikt trenował?

Ken zaśmiał się sucho.

– Siedzę tu i mam oczy otwarte. Daj sobie z tydzień, mały, rób to co inni. Kiedy uznam, że jesteś gotów, wybiorę ci partnera i urządzimy mały sparing.

James podszedł do Juniora.

– Fajny wykład? – spytał Junior ze śmiechem.

Junior, Del i dwaj inni chłopcy ćwiczyli w grupie. We wszystkim tkwił element rywalizacji: kto zrobi więcej pompek lub brzuszków, kto szybciej skacze na skakance, kto spuści na gruszkę więcej ciosów w ciągu trzydziestu sekund. Treningi w CHERUBIE zapewniły Jamesowi kondycję. Radził sobie ze wszystkim oprócz skakanki, na której do tej pory próbował skakać tylko raz: było to na WF-ie, przed wieloma laty. Wszyscy z wyjątkiem Jamesa mieli swoją rundkę na ringu, gdzie albo odbywali sparingi, albo ćwiczyli pod okiem Kelvina i Marcusa – dwóch siedemnastoletnich dryblasów o groźnym wyglądzie, których klub zatrudniał na stanowiskach asystentów trenera.

Kiedy chłopcy byli już półżywi ze zmęczenia, wtoczyli się do szatni, zmyli pot pod prysznicami i założyli świeże ubrania. Przy wyjściu Ken zagrodził Jamesowi drogę wysuniętą nogą.

– Przyjdziesz? – zapytał.

James skinął głową.

– Chciałbym, jeśli mogę.

– Trenowałeś jakieś sztuki walki, nie?

– Tak, karate i dżudo. Skąd pan wie?

– Masz kondycję i potrafisz uderzyć – wyjaśnił Ken. – Ale bokser musi być szybki w nogach. Powinieneś wykręcać co najmniej sto pięćdziesiąt obrotów na minutę. Weź to do domu i ćwicz pół godziny dziennie.

James wziął od Kena wystrzępioną skakankę i wrzucił ją do torby na kłąb mokrych od potu ubrań.

Na schodach Junior klepnął go w plecy.

– Chyba uznał, że masz talent, James. Ja przychodziłem ze trzy tygodnie, zanim w ogóle się do mnie odezwał, mimo że mój ojciec właściwie rządzi tą budą.

James nie zdołał powstrzymać uśmiechu, choć trudno było się dziwić, że wypadł obiecująco po szkoleniach, jakie przeszedł w CHERUBIE.

– Idziesz ze mną i Delem do Klubu Młodych? – spytał Junior. – Będzie mnóstwo dziewczyn. Piątkowy wieczór...

Klub Młodych znajdował się na parterze, pod salą treningową. Z afiszów wynikało, że zaplanowano dyskotekę, ale muzyka nie była głośna i nikt nie tańczył. James, Junior i Del rozsiedli się na poprzecieranych i pociętych nożami fotelach w najciemniejszym kącie sali. W klubie zgromadziło się mnóstwo chłopców i dziewcząt, ale zbierali się w osobnych grupkach.

– No dobra, ogiery. – Junior klepnął się w kolana. – To które laski dziś wyrywamy?

Del zerknął na zegarek.

– Ja odpadam – powiedział. – Dopiję to i jadę do roboty.

Del zawsze miał pieniądze i James przypuszczał, że zarabiał je rozprowadzaniem narkotyków. Wyprostował się w fotelu, wietrząc okazję do zdobycia informacji. Musiał działać ostrożnie, żeby nie wzbudzać podejrzeń.

– Do pracy? – zdziwił się. – O tej porze?

Junior parsknął śmiechem.

– Ach... głos niewinności – rzucił do ściany.

– Pracuję dla GKM – wyjaśnił Del.

James zmarszczył brwi.

– Gieka co?

– Dla gangu Keitha Moore'a. Dostarczam kokę dla ojca Juniora.

– Kto zamawia colę w piątek o tej porze?

– Nie coca-colę, ciemnoto. – Junior pokręcił głową z niedowierzaniem. – Kokainę!

James udał zaskoczenie.

– Kokainę? Czy to nie jest totalnie nielegalne? Mówiłeś, że twój ojciec zajmuje się importem i eksportem.

– Bo to prawda. Importuje dragi, eksportuje szmal.

– O w mordę! – zaklął James z podziwem. – Nic dziwnego, że jest nadziany.

Del sięgnął do plecaka i wydobył małą foliową paczuszkę wypchaną białym proszkiem.

– Kokaina – oświadczył.

James uśmiechnął się szeroko. Wziął torebkę w dwa palce i podniósł do oczu. W tej samej chwili Junior trzasnął go w rękę.

– Nie pokazuj wszystkim, ciołku!

– Sorka. Ile tu tego jest?

– Jeden gram w każdym opakowaniu. Dają mi dziesięć gramów naraz. Potem dzwonią do mnie na komórkę i mówią, kiedy i gdzie mam dostarczyć towar.

– Ile wyciągasz?

– Piętnaście procent. Klient płaci sześćdziesiąt za gram, więc z każdej torebki mam dziewięć funtów. Jeśli jeżdżę w piątek i sobotę wieczorem, bez trudu wyciągam stówkę tygodniowo. Ale najlepiej jest, kiedy ludzie szykują się do biurowych imprez i takich tam. Na przykład przed świętami. Kiedyś miałem gościa, który mieszkał tylko dwie ulice ode mnie. Kupował po dziesięć gramów za każdym razem. Dziewięćdziesiąt funtów za dziesięć minut jazdy na rowerze! Pięknie było...

– Przepuszczasz wszystko?

Del potrząsnął głową.

– Kiedyś tak robiłem, ale szybko zrozumiałem, że tylko marnuję kasę. Teraz wydaję dwadzieścia funtów tygodniowo, a resztę wpłacam na lokatę. Jak skończę osiemnaście lat, kupię bilet i ruszę na wędrówkę.

James spojrzał na Juniora.

– No, a jakim cudem ty zawsze jesteś spłukany?

Del parsknął śmiechem.

– Jemu nie wolno nawet myśleć o dragach.

Junior zrobił żałosną minę.

– Tata panicznie się boi, że go aresztują. Gdyby złapali mnie z towarem, policja miałaby pretekst, żeby go przesłuchać i przeszukać nasz dom.

– Kiepska sprawa – zadumał się James.

– To paranoja – ciągnął Junior z goryczą w głosie. – Mój ojciec jest milionerem, a połowa moich znajomych zarabia ciężką kasę, sprzedając kokę. A ja co mam? Dziury w dżinsach i trampki z supermarketu.

– A nie możesz popracować, tak wiesz... dyskretnie?

– Zapomnij. W miasto poszedł cynk. Każdy, kto spróbuje wciągnąć mnie albo Ringa w narkotykowy biznes, może spodziewać się poważnych kłopotów, jeżeli tatuś się o tym dowie. A dowie się na pewno.

– Czyli masz przerąbane – zaśmiał się James. – Myślicie, że jest jakaś szansa, żebym też wkręcił się w te dostawy?

Del wzruszył ramionami.

– Jeśli chcesz, to pójdę na górę i pogadam z Kelvinem. Nie wiem, czy akurat teraz kogoś potrzebują, ale mogę spróbować skołować ci komórkę i parę gramów na początek.

– Mam własną komórkę.

Del potrząsnął głową.

– Musisz używać tej, którą dostaniesz, żeby policja nie mogła cię namierzyć.

– Czyli jakaś szansa jest, tak?

– Nie mam pojęcia – wyznał Del. – Wszystko, co mogę zrobić, to nadać im temat.

– Dzięki.

Del wstał.

– No dobra, mam dostawę na dziewiątą, więc lepiej skoczę do domu po rower. Trzymcie się, frajerzy. Widzimy się w poniedziałek w szkole.

James uśmiechnął się.

– Taa. Na razie.

– Frajerzy? Pomyślę o tobie ciepło za parę godzin – powiedział Junior zaczepnie. – Ty będziesz miał zadyszkę i zakwasy, a ja rękę pod bluzką jakiejś lasencji.

– W twoich snach, Junior! – zawołał Del, zmierzając do wyjścia.

James uśmiechnął się z udawanym zdumieniem.

– Nie mogę uwierzyć, że twój stary jest dilerem.

– No i co z tego? To jak, spróbujemy coś wyrwać?

Rozejrzeli się po sali.

– Patrz na tę foczkę przy automacie z colą! – zachłysnął się Junior. – Pierwszy raz ją tu widzę.

James odwrócił się. Wiedział, że chodzi o Nicole, jeszcze zanim ją zobaczył.

– Zajęta – oświadczył. – Przeze mnie. To moja siostra.

– Nie możesz zadawać się z siostrą, ty zboku.

– Przybrana siostra – wyjaśnił James. – Nie jesteśmy spokrewnieni. Dlaczego nie wystartujesz do tej obok? Całkiem fajna sztunia.

– To moja siostra bliźniaczka, baranie, i nie wyrażaj się tak o April, bo źle skończysz.

April miała inną fryzurę niż na policyjnych fotografiach, więc James jej nie poznał.

– Powiem ci, kto jeszcze jest niezły – powiedział Junior. – Szkoda, że nie jest sama.

– Kto?

– Przy stole za naszymi siostrami. Ta skośnooka z długimi czarnymi włosami. Smakowita jest.

James wyciągnął szyję, ale zobaczył tylko tył głowy dziewczyny. Wtedy odwróciła się i ujrzał jej profil.

– To moja druga siostra – oznajmił zdumionym tonem. – To Kerry. Z kim ona jest?

– Z Dineshem Singhiem. Mieszka niedaleko nas. Jego ojciec ma firmę, która robi obiadki do odgrzewania w mikrofalówce dla supermarketów. Nie chcesz się wymienić? – Junior zatarł dłonie. – Ja zagadam z Nicole, a ty możesz spróbować szczęścia z April. Nie jest wybredna, jeśli mam być szczery, więc nawet ty masz szansę coś zdziałać.

– O rany! – zawołał James, czując, że zazdrość zaraz rozsadzi mu głowę. – On normalnie ją objął!

– No to co? – zdziwił się Junior. – Chodzisz ze wszystkimi siostrami naraz czy jak?

– No bo... Kerry jest taka młoda...

– Ile ma lat?

– Dwanaście.

Junior parsknął śmiechem.

– My mamy dwanaście.

– Tak, ale... My chodzimy do drugiej klasy, a ona dopiero do pierwszej.

– Myślę, że to nie twój interes, z kim umawia się twoja siostra. Ale jeśli sprawi ci to frajdę... Dinesh to cienias. Po prostu idź tam i wlej mu pod byle pretekstem.

– Mam na to wielką ochotę – wycedził James.

To było totalne kłamstwo. James dobrze wiedział, że gdyby tylko spróbował, Kerry rozniosłaby go na pięćdziesiąt milionów kawałeczków.

– A zresztą nie zamierzam tu siedzieć całą noc – oświadczył Junior, wstając. – Startujesz do April czy nie?

James wzruszył ramionami.

– Idź sam. Nie jestem w nastroju.

April Moore była ładna i nawiązanie z nią znajomości pomogłoby operacji, ale James nie mógł przestać myśleć o Kerry.

Junior przysunął sobie krzesło i zagadnął Nicole. James siedział zasępiony, obserwując ukradkiem Kerry i Dinesha. Wreszcie zmęczył się tym bezproduktywnym pielęgnowaniem zazdrości i postanowił podejść do April, ale nim zdążył wstać, wyrosły przed nim dwie masywne sylwetki.

Rozpoznał Kelvina i Marcusa, dwóch trenerów, których widział w klubie bokserskim. Obaj byli wysocy i potężnie zbudowani. Usiedli po obu stronach Jamesa, ściskając go między sobą, choć wokół nie brakowało miejsca.

– Jestem Kelvin – powiedział czarny, wyjmując z kieszeni telefon komórkowy i kładąc go na stole. – Del twierdzi, że jesteś zainteresowany pracą kuriera.

James skinął głową.

– Przydałoby mi się trochę grosza.

– Del mówi, że solidny z ciebie dzieciak – ciągnął Kelvin. – Co powiesz glinom, kiedy złapią cię z narkotykami?

– Nic, oczywiście.

Kelvin pokiwał głową.

– Tak jest. Nie znasz nas, nigdy w życiu nas nie widziałeś, a dragi znalazłeś w krzakach. Trzymaj się tej wersji bez względu na to, czym cię będą straszyć. Domyślasz się, co się stanie, jeśli nas wsypiesz?

– Zostanę... pobity?

– Raczej pocięty – uśmiechnął się Kelvin. – To na początek. Niegrzeczni panowie odwiedzą twój dom i dobiorą się do rodziny. Poniszczą meble, zrobią kuku mamie i tacie. Del mówi, że masz dwie siostry. Nie będą już takie ładne, kiedy z nimi skończymy. Dlatego lepiej pamiętaj, James, nawet kiedy wielki i straszny glina powie, że cię zamknie i wyrzuci klucz, lepiej, żebyś trzymał gębę na kłódkę.

– Spoko. Ja nie sypię – zapewnił James.

– Masz dobry rower?

– Szczerze mówiąc, jest nędzny.

– To dobrze. Z dobrego zaraz by cię skroili. Jak twoi rodzice zapatrują się na późne powroty?

– Do wpół do jedenastej jest spoko.

– Marcus, daj małemu trzy paczki. Weźmiemy go na próbę.

Marcus wydobył z kieszeni dresu trzy torebki z kokainą.

– Czuwasz wieczorami w dni szkolne – poinformował Kelvin. – Od poniedziałku do czwartku. To znaczy, że telefon ma być włączony, a ty gotowy do jazdy. Nie chcemy słyszeć, że masz szlaban albo jesteś czymś zajęty. Dostajesz zlecenie, wykonujesz.

– Dacie mi weekendy? – spytał James. – Del powiedział, że wtedy zarabia się prawdziwy szmal.

– Każdy zaczyna od dna: dostawy w dni powszednie i bez stałych klientów. Zobaczymy, jak się sprawisz. Jeżeli się przekonamy, że jesteś solidny i szybki, przeniesiemy cię do lepiej płatnej roboty. Jakieś pytania?

– Kiedy już dostarczę te trzy paczki, skąd wezmę więcej?

– Mamy ludzi w twojej szkole. Jeśli będzie trzeba, ustawimy ci spotkanie.

– A jak ktoś spróbuje mnie okraść?

– Jeżeli posiejesz towar albo cię skroją, to twój problem i wisisz nam za to, co straciłeś. Jeśli to klient będzie pogrywać, nie stawiaj się. Daj mu, czego chce, a potem nasi koledzy wykażą mu, że zbłądził. – Kelvin i jego milczący przyjaciel wstali od stolika. – Jeszcze jedno – dorzucił Kelvin. – Jak ktoś często kręci się po ulicy po ciemku, to miewa różne przygody. Nie trzymaj przy sobie więcej koki, niż musisz. Wiele dzieciaków nosi kosy, ale moim skromnym zdaniem w razie kłopotów najlepiej jest rzucić towar na ziemię i wyciągać nogi.

11. KUCHNIA

James wrócił z klubu razem z Nicole, ale w niezbyt dobrym nastroju. Denerwował się z powodu swojej nowej pracy i Kerry zadającej się z Dineshem. Usiedli w kuchni ze szklankami mleka w dłoniach. Zara i Ewart już spali.

– Czy Kerry mówiła ci coś o tym Hindusie? – zapytał James.

Nicole wyszczerzyła zęby.

– Czyżbyśmy byli zazdrośni, James?

– Nie o to chodzi. Jesteśmy kumplami i wolę na nią uważać.

Nicole nagle uniosła głowę i pociągnęła nosem.

– Czujesz coś? – spytała.

– Nie – odparł James, starannie oglądając podeszwy swoich butów.

– A ja tak. Wiesz, co to jest?

– Co?

– Gówno prawda!

– Bardzo śmieszne, Nicole.

– James, jesteś w niej zakochany po uszy – stwierdziła Nicole. – Dlaczego po prostu tego nie przyznasz i nie zaczniecie ze sobą chodzić?

– Dajże mi spokój, my się tylko przyjaźnimy. Jak było z Juniorem?

– Szpetny nie jest – przyznała Nicole, odgarniając włosy z czoła. – Ale mógłby częściej myć zęby.

James roześmiał się.

– A tak w ogóle... – ciągnęła dziewczyna. – Skoro Kerry nie podoba ci się tak bardzo, jak mówią... to co myślisz o mnie?

James zarumienił się.

– Że... miła jesteś i w ogóle...

– Nie o to pytałam.

– Aha... No cóż... – wił się James. – Właściwie to... Masz ładne ciało... Bardzo.

– Ty też nie jesteś brzydki, wiesz? – zauważyła Nicole, opierając się o blat kuchenny. – No, chodź tu do mnie.

– Po co?

– Pocałuj mnie.

James zaśmiał się niepewnie. Pochylił się i cmoknął Nicole w policzek.

– Tylko tyle potrafisz? – Nicole była zawiedziona.

Kiedy pochylił się po raz drugi, poczuł, jak Nicole oplata go ramionami. Zaczęli się całować.

Szczęknęła klamka. James odskoczył jak oparzony, wpadając na kuchenkę. Na progu stanęła Kerry.

– No, proszę, proszę – uśmiechnęła się. – Nie przeszkadzam?

– Nnie – zająknął się James. – My tylko... Chcieliśmy się napić mleka, zanim pójdziemy spać. Chcesz trochę?

– Chętnie, dzięki.

James zdjął szklankę z suszarki i nalał do niej mleka.

– No dobraaa... – zaczął, przeciągając się i ziewając. – Jest po jedenastej. Chyba walnę się do łóżka. – Był już na schodach, kiedy usłyszał, że Kerry go woła. Odwrócił się. – Co?

– Lepiej zetrzyj tę szminkę z twarzy – powiedziała Kerry. – Chyba że chcesz, żeby rozmazała się po całej poduszce.

James wspinał się po schodach oszołomiony i zawstydzony. Nicole podobała mu się, ale nie podobało mu się, że Kerry o tym wie.

Kiedy wszedł do pokoju, Kyle leżał już w łóżku.

– Niezły z ciebie imprezowicz. W domu przed jedenastą? – zdziwił się James.

– Jeśli chcesz, to włącz światło. Nie jestem zmęczony – oświadczył Kyle, siadając. – Impreza była fajna, ale jeden z sąsiadów zadzwonił na policję, no i musieliśmy rozejść się wcześniej. Jak było w klubie?

James opowiedział o wszystkim, co się stało. Starał się mówić sucho i zwięźle, ale sprawa Kerry i Dinesha uwierała go coraz bardziej, aż wreszcie wyrzucił z siebie coś, do czego normalnie nigdy by się nie przyznał.

– Kerry jest taka... Czasem nie mogę zasnąć, bo ciągle o niej myślę. Jest naprawdę... To znaczy... Nie jest powalająca. Nie jest najseksowniejszą dziewczyną świata ani nic, ale ma w sobie coś takiego, że jak ją widzę, to zalewa mnie takie wielkie, ciepłe ŁUUF!

– Musisz zaproponować jej chodzenie – stwierdził Kyle.

– Ale ja chcę, żeby na zawsze pozostała moją kumpelą. A jak zaczniemy się kłócić i się znielubimy czy coś?

– Musisz zaryzykować.

– A jeśli nie będzie chciała?

– Posłuchaj – rzekł twardo Kyle. – Właśnie dobrałeś się do Nicole. Powinieneś być nieźle nakręcony z tego powodu, a ty tylko Kerry, Kerry i Kerry. To o czymś świadczy.

– Co mam jej powiedzieć?

– Prawdę. Powiedz, jak bardzo ci na niej zależy. Reszta to już jej sprawa.

– Może i masz rację – mruknął James. – Pogadam z nią przy najbliższej okazji. W sumie nie wiadomo, może nawet stworzymy razem coś fajnego.

– Otóż to.

James wyłączył światło i wpełzł pod kołdrę.

– Wiesz co, Kyle, jedno mnie zastanawia – zaczął po dłuższej chwili. – Dajesz mi tyle dobrych rad, a ja nigdy nie widziałem cię z dziewczyną.

– Bo nigdy nie miałem dziewczyny – odparł Kyle.

James był zaskoczony szczerością kolegi. Spodziewał się raczej odruchu obronnego.

– Poważnie? – spytał po chwili.

– Tak.

– Przecież w kampusie jest tyle dziewczyn. Na pewno mógłbym cię z którąś umówić...

– Ja nie chcę dziewczyny.

– Co?! – James był wstrząśnięty. – Masz uraz, bo dziewczyna wycięła ci kiedyś paskudny numer czy jak? Historia jak z tych romantycznych filmów, które oglądała moja mama?

– Nie, James, po prostu nie lubię dziewczyn.

– Znaczy, że wolisz stare? Takie po dwudziestce?

Kyle roześmiał się.

– Nie, wolę chłopców.

James wystrzelił spod kołdry jak z procy.

– Chrzanisz!

– Jestem gejem, James.

– Nie ma, kurde, mowy! – zaśmiał się James. – Panie i panowie, oto kolejna ze słynnych ściem Kyle'a.

– Będę wdzięczny, jeśli nie zaczniesz rozpowiadać o tym naokoło, ale byłeś ze mną szczery w sprawie Kerry, no więc masz. To najprawdziwsza prawda, bez względu na to, czy postanowisz mi uwierzyć, czy nie.

– Kurczę! Przysięgasz na swoje życie, że jesteś gejem?

– Tak.

– Kurczę! – powtórzył James. – Czuł się, jakby miała wybuchnąć mu głowa. I bez tego działo się w niej zbyt wiele: Kerry, Nicole, narkotyki... – Kto jeszcze wie?

– Powiedziałem paru osobom.

– Normalnie nie wierzę – kręcił głową James. – W ogóle nie wyglądasz na pedzia.

– Właściwie to wolałbym, żebyś mnie tak nie nazywał.

– A tak... Przepraszam.

*

James przeleżał całą noc z otwartymi oczami, słuchając samolotów przetaczających się z hukiem nad osiedlem. Wstał równo ze słońcem, wziął prysznic, pochłonął miskę płatków i zrobił sobie herbatę. Przez szczelinę w drzwiach wpadła gazeta. Zaczął czytać dział sportowy, ale miał wrażenie, że linijki tekstu odbijają mu się od mózgu, nie mogąc przedostać do środka. Mógł myśleć tylko o Kerry z Dineshem i Kyle'u geju.

Do kuchni zeszły Kerry i Nicole. Jamesowi nie spodobało się, że są razem. Paranoiczna strona jego osobowości natychmiast podsunęła mu myśl, że dziewczęta spiskują przeciwko niemu.

– Robię kanapki ze smażonym bekonem. Chcesz jedną, James? – spytała Nicole.

– Mmm, brzmi smakowicie. – James pogładził się po brzuchu. – No pewnie.

Kerry usiadła po drugiej stronie stołu i nalała sobie soku pomarańczowego. Wprawdzie Kyle prosił go, żeby nie mówił nikomu o tym, czego się dowiedział, ale James niemal kipiał. Nowina była zbyt gorąca, by mógł ją utrzymać w tajemnicy.

– Rozmawiałem wczoraj z Kyle'em – zagaił James.

Kerry uniosła głowę znad kolorowego dodatku.

– No i...

– Powiedział mi coś. Coś totalnie niesamowitego. Ale nie wolno wam tego rozpowiadać.

– Dobra, dobra. Wal – powiedziała Kerry.

– Kyle powiedział mi, że jest gejem.

Kerry pokiwała głową z politowaniem.

– No, rewelacja. Oczywiście, że Kyle jest gejem.

Nicole oderwała wzrok od skwierczącego bekonu, żeby spojrzeć na Jamesa.

– Przez tyle czasu nie domyśliłeś się, że Kyle jest gejem?

– Powiedział, że zdradził to tylko paru osobom.

Kerry uśmiechnęła się.

– Przecież musiałeś chociaż podejrzewać.

– Nie! Dlaczego ktoś miałby podejrzewać, że Kyle jest gejem?

– No cóż, bystrzaku, przede wszystkim zawsze jest czysty i wypielęgnowany. W przeciwieństwie do większości z was nie obwiesza ścian swojego pokoju odrażającymi zdjęciami półnagich kobiet, no i nikt nigdy nie widział go w odległości mniejszej niż pięć kilometrów od dziewczyny. Czy poza plakietką z napisem GEJ na czole może być coś bardziej wymownego?

– Ale ja mieszkam z nim w pokoju. Widział mnie nago! – przeraził się James.

Kerry wzruszyła ramionami.

– No to co? Ja też cię widziałam.

– Ale on jest gejem.

– Myślisz, że wpadłeś mu w oko? – zachichotała Kerry. – Nie pochlebiaj sobie.

Nicole odwróciła się od patelni z szerokim uśmiechem.

– Skoro o tym mowa, to widziałam, jak mierzył cię wzrokiem, James. I tak dziwnie się uśmiechał – oznajmiła, poruszając brwiami w górę i w dół.

– Zamknij się! – zdenerwował się James. – To nie jest śmieszne. Ohyda.

– Uważasz, że bycie gejem to ohyda? – zaatakowała go Kerry. – Myślałam, że Kyle jest twoim przyjacielem.

– Jest, ale... nie czuję się komfortowo z tym całym jego gejostwem.

– Ukrój trochę chleba, Kerry. Bekon już dochodzi – wtrąciła Nicole.

Kerry wyjęła bochenek z szafki i zaczęła kroić.

– Wiesz, James, Kyle'owi na pewno nie było łatwo powiedzieć ci coś takiego, zwłaszcza że tak chętnie nazywasz ludzi ciotami i pedałami – stwierdziła nagle.

Nicole zdjęła patelnię z ognia i zaczęła przyrządzać kanapki.

– Słyszałam, że jedna osoba na dziesięć jest homoseksualistą – powiedziała. – Czyli nie jest to nic niezwykłego. Jak się zastanowić, to każda drużyna piłkarska powinna mieć w swoim składzie jednego geja.

Kerry zachichotała.

– Ciekawe, kto jest gejem w Arsenale. Zresztą takie duże kluby mają mnóstwo rezerwowych. Myślę, że gejów jest tam co najmniej ze czterech albo pięciu...

James nie wytrzymał. Zerwał się od stołu z zaciśniętymi pięściami.

– To nie jest śmieszne! – ryknął. – W Arsenale nie ma żadnych gejów!

Kerry walnęła przed nim talerzem z kanapką.

– Siadaj i jedz to! – krzyknęła z gniewem. – Kyle jest twoim przyjacielem i masz go wspierać, inaczej pokażę ci, co znaczy nie czuć się komfortowo.

12. DOSTAWA

Była środa, trzeci wieczór nowej pracy Jamesa. Jego telefon dzwonił kilka razy dziennie, odzywając się zawsze tym samym, ciepłym, kobiecym głosem. James nie miał pojęcia, kim była dyspozytorka i skąd dzwoniła. Wiedział tylko, że wydawała się po matczynemu życzliwa, chętnie udzielała wskazówek i zawsze kończyła rozmowę tymi samymi słowami: „Tylko uważaj na siebie, młody człowieku".

James nigdy nie musiał dostarczać towaru na dystans większy niż kilka kilometrów. Zimą byłoby ciężko, ale pogodne jesienne wieczory były jakby stworzone do jazdy na rowerze. James wyobrażał sobie, że odbiorcami będą potargane kobiety w brudnych szlafrokach z wrzeszczącymi niemowlakami na ręku albo brzuchaci faceci z brodą, dzikim spojrzeniem i motocyklem przed domem. Nic bardziej mylnego.

*

Gdy wreszcie znalazł właściwe osiedle, z trudem łapał oddech. Domy lśniły nowością. Nad bramą wisiała tablica z nazwą dewelopera i napisem: OSTATNIE DOMY – CENY OD 245 000£! Posesje wyglądały bardzo schludnie, ze świeżo posadzonymi drzewami oraz lśniącymi fordami i toyotami na podjazdach. Na ulicach nie było ruchu, jeśli nie liczyć małych dzieci na deskorolkach i minihulajnogach. Zjeżdżając bez pedałowania po lekko nachylonej jezdni, James zauważył, że ulice noszą nazwy instrumentów muzycznych: zaułek Trąbki, aleja Rożka Angielskiego, ulica Fagotu.

Skręcił w Puzonową, najbardziej ekskluzywną ulicę osiedla. Szary asfalt ustąpił miejsca czerwonemu, a samochody na podjazdach przemieniły się w land-rovery i mercedesy. James szukał posesji Stonehaus i jak setki kurierów przed nim nauczył się nienawidzić nazw domów. Z numerami wszystko było jasne: 56 było za 48, a 21 należało szukać po drugiej stronie ulicy. Stonehaus mógł być wszędzie. Znalazł dom po dłuższym poszukiwaniu dzięki drogowskazowi ukrytemu pomiędzy bmw X5 a grand voyagerem. Podjechał pod drzwi i wdusił przycisk dzwonka, który zagrał drętwą, piskliwą wersję *Kiedy święci maszerują*.

Rozległ się tupot i drzwi otworzył chłopiec w wieku ośmiu lub dziewięciu lat, ubrany w długie szare skarpetki i elegancki, ale mocno rozchełstany mundurek jakiejś prywatnej szkoły. O tej porze dnia dzieciak nie dbał już o schludność ubioru. Spod niedopiętej szarej koszuli świeciła goła klata.

– Taatoo! – zawołał chłopak.

Na schodach pojawił się mężczyzna ze szklanką whisky w dłoni. Dzieciak pobiegł z powrotem do telewizora.

– Sieeeemano! – zawołał mężczyzna, próbując nie wyglądać jak otyły, łysiejący typek, którym był naprawdę. – Cztery gramiki, tak?

James skinął głową.

– Dwieście czterdzieści funtów. – Zdjął plecak i wyjął cztery paczuszki z kokainą. Mężczyzna wyjął z kieszeni zwitek banknotów i obrał go z pięciu pięćdziesiątek. – Nie mam wydać – powiedział James.

Del poradził mu, żeby zawsze udawał, że nie ma drobnych. Jeżeli klient zaczynał się pieklić, wystarczyło nagle przypomnieć sobie, że w plecaku ma się pieniądze z poprzedniej dostawy. Na ogół jednak przeciętny okazjonalny niuchacz koki z klasy średniej wolał, żeby diler nie stał zbyt długo na progu jego domu.

– Nie ma problemu, synu, zatrzymaj resztę dla siebie.

James uśmiechnął się i wsunął pieniądze do kieszeni.

– Wielkie dzięki – rzucił. – Miłej zabawy.

Mężczyzna zatrzasnął drzwi. James nie mógł przestać się uśmiechać. Właśnie zarobił trzydzieści sześć funtów prowizji plus dziesięć funtów napiwku. Nieźle jak na półgodzinną przejażdżkę rowerem.

*

James dotarł do domu po dziewiątej. Wszyscy czekali na niego w salonie. Po dwóch tygodniach operacji Ewart i Zara postanowili urządzić konferencję, by poznać osiągnięcia agentów i uzgodnić najlepsze kierunki działania.

– Przepraszam, że musieliście czekać, ale miałem kurs – wyjaśnił James.

Zara przyniosła z kuchni krzesła i przestawiła kanapy w salonie w taki sposób, by wszyscy siedzący widzieli się nawzajem. James usiadł na kanapie, wciskając się między Kyle'a i Nicole.

– No dobrze – zaczął Ewart. – Chcę, żeby każdy opowiedział, co zdziałał do tej pory. Mówcie krótko i zwięźle. Jutro wstajecie do szkoły.

– Nicole, zacznijmy od ciebie – zaproponowała Zara.

Nicole chrząknęła, żeby oczyścić gardło.

– W zasadzie to wszystko wiecie. Dogaduję się z April całkiem nieźle. Wie, jak jej ojciec zarabia na życie, ale nie interesuje się tym wcale. Kilka razy byłam u niej w domu, odrabiałyśmy razem lekcje i takie tam. Spotkałam też raz Keitha Moore'a, ale nie rozmawialiśmy. Dzień dobry i nic więcej.

– Niezły początek. – Ewart pokiwał głową z uznaniem. – Myślisz, że uda ci się utrzymać regularny dostęp do ich domu?

– Na pewno. April lubi otaczać się koleżankami i chwalić swoją gigantyczną sypialnią. Uważa się za liderkę grupy. W sobotę będę u niej nocować.

– Miałaś okazję rozejrzeć się po domu? – spytała Zara.

– Pomyślałam, że początek rozegram ostrożnie. Ale macie te notatki, które skopiowałam z korkowej tablicy w kuchni.

– Udałoby ci się zainstalować tam trochę miniaturowych kamer i mikrofonów?

Nicole skinęła głową.

– Bez trudu. Dom jest wielki, więc jeśli natknę się na kogoś, mogę udawać, że zabłądziłam i trafiłam do niewłaściwego pokoju.

– Wyśmienicie! – Ewart zatarł ręce. – A mogłabyś poszperać w gabinecie Keitha?

– Wątpię. On prawie z niego nie wychodzi, a raz, kiedy wyszedł, drzwi były zamknięte na klucz. Chyba że wzięłabym ze sobą pistolet do zamków.

– Wykluczone – sprzeciwił się Ewart. – Jeśli ktoś zobaczy u ciebie coś takiego, znajdziesz się w poważnym niebezpieczeństwie, a cała operacja weźmie w łeb.

– W takim razie powinnaś skupić się na sypialni Keitha – powiedziała Zara. – To jeden z tych facetów, do których bez przerwy ktoś dzwoni, i możemy być pewni, że odbiera ważne telefony w łóżku. Wyczuj odpowiedni moment i zamontuj tam pluskwę.

– To policja nie podsłuchuje telefonów z zewnątrz? – zdziwił się James.

– Podsłuchuje od lat i Keith dobrze o tym wie – rzekł Ewart. – Przestępca tej miary załatwia swoje brudne sprawy w rozmowach w cztery oczy albo przez komórkę. Kupuje telefon na kartę, używa przez dzień lub dwa, a potem zmienia na inny, zanim policja zdąży go namierzyć. Poza tym porozumiewa się szyfrem i używa urządzeń do zniekształcania głosu, przez co nie sposób dowieść przed sądem, że powiedział to, co powiedział. Naszą jedyną szansą na zdobycie użytecznych informacji jest umieszczenie mikrofonów w pomieszczeniach, w których Keith Moore odbiera telefony.

– A zatem, Nicole, znasz już swój cel – podsumowała Zara. – Zainstalujesz mikrofon w sypialni Keitha i w razie możliwości w kilku innych pokojach. Ryzyko jest małe, bo nikt nie będzie podejrzewał dwunastoletniej dziewczynki o zakładanie podsłuchu, ale i tak bądź ostrożna.

– Dobra robota, Nicole, tak trzymaj. Może teraz ty, James? – zaproponował Ewart.

James skinął głową.

– Ja i Junior jesteśmy już kumplami. Urywamy się razem ze szkoły, chodzimy na boks i tak dalej.

– Jak sądzisz, ile Junior wie o interesach swojego ojca?

– Sporo o nich mówi. Widać, że się tym interesuje. Jeżeli którekolwiek z dzieci Keitha wie coś naprawdę ważnego, to stawiam na Juniora.

– A dostawy? – spytała Zara. – Jak ci idzie w nowej pracy?

– Dobrze – odparł James. – Wysyłają mnie głównie do bogatych domów i biur. Na początku trochę się bałem, ale to jest zupełnie jak roznoszenie gazet, tylko za przyzwoitą kasę.

– We wprowadzeniu do zadania wspomniano, że wprawdzie dzieci zazwyczaj doręczają małe ilości narkotyków indywidualnym klientom, niekiedy awansują w strukturach organizacji i wtedy zajmują się przerzucaniem hurtowych ilości kokainy dla dilerów w innych częściach kraju. Czy zetknąłeś się ze śladami takiego procederu? – dopytywał się Ewart.

James wzruszył ramionami.

– Niektórzy koszą grubą kasę, więc nie zdziwiłbym się, gdyby tak było.

– Twoim zadaniem numer jeden jest ustalenie, w jaki sposób zarabiają te pieniądze – rzekła Zara. – Zaprzyjaźniaj się, węsz, zadawaj pytania, dopóki nie uzyskasz odpowiedzi. Pamiętaj o zachowaniu ostrożności podczas kursów z dostawami. Jeśli sytuacja zacznie robić się groźna, wycofaj się, a potem my posprzątamy bałagan. Wolimy położyć całą akcję, niż dopuścić, by komuś z was stało się coś złego.

– Kyle – odezwał się Ewart. – Twoja kolej.

– Moim zdaniem Ringo na nic się nam nie przyda – stwierdził Kyle. – To uczciwy koleś, choć pali sporo zioła. Wkręcam się w jego towarzystwo. Na przyjęciach są dilerzy i masa dzieciaków wciągających, co tylko się da. Być może wyduszę jakieś informacje od któregoś z nich, ale nie mam wielkiej nadziei.

Ewart i Zara popatrzyli na siebie.

– Próbuj dalej – poleciła Zara. – Na razie nie mamy dla ciebie lepszego zajęcia, ale postaramy się coś wymyślić.

– No dobrze – westchnął Ewart. – Została nam jeszcze Kerry.

– Ja i Erin nie znosimy się nawzajem – wypaliła Kerry. – Ona jest głupia i niedojrzała, a jej koleżanki trzymają się razem i z nikim nie chcą rozmawiać.

– Co zrobiłaś, żeby nawiązać z nimi kontakt? – spytał Ewart.

– Jesteśmy zupełnie inne. Nie wierzę, że kiedykolwiek się z nią dogadam.

Ewart skrzywił się.

– Dobrze wiesz, Kerry, że po rozpracowaniu charakteru i osobowości celu powinnaś zmienić swoje zachowanie tak, by doprowadzić do zawarcia z nim znajomości. Uczono cię tego na szkoleniach. Jeżeli Erin robi wokół siebie zamieszanie i stawia się nauczycielkom, to powinnaś robić to samo, nawet jeśli uważasz, że jest to głupie i niedojrzałe.

Jeśli Erin przeklina i zrywa się ze szkoły, powinnaś także iść w jej ślady. Wiem, że żaden agent nie może zagwarantować nawiązania bliskich związków z celem, ale nie spodziewałem się usłyszeć od kogokolwiek, że za bardzo różni się od niego, by się zaprzyjaźnić.

– Żeby ją rozpracować, potrzebny jest psychiatra światowej klasy – rzuciła Kerry ze złością. – Należy do małej, dziwnej kliki wariatek, które nie odzywają się do nikogo oprócz siebie.

– Skoro nie zaprzyjaźniłaś się z Erin do tej pory, wątpię, by ci się to w ogóle udało – powiedziała Zara. – Nie widzę powodu, by trzymać cię tu dłużej. Odeślemy cię do kampusu, a tu rozpuścimy plotkę, że wróciłaś do prawdziwych rodziców.

Kerry była wstrząśnięta.

– Ale ja nie chcę wracać – wyznała płaczliwie. – Staram się nawiązać kontakt z kimś innym, tak jak mówi instrukcja.

Ewart pokręcił głową.

– Nie widzę sensu. Gdybyś była chłopcem, mogłabyś zatrudnić się jako kurier, ale rekrutacja odbywa się przez klub bokserski, a tam nie wpuszczają dziewczyn.

Zara pokiwała głową, wyrażając poparcie dla męża.

– Przykro mi, że kończysz tę misję przed czasem, ale nie załamuj się. Potraktuj to jako kolejną lekcję.

– Pozwólcie mi zostać – błagała Kerry ze łzami w oczach. – W mojej klasie jest taki jeden chłopak, Dinesh. Poznaję go coraz lepiej i jestem pewna, że on coś wie.

James przyłożył nadgarstek do ust i wydał odgłos soczystego pocałunku.

– Dorośnij, James – powiedziała Zara z politowaniem. – Kerry, co takiego może wiedzieć ten Dinesh?

– Jego tata ma firmę, która robi gotowe dania dla supermarketów. Kiedy rozmawiałam z nim o Erin, wspomniał, że jego ojciec ma z Keithem Moore'em jakieś układy.

Nowina nie zrobiła na Zarze wrażenia.

– Keith jest bogatym i wpływowym człowiekiem, Kerry, mnóstwo ludzi ma z nim układy.

– Ale mnie chodzi o sposób, w jaki Dinesh to mówił – wyjaśniła Kerry. – Zupełnie, jakby miał w ustach coś obrzydliwego. Może to nic nie znaczy, ale chciałabym podrążyć głębiej.

Ewart i Zara popatrzyli na siebie.

– Proszę, nie odsyłajcie mnie do kampusu – jęczała Kerry. – Dajcie mi jeszcze kilka dni.

– Spodobał ci się ten Dinesh, prawda? – zapytała Zara. – Czy to dlatego tak bardzo chcesz zostać?

– Jestem profesjonalistką – oburzyła się Kerry. – Nie chodzi o to, że zadurzyłam się w jakimś chłopaku. Mam przeczucie i proszę was tylko o to, żebyście okazali trochę wiary we mnie.

– Już dobrze, Kerry – łagodziła Zara. – Nie ma powodu, żeby się unosić. Ewart i ja odłożymy decyzję o odesłaniu cię do kampusu do przyszłego tygodnia. Co ty na to?

Kerry skinęła głową.

– Dziękuję.

– Coś jeszcze, nim rozejdziemy się do łóżek? – spytał Ewart.

James podniósł rękę.

– W ten weekend są urodziny Laury. Czy nadal może przyjechać?

– Żaden problem – przytaknęła Zara. – Jeśli spotka się z miejscowymi dziećmi, powiesz, że jest twoją kuzynką. Byłoby podejrzane, gdyby tak nagle okazało się, że masz siostrę.

– Jeśli to wszystko, to chodźmy wreszcie spać – powiedział Ewart, wstając.

Łazienka była jedna i w porze mycia zębów trudno się było dopchać do lustra. Widząc, że nadąsana Kerry nie ruszyła się z kanapy, James postanowił poczekać, aż pozostali uporają się z wieczorną toaletą.

– Ty naprawdę jesteś w tym dobry – zauważyła Kerry, patrząc na Jamesa.

– W czym?

– W misjach. Wchodzisz do pokoju i wszyscy cię lubią. Stary, dobry James. Nawet niemowlę cieszy się na twój widok. Ja wkuwam jak głupia i mam prawie najlepsze stopnie w kampusie, ale tam, gdzie to się naprawdę liczy, czyli w akcji, jestem po prostu słaba.

– Daj spokój, Kerry, jesteś dla siebie zbyt surowa. To twoja pierwsza ważna misja. Nikt nie oczekuje, że pójdzie ci doskonale.

Kerry westchnęła smutno.

– Po tej katastrofie to będzie moja ostatnia ważna misja. Resztę swojej kariery spędzę pewnie, robiąc nudne sprawdziany zabezpieczeń i rekrutacje.

James przeniósł się na drugą kanapę, siadając obok Kerry.

– Wiesz, chciałem z tobą poważnie porozmawiać – rzekł cicho.

– Porozmawiać? O czym?

James przełknął ślinę.

– Chodzi o to, że odkąd zaczęliśmy tę misję, między nami nie układa się zbyt dobrze. Ale lubisz mnie jeszcze, co?

Kerry uśmiechnęła się szeroko.

– Oczywiście, że cię lubię, James. Jesteś jednym z moich najlepszych przyjaciół.

James zebrał się na odwagę i wsunął dłoń za plecy Kerry. Dziewczyna uśmiechnęła się i oparła głowę na jego ramieniu.

– Przecież zrobiłaś wszystko, co było można – kontynuował James. – Niemożliwe, żeby nie posłali cię na kolejną dużą akcję. Przy twoich umiejętnościach? Przy pięciu milionach języków, które znasz? Gdzie znajdą kogoś lepszego?

Kerry spojrzała na Jamesa z uśmiechem.

– Wiesz, jak na kogoś, kto przez większość czasu zachowuje się jak kretyn, potrafisz być czasem zaskakująco miłym chłopcem.

– Dzięki – wyszczerzył się James.

Pomyślał o wygłoszeniu mowy, którą przygotował sobie w głowie: o tym, że pocałunek z Nicole to był taki pojedynczy wyskok, że lubi Kerry sto razy bardziej niż jakąkolwiek dziewczynę na świecie, i o tym, że chciałby być jej chłopakiem... Ale Kerry wciąż wyglądała na przygnębioną. To nie był właściwy moment.

13. ODWIEDZINY

Laura zjawiła się w Thornton w sobotni poranek, przywieziona przez kogoś z CHERUBA. James właśnie wstał z łóżka, kiedy usłyszał gong.

– Wszystkiego najlepszego w dniu urodzin – powiedział, biorąc siostrę w ramiona. – Przeszłaś do dwucyfrowców: jedynka i zero.

Laura uśmiechnęła się.

– Nie wiem, co mi odbiło, ale... tęskniłam za tobą.

Weszli do domu. Pozostali lokatorzy snuli się między kuchnią a salonem, przeżuwając kanapki. Joshua spokojnie przemierzał przedpokój, szurając pupą po podłodze. Laura nigdy wcześniej go nie widziała.

– Ojej! – zawołała. – Aleś ty piękny! Jak masz na imię?

Joshua obrzucił ją spojrzeniem typu: „O nie, kolejny dzieciak!" i rozpłakał się, wyciągając rączki do Zary.

– Hej, Ewart! – zawołał James. – Twoja teoria, że Joshua lubi wszystkich blondynów, właśnie wzięła w łeb!

Laura weszła do salonu, wysupłała się z kurtki i usiadła na kanapie. Kerry i Kyle złożyli jej życzenia.

– No dobra! – Laura zatarła dłonie. – Gdzie moje prezenty?

James spojrzał na siostrę.

– Niestety, jeszcze niczego ci nie kupiłem.

– Typowe – prychnęła Laura.

– Ale ponieważ jestem teraz autentycznym dostawcą narkotyków, pomyślałem, że może zechcesz wydać trochę moich brudnych pieniędzy.

James pogrzebał w kieszeni, wydobył garść pomiętych banknotów i posypał nimi kolana siostry. Laurze błysnęły oczy.

– Ile tego jest? – Pośpiesznie wyprostowała banknoty i zaczęła liczyć. – Dwadzieścia, czterdzieści, sześćdziesiąt, osiemdziesiąt, sto i dziesięć, i piętnaście. Rany... Kiedy zdążyłeś zarobić sto piętnaście funtów?

– W cztery wieczory – wyjaśnił James. – Ale jak chcesz, żebym cię zabrał na zakupy, musisz mi postawić bilet na autobus. Zostało mi tylko sześćdziesiąt pensów.

– Jest tu gdzieś Gap? – gorączkowała się Laura. – Potrzebuję nowych dżinsów. A Claire's Accessories? Może kupię sobie parę tych obłędnych czarnych spinek, jakie ma Bethany.

– Nie wystarczy ci gumka? – spytał James.

Laura zignorowała brata. Spojrzała na zegarek.

– O której otwierają sklepy?

– Uspokój się, idiotko – powiedział James. – Pieniądze ci nie uciekną. Może wejdziesz do kuchni, zjesz tosta i przywitasz się z Zarą?

– Jak chcesz – zgodziła się Laura. – Ale wyjdźmy wcześnie. W soboty w sklepach jest straszny tłok.

*

Zara wysadziła dzieci przy Centrum Reeve'a. James miał nadzieję, że żaden ze strażników nie pamięta jego twarzy.

– Dlaczego chodzisz w ciemnych okularach? – spytała Laura.

– Co? A, faktycznie. Zapomniałem zdjąć.

– Wyglądasz jak palant – oświadczyła Kerry.

– Ale nie ma to nic wspólnego z grami na Playstation, które schowałeś pod łóżkiem, prawda? – spytał niewinnie Kyle.

James zdenerwował się.

– Kto ci pozwolił grzebać w moich rzeczach?

– Pamiętasz poniedziałek? Po szkole?

– Nie.

– „Nie mogę znaleźć mojej koszulki PE. Nie siedź tak, Kyle, pomóż mi szukać" – zaśpiewał Kyle, przedrzeźniając Jamesa.

– Ach... No tak.

– Pozwól, że zgadnę – uśmiechnął się Kyle. – W okolice Gameworldu wolałbyś się raczej nie zapuszczać, co?

– Ale jeśli ukradł je w ramach misji, to chyba jest dozwolone, prawda? – spytała Laura.

– Profity z każdego przestępstwa powinien przeznaczyć na cele dobroczynne – wyjaśniła Kerry.

Laura zwróciła się do Jamesa.

– Wobec tego musisz je oddać. Nie wysłano cię na akcję po to, żebyś mógł sobie dorobić.

– Czy dotyczy to także urodzinowych pieniędzy w twojej kieszeni?

– Och... – Laura zamilkła.

– Ha! – ucieszył się James. – Zatkało cię, co?

W innych okolicznościach taka wycieczka po sklepach z ciuchami doprowadziłaby Jamesa do szału, ale rola starszego brata podejmującego siostrę w jej urodziny sprawiała mu prawdziwą frajdę. Laura, która za skarby świata nie założyłaby sukienki, kupiła sobie dwie bluzy z kapturem, parę wycieranych dżinsów i srebrne kolczyki. Potem postawiła wszystkim lunch, a nawet kupiła Jamesowi parę śmiesznych skarpetek jako wyraz jej wdzięczności. James nie miał najmniejszego zamiaru nosić tego szkaradzieństwa, ale i tak było mu miło.

Po lunchu Kerry pożegnała się i poszła na umówione spotkanie z Dineshem. James miał przekazać Zarze, że wróci dopiero po kolacji. Świadomość, że Kerry spędzi wieczór z Dineshem, wyprowadzała Jamesa z równowagi, ale nie chciał psuć Laurze urodzin, więc starał się o tym nie myśleć.

Kiedy wrócili do domu, Zara podała niesamowity tort. Pokryty kremem w kolorze khaki, na górze miał miniaturowy tor przeszkód zrobiony z marcepanu, z wieżą, równoważniami, stawem i malutkimi żołnierzykami. Wokół obwodu biegł napis: „Wszystkiego najlepszego, Lauro, powodzenia na szkoleniu".

Joshua, siedzący na kolanach Ewarta, uznał, że tort jest zabawką, i za wszelką cenę starał się go dosięgnąć. Laura zdmuchnęła świeczki, a potem wszyscy spędzili miłe chwile przy stole, komentując ze śmiechem spustoszenia, jakich Joshua dokonał za pomocą przyznanej mu odrobiny kremu.

*

O wpół do dziesiątej Laura była już zmęczona i James postanowił pójść spać razem z nią. Najpierw położyła się w śpiworze na podłodze, ale szybko uznała, że jest jej niewygodnie, i wgramoliła się do Jamesa. Kiedy była mała, często wchodziła mu do łóżka, ale od tamtej pory minęło dużo czasu.

– To jest głupie – stękał James, przesuwając się w stronę ściany, żeby zrobić siostrze trochę miejsca.

– Wiesz, ciągle się boję tego szkolenia – przyznała cicho Laura. – Nawet nie rozumiem, czemu to ma służyć.

– Zrozumiesz, kiedy je przejdziesz – powiedział James. – Szkolenie jest straszne, dlatego kiedy potem masz kłopoty na akcji, zamiast się bać, uświadamiasz sobie, że przeżyłaś dużo gorsze rzeczy, i nie poddajesz się.

– Czasem, kiedy myślę o tym, co mnie czeka, aż chce mi się wymiotować.

– Człowiek najbardziej się boi, zanim zacznie szkolenie. Potem jest zbyt wyczerpany, żeby o tym myśleć.

Ktoś zapukał w drzwi.

– Tak? – zawołał James. – Otwarte.

Zara pchnęła drzwi i wetknęła głowę do pokoju.

– James, czy Kerry mówiła, że się dokądś wybiera po wizycie u Dinesha?

– Nie.

– Dzwoniłam do nich. Dinesh twierdzi, że Kerry wyszła przed ósmą. Powinna już być w domu.

– Dzwoniłaś na komórkę? – spytał James.

– To pierwsze, co zrobiłam. Wysłałam też SMS-a.

– Może powinniśmy jej poszukać? – wtrąciła Laura.

– Bez paniki – uspokajała Zara. – Pewnie zaraz się zjawi. Nie martwcie się i spróbujcie usnąć.

*

Jamesa obudził sygnał komórki. Oczywiście zapomniał, że obok śpi Laura, i siadając, wpadł na nią z impetem.

– To twój idiotyczny dzwonek – rzucił, częstując siostrę kuksańcem. – Założę się, że to ta kretynka Bethany.

Laura zsunęła się z łóżka, włączyła światło i wyszperała telefon z kieszeni kurtki. James spojrzał na zegarek. Było kilka minut po północy.

– Halo? – powiedziała Laura do słuchawki. – Kerry, rety! Wszyscy cię szukali... Tak, jest tutaj.

James wyrwał jej telefon z dłoni.

– Kerry?

– No, nareszcie – odetchnęła Kerry. – Dlaczego wyłączyłeś telefon?

– Pewnie się rozładował.

– Nie dodzwoniłam się ani do Kyle'a, ani do Nicole. Laura była ostatnią szansą.

– Gdzie ty się podziewasz? – denerwował się James. – Zara szaleje. Siedzi na dole i czeka na ciebie.

– Jestem przy Thunderfoods. Potrzebuję pomocnej dłoni. Nawet kilku.

– Co to jest Thunderfoods?

– Firma ojca Dinesha – wyjaśniła Kerry. – Myślę, że coś odkryłam, ale ty i jeszcze jedna osoba musicie mi pomóc wejść do środka.

– Czemu nie opowiesz wszystkiego Ewartowi i Zarze? Będą wiedzieli, co robić.

– Bo jeśli się mylę, wyjdę na idiotkę i wykopią mnie z powrotem do kampusu.

James nie mógł odmówić. Ostatecznie połowę życia spędzał na tłumaczeniu Kerry, że powinna mieć nieco swobodniejszy stosunek do reguł.

– Dobra. Czego chcesz?

– Przyjedź tu z Kyle'em albo Nicole.

– Nicole nocuje u April, a Kyle jest na imprezie.

– Ja jestem – przypomniała Laura, podskakując z podniecenia.

James spojrzał na siostrę.

– Nie ma mowy, nie jesteś przeszkolona.

– We troje byłoby łatwiej, ale dwoje też wystarczy – oznajmiła Kerry. – Weź ze sobą latarki, pistolet do zamków, twój aparat cyfrowy i piwo.

– Skąd mam wytrzasnąć piwo o tej porze? Nawet gdyby w pobliżu był nocny sklep, nikt mi nie sprzeda.

– Na dole lodówki jest kilka puszek. Ściągnij jedną.

– A w ogóle to po co ci piwo? – zainteresował się nagle James.

– James, nie mam czasu opowiadać ci wszystkiego – zirytowała się Kerry. – Bierz sprzęt, wsiadaj na rower i pedałuj tu jak najszybciej.

James zapisał adres i rozłączył się.

– Co się dzieje? – spytała Laura.

– Bóg jeden wie, ale Kerry zamierza włamać się do jakiejś fabryki. Mówi, że coś znalazła, ale nie chce nic mówić Ewartowi i Zarze, bo to jeszcze nic pewnego.

James włożył spodnie od dresu i adidasy.

– Przyniosę ci to piwo – zaproponowała Laura.

– Dzięki.

Laura poszła do kuchni, a James przekopał swoje rzeczy w poszukiwaniu pistoletu do otwierania zamków i aparatu. Na wszelki wypadek wziął też aparat Kyle'a oraz komórkę Laury, ponieważ jego była rozładowana.

Laura wróciła z zimnym piwem.

– Dzięki – powiedział James. – Ciężko będzie wykraść rower z garażu tak, żeby Ewart i Zara nie zauważyli.

Laura zaczęła się ubierać.

– A ty co robisz? – zapytał James. – Nie jedziesz ze mną. Nie ma mowy.

– Kerry prosiła o dwie osoby.

– Nie masz przygotowania.

– I tak jadę – oświadczyła twardo Laura. – Jeśli Kerry mnie nie weźmie, popilnuję rowerów.

James wiedział, jak uparta potrafi być jego siostra. Nie miał czasu ani siły na spory.

– Dobra – zadecydował. – Ale nie myśl, że będę cię krył, jeśli wpadniemy w kłopoty.

– Mam dziesięć lat – odparła Laura z dumą. – Mogę sama podejmować decyzje.

14. CURRY

Na ulicach nie było dużo samochodów, ale te, które się pojawiały, śmigały niebezpiecznie szybko. Na przejazd przez park potrzebowali dwudziestu minut. Parking przy Thunderfoods był rzęsiście oświetlony i pełen pojazdów. Fabryka pracowała przez okrągłą dobę, wypluwając strumienie ciężarówek wyładowanych curry z makaronem.

Kerry wprowadziła ich w alejkę biegnącą pomiędzy dwiema halami.

– Na pewno chcesz wziąć w tym udział, Laura? – spytała. – Jeśli nas złapią, możemy mieć poważne kłopoty.

– Jeśli zgodzisz się, żebym ci pomogła, jestem gotowa.

– Gadaj, o co tu chodzi – zażądał James.

– Dinesh podał mi więcej szczegółów. Zdumiewające, ile można wydobyć od chłopaka, jeśli pozwoli mu się myśleć, że zaraz zapuści ślimaka.

– Całowaliście się? – spytała Laura.

– Jeszcze czego – prychnęła Kerry.

James odetchnął. Warto było dać się wyciągnąć z łóżka o północy, żeby to usłyszeć.

– Tak czy owak, Dinesh nie przepada za swoim tatą – ciągnęła Kerry. – Uważa, że jest hipokrytą, każąc mu zachowywać się porządnie i odrabiać lekcje, podczas gdy sam jest przestępcą. No to ja pytam: „Jak to, twój tata jest przestępcą?", a on opowiada mi, że jego ojciec omal nie splajtował, ale uratował się dzięki współpracy z GKM. Zaczęłam się z niego nabijać, a on na to, że był kiedyś w magazynie na tyłach fabryki i widział torebki z kokainą. Ochrona jest dość niemrawa. Podkradłam się już do drzwi magazynu, ale nie mogłam wejść bez pistoletu do zamków.

– A jeśli tam jest jakiś alarm?

– Ależ jest – przytaknęła Kerry z łobuzerskim uśmiechem. – Trzeba mieć kartę magnetyczną. Podwędziłam ją panu Singhowi.

Kerry wyjęła z kieszeni plastikowy kartonik i pomachała nim Jamesowi przed nosem.

– A o co chodzi z tym piwem? – spytała Laura.

– Musimy mieć przykrywkę. Jeśli nas złapią, udamy pijane dzieciaki, które postanowiły coś zdemolować.

Kerry wzięła piwo od Laury, otworzyła puszkę, a potem wypiła kilka łyków i wylała sobie trochę na koszulkę.

– Śmierdzący będziemy wiarygodniejsi – wyjaśniła.

James wyjął puszkę z dłoni Kerry i zrobił to samo. Laurze piwo nie smakowało i wypluła wszystko na żwir.

– Nie poplamię sobie tym nowej bluzki – oświadczyła.

– Dawaj to.

James zabrał puszkę Laurze, wylał resztę piwa na podstawioną dłoń i wtarł trochę siostrze we włosy.

– Dobrze. Nie zapomnijcie udawać pijanych – przypomniała Kerry.

Zataczając się, przebiegli przez parking Thunderfoods, chowając się za samochodami. Kilkoma susami przesadzili trawnik i przycupnęli przy bocznych drzwiach magazynu. James podał Kerry pistolet do zamków.

– Jesteś szybsza ode mnie – powiedział.

James i Laura siedzieli na trawie i ziewali, a Kerry dłubała przy drzwiach. Zabezpieczał je zamek ośmiozapadkowy, jeden z najtrudniejszych do sforsowania.

– Chcesz, żebym spróbował? – spytał wreszcie James.

W głosie Kerry pobrzmiewała irytacja:

– Nie dasz rady. Potrzebna jest inna końcówka.

Odkręciła zakrętkę z tyłu obudowy pistoletu. W małym magazynku znajdowało się dziewięć końcówek o różnych kształtach, ale w ciemności trudno je było rozróżnić.

– Ta albo żadna – stwierdziła Kerry, mocując wybraną końcówkę w uchwycie pistoletu. Marudziła przy zamku jeszcze pół minuty. Szczęknęły rygle. – Nareszcie – westchnęła, popychając drzwi.

Alarm zapiszczał ostrzegawczo, ale umilkł, kiedy przeciągnęli kartę przez czytnik. Nie włączyli światła, żeby nikt nie mógł zobaczyć ich przez okna. Było trochę strasznie. Światło latarek nikło w przepastnej, czarnej otchłani. Półki metalowych regałów uginały się pod ciężarem worków i beczek z surowcami dla działającej obok fabryki.

– Może tak rozprowadzają kokainę po kraju – wyszeptał James. – W workach na curry czy jakoś tak.

Kerry pokręciła głową.

– Nie. Dinesh mówił o workach z przezroczystej folii z białym proszkiem w środku. Powiedział też, że ludzie z GKM przychodzili i robili coś na piętrze.

– Kerry – westchnął James. – Przykro mi to mówić, ale może twój mały kochaś bredził, żeby ci zaimponować. Ten budynek nawet nie ma piętra.

– Rozdzielmy się. Mamy dużo regałów do sprawdzenia – poleciła Kerry, ignorując wypowiedź Jamesa.

Weszli, każde w inną alejkę, i ruszyli wzdłuż regałów, rozglądając się za białym proszkiem. Półki piętrzyły się na dziesięć metrów w górę. Żeby dostać się do najwyższych, potrzebny był podnośnik widłowy.

Kerry usłyszała szept Laury dobiegający zza rzędu półek.

– Hej, chodźcie coś zobaczyć.

Pobiegła na drugą stronę. Latarka Laury mdło oświetlała kilka worków z przezroczystej folii, wypełnionych białym proszkiem.

– Boraks – powiedziała Laura. – Właśnie to miesza się z kokainą, żeby uzyskać słabszy narkotyk, który trafia na ulice.

– A ty skąd to wiesz, panno mądralińska? – spytał James.

– Z twojego wprowadzenia do zadania – wyjaśniła Laura obojętnie.

James zacmokał, kręcąc głową.

– Wiesz, w jakie kłopoty byś się wpakowała, gdyby przyłapano cię na czytaniu cudzego wprowadzenia?

Laura zaśmiała się.

– Mniejsze niż za zostawienie wprowadzenia na podłodze łazienki.

– James... – zachłysnęła się Kerry. – Tych materiałów nie wolno nawet wynosić z sali planowania!

– Wiem – odparł James, wzruszając ramionami. – Ale czasem przemycam kilka kartek, żeby poczytać sobie w kiblu.

Kerry zaczęła fotografować worki.

– No dobrze, Keith Moore trzyma tutaj swój boraks – rzekł James. – Tyle że w boraksie nie ma nic nielegalnego. Pan Singh powie, że używa go do dezynfekcji.

– Za tym musi kryć się coś więcej – odpowiedziała Kerry. – Keith nie ratowałby firmy od bankructwa w zamian za powierzchnię magazynową. Dinesh mówił coś o piętrze.

– Wiem, że się powtarzam, ale tu naprawdę nie ma piętra – westchnął James.

– Właśnie, że jest – wtrąciła Laura. – Ta hala ma dwuspadowy dach, ale tu w środku strop jest płaski.

– Dobrze kombinujesz – przyznała Kerry z uznaniem. – Widać tobie przypadł cały rozum w tej rodzinie. Tutaj musi być strych.

Wszyscy troje skierowali latarki w górę. Wysoki strop był ledwie widoczny, ale w końcu udało im się wypatrzyć klapę prowadzącą na poddasze.

– Jak my się tam dostaniemy? – zastanawiała się Kerry.

– Z łatwością – odrzekł James. – To jest jak platformów-ka. Spójrz, w niektórych częściach regałów półki są bliżej siebie. Można wejść po nich jak po drabinie.

– A ja sądziłam, że te twoje noce z Playstation to strata czasu – zauważyła Kerry z uśmiechem. – Laura, zostań tutaj i miej oczy otwarte. Ja i James wejdziemy na górę.

Laura skinęła głową. James pomyślał, że nie byłaby tak zgodna, gdyby to on wydawał rozkazy.

James i Kerry wspięli się po ciasno ustawionych pół-kach, badając rękami drogę przed sobą. Potem, przestę-pując nad workami i beczkami, ruszyli wzdłuż regału do następnego segmentu umożliwiającego kontynuowanie wspinaczki. Laura skierowała na nich latarkę, starając się choć trochę oświetlić im drogę.

Chociaż najwyższy poziom znajdował się piętnaście me-trów nad ziemią, półki o trzymetrowej szerokości dawały poczucie bezpieczeństwa. Kerry znalazła drewnianą żerdź z hakiem na końcu i sięgnęła nią do włazu w suficie, żeby otworzyć klapę. James zaświecił latarką w czarny otwór, z którego z metalicznym grzechotem zaczęła wysuwać się drabina. W momencie gdy grzmotnęła w stalową półkę, wokół głów agentów zamigotały setki budzących się do ży-cia świetlówek. James i Kerry natychmiast przypadli do półki i osłonili oczy nieprzyzwyczajone do jasnego światła.

– Co się stało? – wyszeptał James.

– Ktoś musiał wejść. Nas nie zobaczą, ale gdzie jest Laura?

Ostrożnie podpełzli do krawędzi półki, James do jednej, Kerry do drugiej.

– Nie widzę jej – powiedziała Kerry po chwili. – Wyglą-da na to, że miała dość rozsądku, żeby się ukryć.

Na dole rozległy się kroki i głosy dwóch kobiet. James widział je przez chwilę. Obie były otyłe, ubrane w grana-towe kombinezony i siatkowe czepki.

– Sektor czterdziesty szósty – odezwała się jedna z nich. Szły powoli, sprawdzając numery zawieszone na regałach.

– Węglan potasu – odczytała kobieta, wsuwając głowę między półki. – Jest. W tych niebieskich beczkach.

Głuchy huk odbił się echem od ścian hali. James szybko wyjrzał za krawędź półki. To papierowy worek pełen pomarańczowego proszku eksplodował na posadzce niemal dokładnie pod nim. Laura musiała niechcący zrzucić go z półki.

Dwie kobiety ruszyły w stronę rozprutego worka.

– Lepiej sprawdzę, czy z Laurą wszystko w porządku – wyszeptał James.

Kerry skinęła głową.

– Tylko uważaj. Niech cię nie zobaczą.

Ale kiedy James się odwrócił, ujrzał Laurę czołgającą się w ich stronę wzdłuż półki.

– Czemu po prostu się nie schowałaś? – wyszeptał James gniewnie.

– Przepraszam. – Laura zrobiła zawstydzoną minę. – Chciałam być z wami.

Mimo napięcia James nie zdołał powstrzymać uśmiechu.

– Teraz już wiesz, po co jest szkolenie. Żeby potem nie bać się byle czego.

– Właśnie, że się nie bałam – odparła Laura urażonym tonem. – Ja tylko...

– Cicho – zasyczała zdenerwowana Kerry. – Robicie za dużo hałasu.

Na dole kobiety wciąż stały nad pękniętym workiem i z rękami na biodrach wpatrywały się w sufit.

– Zdaje się, że mamy ducha – zauważyła jedna.

Druga roześmiała się.

– Ja w każdym razie nie zamierzam czekać, aż zrzuci na nas coś jeszcze. I na pewno nie dam się zapędzić do sprzątania tego bałaganu.

Kobiety zajęły się swoimi sprawami, po czym wyszły, gasząc za sobą światło. Młodociani szpiedzy odczekali kilka chwil w bezruchu dla pewności, że odeszły na dobre. Wreszcie Kerry włączyła latarkę i skierowała ją na metalową drabinę.

– Założę się o funta, że niczego tam nie ma – powiedział James.

Kerry nie była w nastroju do żartów.

– Lepiej, żeby było, po tylu ciężkich przejściach – rzekła ponuro.

Weszła na górę pierwsza. Na poddaszu nie było okien, mogła więc bezpiecznie włączyć światło. Jeszcze zanim James dotarł do szczytu drabiny, szatański uśmiech na twarzy Kerry zdradził mu wszystko.

*

Kyle obudził się o wpół do czwartej w zadymionym pokoju, wśród chrapiących imprezowiczów. Nie wiedział, czy urwał mu się film, czy po prostu zasnął ani skąd się wzięła plama na jego spodniach, ale pamiętał, że była to najdziksza impreza w jego młodym życiu. Gospodarz z pewnością dostanie szlaban na rok, kiedy jego rodzice wrócą z Lake District.

Kyle zbombardował się alkoholem i dudniącą muzyką. Teraz cierpiał. Każdy normalny człowiek przeczołgałby się w jakieś wygodniejsze miejsce i znów poszedł spać, ale Kyle chciał wrócić do domu, wziąć prysznic i namoczyć ubranie w odplamiaczu. Zawsze był czyściochem. Wśród jego najwcześniejszych wspomnień była dzika awantura, jaką urządził, kiedy kazano mu wyjść z innymi dziećmi na plażę – kategorycznie odmówił, gdyż nie chciał zapiaszczyć sobie ubranka.

Znalezienie pokoju, w którym zostawił bluzę, zajęło mu dłuższą chwilę. Jakiś nagi koleś obrzucił go wyzwiskami, kiedy w ciemności nadepnął mu na kostkę. Kyle ostrożnie przeszedł nad grupą gości, którzy zakończyli imprezę na trawniku, wyszedł przez bramę i podążył w stronę przystanku.

Nocny przyjechał po czterdziestu minutach. Po wpół do piątej Kyle wysiadł w Thornton, ale po złej stronie dzielnicy. Gdy wreszcie dowlókł się do domu, widok, jaki ujrzał, wprawił go w osłupienie. We wszystkich oknach paliło się światło, a na podjeździe stała szara toyota, której nie rozpoznawał.

Wszyscy oprócz Nicole byli w salonie. Laura chrapała na kanapie, a Ewart pochylał się nad laptopem ustawionym na stoliku do kawy. Tuż obok niego siedział łysiejący mężczyzna w garniturze i pod krawatem.

– Co się tu dzieje? Ominęło mnie coś fajnego? – zapytał Kyle.

– Owszem – wyszczerzył się James. – Okazuje się, że wzięcie Kerry na akcję nie było mimo wszystko takim głupim pomysłem.

Kerry rzuciła Jamesowi zimne spojrzenie, ale rozpierała ją zbyt wielka radość, by się obraziła.

Zara przedstawiła Kyle'owi nieznajomego.

– To jest John Jones. Dowodzi zespołem MI5 zajmującym się GKM. Wezwaliśmy go, żeby rzucił okiem na zdjęcia.

John Jones uścisnął Kyle'owi dłoń.

– Wy, dzieciaki, jesteście niesamowite – powiedział z uśmiechem. – Kiedy dr McAfferty zaproponował mi jednostkę z CHERUBA, myślałem, że to jakiś żart.

James był zaskoczony.

– Przecież musiał pan słyszeć o operacjach z udziałem CHERUBA.

John potrząsnął głową.

– Jestem agentem MI5 od osiemnastu lat i dopiero teraz dowiedziałem się o organizacji CHERUB.

Zara pośpieszyła z wyjaśnieniem:

– Dla MI5 pracują tysiące ludzi, ale tylko garstka najwyżej postawionych wie o naszej jednostce. Agenci, tacy jak John, dowiadują się dopiero wtedy, kiedy muszą nawiązać z nami współpracę.

– A i wtedy nie wszyscy – dodał John. – Przy operacji „Ścieżka" pracuje czterdziestu trzech agentów, ale o was wiem tylko ja.

– Powiedzcie wreszcie, co się stało – zaskrzeczał Kyle. Od dymu na imprezie wciąż miał podrażnione gardło.

– Zerknij na fotki, które zrobili Kerry i James – rzekła Zara.

Kyle pochylił się nad ekranem laptopa. John Jones objaśniał, co przedstawiają fotografie.

– GKM przemyca kokainę o bardzo wysokiej czystości, dziewięćdziesiąt procent lub więcej. Towar, jaki trafia na ulice, zawiera od trzydziestu do pięćdziesięciu procent narkotyku. Na zdjęciach widzicie zakład przetwórczy. Czystą kokainę miesza się tu z boraksem i innymi chemikaliami w tych aluminiowych kadziach. Następnie... – John Jones kliknął myszką, zmieniając obraz na ekranie. – Maszyna na tym zdjęciu to prawdziwe cudo. Musiała kosztować ponad pięćdziesiąt tysięcy funtów. Zaprojektowano ją do konfekcjonowania przypraw, takich jak sos sojowy lub pieprz. Wystarczy u dołu założyć rolkę folii poliuretanowej, od góry wsypać albo wlać towar i wcisnąć guzik. Tę tutaj zaprogramowano na zgrzewanie jednogramowych paczuszek kokainy.

– Dużo było tej koki? – spytał Kyle, patrząc na Kerry.

– Ani grama.

– Być może w magazynie albo gdzie indziej w Thunderfoods są przechowywane jakieś narkotyki, ale wątpię w to – powiedział John. – Myślę, że ekipa z GKM wpada tam raz na jakiś czas z kilkoma kilogramami kokainy, poświęca kilka godzin na mieszanie i pakowanie, po czym zabiera wszystko ze sobą.

– I co teraz? – dociekał Kyle. – Zrobicie nalot?

John pokręcił głową.

– Nie. Weźmiemy zakład pod obserwację. Nasi ludzie nafaszerują poddasze kamerami i mikrofonami. Sprawdzimy, kto tam wchodzi, kto wychodzi, skąd przyjeżdża i dokąd się udaje. Być może, idąc śladem narkotyków przetwarzanych w Thunderfoods, dotrzemy do miejsca, skąd są szmuglowane po kraju.

– A zatem to dopiero początek – zauważył James.

– Udało się wam wetknąć stopę między drzwi – przyznał John. – To nie to samo co rozbicie GKM, ale teraz, skoro już wiemy, gdzie przetwarzają kokainę, będzie nam znacznie łatwiej.

John uścisnął wszystkim dłonie i wyszedł. Słońce wspinało się już po nieboskłonie. Spośród trójki bohaterów nocy tylko Laura zdołała choć trochę się przespać.

*

Kiedy James wynurzył się spod kołdry, była już trzecia po południu. Pękał mu pęcherz, ale łazienkę zajmowała Kerry wydzierająca się radośnie pod prysznicem. Na stole kuchennym znalazł kartkę od Laury.

James,
Tak słodko spałeś! Nie chciałam Cię budzić.
Do zobaczenia wkrótce
Laura
XXX

Jamesowi zrobiło się przykro. Chciał pożegnać siostrę jak należy i życzyć jej powodzenia na szkoleniu podstawowym. Pognał na górę, kiedy tylko usłyszał, że Kerry otworzyła łazienkę.

– Co tak długo? – rzucił ze złością, podnosząc deskę i rozpinając rozporek. Nie zawracał sobie głowy zamykaniem drzwi.

– Już dobrze, przepraszam – powiedziała Kerry, owijając głowę ręcznikiem. – Widziałeś Ewarta albo Zarę?

– Jeszcze nie. Pojechali do supermarketu.

– Jak wrócą, będą chcieli z nami pogadać.

James odwrócił głowę, żeby spojrzeć na Kerry.

– Wkurzyli się, że włamaliśmy się tam bez pozwolenia?

– Ewart nieźle objechał Laurę, zanim wyjechała.

– Poryczała się?

Kerry potrząsnęła głową.

– Całkiem nieźle to zniosła.

– Jak myślisz, co nam zrobią?

– Kyle podsłuchał Ewarta i Zarę – oznajmiła Kerry. – Zdaje się, że załatwiliśmy sobie zmywanie do końca operacji.

James zapiął rozporek.

– Mogło być gorzej.

15. KANDYDAT

W ciągu trzech tygodni od włamania do Thunderfoods nie wydarzyło się zbyt wiele. Właśnie tak przebiega większość tajnych operacji: na początku szybko odkrywa się kilka cennych śladów, ale potem jest już trudniej. Trzeba uzbroić się w cierpliwość, stopniowo zdobywać zaufanie swoich celów i rozpracowywać strukturę organizacji.

Meryl Spencer wysłała Jamesowi e-maila, w którym zawiadamiała, że Laura przetrzymała pierwszy tydzień szkolenia podstawowego i dobrze sobie radzi.

Nicole zainstalowała urządzenia podsłuchowe i miniaturowe kamery w domu Keitha Moore'a. James nie pocałował jej już ani razu. Nadal go pociągała, ale teraz bardziej koncentrował się na Kerry.

Kerry nafaszerowała cały dom pana Singha mikrofonami i sporo czasu spędzała z Dineshem, próbując wycisnąć z niego nowe informacje. James wciąż nie znalazł odpowiedniej chwili, by wyznać jej swoje uczucia – przynajmniej tak powiedział Kyle'owi. Okazji było mnóstwo, ale on jakoś nie mógł zebrać się na odwagę.

Kyle dał sobie spokój z Ringiem Moore'em i zaczął pomagać parze piętnastolatków przy weekendowych dostawach dla GKM. James wciąż nie mógł pogodzić się z tym, że Kyle jest gejem, ale w ich codziennych relacjach nic się nie zmieniło.

Niekiedy James prawie zapominał, że bierze udział w tajnej operacji. Czuł się jak zwyczajny dzieciak. Dzień w dzień wstawał, bawił się z Joshuą, szedł do szkoły, męczył się na nudnych lekcjach, wcinał mrożone specjały odgrzewane przez Zarę w piekarniku, a wieczorami jeździł z dostawami dla GKM. Nie było mu źle. Na narkotykach zarabiał sto funtów tygodniowo. Kupił sobie nowe dżinsy, kilka bluz, parę gier wideo i najdroższe buty Nike'a, jakie zdołał znaleźć. W szkole było nudno, więc uprzyjemniał sobie spędzany w niej czas, dokazując z Juniorem. Dwaj chłopcy mieli ze sobą wiele wspólnego. Obaj kibicowali Arsenalowi, nienawidzili szkoły, uwielbiali Playstation i mieli podobny gust w dziedzinie muzyki i dziewczęcej urody.

*

James jeszcze nie brał udziału w normalnej, trzyrundowej walce, ale miał już za sobą kilka sparingów i zdążył polubić gorączkę ringu. Kiedy spadał na niego pierwszy cios, chemikalia w jego mózgu mieszały mu w głowie. Czuł się tak, jakby ktoś podłączył go do prądu. Ciemna strona jego duszy przejmowała nad nim kontrolę i nie bał się już niczego.

James wciąż nie osiągał docelowych stu pięćdziesięciu skoków na minutę, ale wyszedł daleko poza etap, kiedy inni chłopcy sikali ze śmiechu na widok jego walki ze skakanką. Właśnie ocierał twarz z potu po kolejnej serii skoków, kiedy Kelvin gestem przywołał go na ring.

– Runda z Delem – powiedział Kelvin, podając mu kask i rękawice.

Del miał dłuższe ręce i siedem walk na koncie, ale James bez lęku wstępował za liny. Był stworzony do boksu: miał silne ręce, szerokie bary i był dość twardy, by przyjmować ciosy.

– Podajcie sobie ręce – polecił Kelvin, odsuwając się od bokserów.

James zaatakował na dźwięk gongu. Del wyprowadził pierwszy cios, który ześliznął się po kasku przeciwnika.

James uderzył go celniej, najpierw w głowę, a następnie w brzuch. Potem zasłonił twarz, blokując proste Dela i wypatrując luki przez szczelinę między rękawicami. Kiedy się pojawiła, ruszył do przodu i dosłownie wtłoczył rękawicę w twarz przeciwnika. Następny cios pozbawił Dela równowagi, posyłając go na deski.

James chciał podnieść Dela i obić go jeszcze raz, ale on pomachał rękawicą przed twarzą i podpełzł do lin. James był zdegustowany. Wypluł ochraniacz na zęby, ściągnął jedną rękawicę i cisnął nią w plecy Dela.

– To ma być walka?! – wrzasnął. – Chodź po dokładkę, cieniasie!

Kelvin złapał Jamesa za ramiona i odciągnął do tyłu.

– Spokojnie, tygrysku – uśmiechnął się. – Spróbuj zapamiętać, że to jest boks amatorski. Liczy się, ile razy czysto trafisz przeciwnika, a nie jak mocno uderzysz, czy nawet ile razy poślesz kolesia na deski.

– Następnym razem chcę kogoś naprawdę dobrego.

Kelvin roześmiał się.

– Jesteś silny, James, ale musisz poważnie popracować nad szybkością, więc nie wpadaj jeszcze w samozachwyt.

James odpiął kask i lekko zeskoczył z ringu. Junior ruszył za nim.

– Jesteś coraz lepszy. Jak tak dalej pójdzie, może niedługo będziesz mógł stanąć do walki ze mną – powiedział Junior ze śmiechem.

– Stanąłbym i teraz, gdyby mi pozwolili.

Z drugiej strony ringu przywlókł się zziajany Del. Pasma jego mokrych od potu włosów nosiły ślad po kasku.

– Jesteś dla mnie za silny – wysapał.

– Sorry, że nazwałem cię cieniasem. Odrobinę mnie poniosło.

James i Del zwarli się w męskim, spoconym uścisku. Tu zawsze było tak samo. Na ringu chciało się kogoś zabić, a po walce znowu stawało się jego kumplem. Kiedy James ruszył w stronę ćwiczących kolegów, Kelvin odwołał go z powrotem.

– Słyszę, że od kiedy dla nas pracujesz, jesteś wyjątkowo solidnym dostawcą. Nie myśl, że nie zostało to przez nikogo zauważone.

– Dzięki – rzucił James, który myślami wciąż był na ringu.

– Co powiesz na małą wycieczkę pociągiem jutro wieczorem?

– Daleko?

– Trzeba dostarczyć trochę towaru w okolice St. Albans. Zajmiesz się tym?

– Jasne.

– Dwanaście kilo koki w czterech cegłach. Weź kogoś zaufanego, żeby pomógł ci nieść. Zarobicie po czterdzieści funtów na głowę.

– Brzmi nieźle – przyznał James. – Gdzie mam odebrać towar?

– Znasz Costasa?

James skinął głową.

– Z widzenia.

– Spotkacie się na placu zabaw w Thornton około szóstej. Przyprowadź kumpla, żebyśmy mogli go obejrzeć.

*

Kyle miał inny kurs, więc James zaoferował fuchę Kerry.

– Piętnaście minut jazdy podmiejskim i zarobimy po dwie dychy – kusił.

Kerry wzruszyła ramionami.

– Po szkole miałam odrabiać lekcje z Dineshem, ale i tak już nic z niego nie wyciągnę.

Wieczorem padała mżawka, więc plac zabaw był pusty. Costas był zwalistym szesnastolatkiem, który rok wcześniej rzucił szkołę. Miał twarz gęsto pokrytą pryszczami i bardzo niezadowoloną minę z powodu obecności Kerry.

– Jaja sobie robisz? – denerwował się, machając rękami.
– Co ci strzeliło do łba, żeby przyprowadzić swoją dziewczynę? To musi być ktoś masywny, jakby jakieś kłopoty czy coś...

– Akcja była organizowana na szybko – przerwał James.
– Tylko Kerry była dostępna i wiem, że świetnie da sobie radę.

Costas zmierzył Kerry wzrokiem.

– Bez obrazy, kochanie, ale nie zatrudniamy małych dziewczynek.

Jeśli nie było się ogromnym mężczyzną, najlepiej uzbrojonym w kij baseballowy, nazywanie Kerry kochaniem nie należało do mądrych pomysłów.

– Nie jestem twoim kochaniem – warknęła dziewczyna.
– I doskonale potrafię się bronić.

– Oczywiście, że tak, słodziutka – zarechotał Costas i zwrócił się do Jamesa: – Sorry, James, ale nic z tego nie będzie. Przyprowadzać babkę na taką robotę... Ej, stary... Coś ty sobie wyobrażał?

– Dawaj te dragi albo będziesz miał poważne kłopoty – rzuciła rozjuszona Kerry.

James uśmiechnął się do niej.

– Kerry, spokojnie. Zadzwonię w parę miejsc i wyjaśnię sprawę.

– Nie – odparła twardo Kerry. – Nie pozwolę temu zaropiałemu pajacowi traktować mnie w taki sposób.

Costas parsknął śmiechem.

– No i co mi zrobisz, kociaczku? Pociągniesz za włosy?

Kerry skoczyła naprzód, lokując mocny cios w szyi szesnastolatka i podcinając go w chwili, gdy zatoczył się do tyłu. Nim Costas zorientował się, co się dzieje, leżał na ziemi z kolanem Kerry miażdżącym mu tchawicę.

– Kociaczku?! – wrzasnęła Kerry, wciskając kolano głębiej. – Nie jestem niczyim kociaczkiem!

– Dobra, dobra – wycharczał Costas. – Przepraszam. Możesz jechać z Jamesem.

Kerry wstała. Uwolniony Costas usiadł, masując sobie szyję. Jego twarz z wolna przybierała normalną barwę.

– Zaskoczyłaś mnie – powiedział ze złością, podnosząc się. – Ale radzę ci, nie próbuj czegoś takiego jeszcze raz, bo zrobię ci poważną krzywdę.

Kerry nie mogła powstrzymać uśmiechu.

– Spróbuję zapamiętać.

Costas upewnił się, że są sami, po czym otworzył plecak. Kerry i James wzięli po dwie zafoliowane cegły z białego proszku i schowali do własnych plecaków. James zaczął odchodzić.

– Zaczekaj – rzucił za nim Costas. – Chyba że wolisz, żebym zatrzymał te osiemdziesiąt funtów.

Kerry wyrwała pieniądze z dłoni szesnastolatka.

– Miło się współpracowało.

Uśmiechnęła się i podbiegła do Jamesa.

– Osiemdziesiąt funtów, James – fuknęła gniewnie. – Nie do wiary, że próbowałeś mnie wykiwać, chociaż nosisz w kieszeni zwitek dwudziestek, a ja mam tylko kieszonkowe.

– To była pomyłka – skłamał James. – Oczywiście połowa jest twoja.

– Wezmę wszystko – oświadczyła Kerry, wpychając pieniądze do kieszeni dżinsów. – Chyba że chcesz się o nie bić.

16. ZAGUBIENI

James i Kerry wysiedli z pociągu w St. Albans.

– Szkoda, że nie przyjechaliśmy wcześniej – westchnęła Kerry. – St. Albans to historyczne miejsce. Są tu rzymskie ruiny, mozaiki i tak dalej.

– No tragedia – powiedział James, przewracając oczami. – Nic mnie tak nie kręci jak dobra mozaika. Zresztą i tak nie jedziemy do miasta. Adres jest z jakiegoś osiedla na przedmieściach.

Przy stacji czekał rząd taksówek. Kierowca nie chciał ruszyć, dopóki nie zobaczył pieniędzy. Po drodze mijali pola, gospodarstwa i trochę luksusowych willi. Potem, zupełnie nagle, otoczyły ich beton i graffiti. Wyglądało to tak, jakby statek kosmiczny obcych wyrwał blokowisko ze środka Londynu, a potem, uznawszy, że nie jest jednak zbyt fajne, porzucił je na środku pustkowia.

Taksówkarz wysadził ich przed ciągiem handlowym. Wszystkie sklepy były zamknięte i zabite deskami z wyjątkiem pubu przerobionego na klub bilardowy. Lokal miał stalowe drzwi przeciwwłamaniowe i kraty na wąskich, brudnych szybkach udających okna.

Taksówka odjechała. Kerry rozejrzała się nerwowo. Zaczynało się ściemniać.

– Cienko musi się mieszkać w takim miejscu – zauważył James. – Thornton to dziura, ale przynajmniej jest blisko miasta. Tutaj nie ma nic.

Okazało się, że ciąg zamkniętych sklepów stanowi serce osiedla. Za nimi było osiem kilkupiętrowych bloków mieszkalnych. Trzy z nich zabito deskami i ozdobiono tablicami z napisem DO ROZBIÓRKI. Były też znaki ostrzegające przed wchodzeniem do środka budynków bez masek chroniących przed pyłem azbestowym. Po śmietnikach buszowały bezpańskie psy, w ciemnych zakamarkach czaiły się liczne grupki ćpunów, a jedyni normalnie wyglądający ludzie chodzili bardzo szybkim krokiem, jakby obawiali się napaści.

James spojrzał na kartkę z adresem.

– Mullion House, trzecie piętro, numer dwadzieścia dwa.

Odszukali Mullion House, wspięli się po cuchnących moczem schodach i ruszyli wzdłuż balkonu na trzecim piętrze. Numery lokali kończyły się na dwudziestce. James wcisnął przycisk dzwonka. Po chwili ze szczeliny na listy dobiegł głos kobiety o wschodnioeuropejskim akcencie.

– Czego wy chcieć?! – zawołała łamaną angielszczyzną.

– Czy wie pani, gdzie znajdę numer dwadzieścia dwa? – spytał James.

– Co?!

– Numer dwadzieścia dwa!

– Czekać. Ja przynieść syn.

Dzieciak, który podszedł do drzwi, miał około dziesięciu lat. Jego angielski był nienaganny.

– Tutaj nie ma numeru dwadzieścia dwa – wyjaśnił. – Wydaje mi się, że na wszystkich piętrach jest tak samo. Numery kończą się na dwudziestce.

– Dzięki. Przepraszam za najście – powiedział James, odwracając się od drzwi.

– Co robimy? – spytała Kerry.

– Ktoś musiał się pomylić przy ustalaniu adresu. Zadzwonię do babki, która ustawia mi kursy. Na pewno coś wymyśli.

James wyciągnął komórkę i wystukał numer. Telefon pisnął, a na ekranie pojawił się komunikat: brak sygnału. Kerry spróbowała zadzwonić ze swojego, z tym samym skutkiem.

– Cholera! – zaklął James. – To takie zadupie, że nawet nie ma zasięgu.

Kerry spojrzała w stronę sklepów i wyciągnęła rękę.

– Tam, przy przystanku jest budka telefoniczna.

James popatrzył we wskazanym kierunku.

– Szansa, że działa, jest jak milion do jednego.

I tak nie mieli wyboru, więc wrócili przed sklepy, żeby przyjrzeć się budce. Telefon był nie tylko uszkodzony, lecz także zniszczony. Nie było wyświetlacza, słuchawki ani przycisków, tylko wypalona obudowa.

– Upiorne miejsce, aż ciarki mi chodzą po plecach – zauważyła Kerry. – Myślisz, że pozwolą nam zadzwonić z klubu bilardowego?

– Nie ryzykowałbym. Wygląda na miejsce, gdzie prędzej poderżną ci gardło.

– No to co robimy?

– Wynosimy się stąd. Nie mamy jak wezwać taksówki, więc poczekamy na autobus. W mieście złapiemy zasięg, a wtedy zadzwonię i wyjaśnię sprawę.

Powlekli się na przystanek. Kerry przestudiowała rozkład jazdy.

– Autobus kursuje co godzinę – oznajmiła. – Poprzedni właśnie odjechał.

Na ulicy nie było ruchu. James i Kerry usiedli na krawężniku przy przystanku, z nogami na jezdni. Kerry wyrwała dmuchawiec ze szczeliny w asfalcie i w zamyśleniu obracała go między palcami.

– Myślisz, że będziemy mieli kłopoty? – spytała.

– Mam kartkę z adresem wypisanym ręką Kelvina. Nie mogą mnie za nic winić.

– Dziwne, że się rąbnęli.

James skinął głową.

– No. Zwłaszcza jeśli pomyśleć, ile te dragi są warte.

– A ile są warte?

– Mamy dwanaście kilo. Sprzedaję kokę po sześćdziesiąt funtów za gram, a w kilogramie jest tysiąc gramów. Czyli kilogram jest wart sześćdziesiąt tysięcy, co w sumie daje... siedemset dwadzieścia tysięcy.

– Kurczę! Osiemdziesiąt funtów za dostawę nagle wydało mi się niezbyt hojnym wynagrodzeniem.

– Pamiętaj, że liczyłem po cenach detalicznych. Ale i tak wątpię, by GKM upłynniało taką ilość za mniej niż trzysta tysięcy.

– Za takie pieniądze można postawić ładny dom – zauważyła Kerry.

James zachichotał.

– Może powinniśmy z tym prysnąć?

– Wiesz, to jest naprawdę fajne, że potrafisz tak szybko liczyć w pamięci.

– Umiem tak od przedszkola – powiedział James. – Zanim moja mama umarła, rządziła szajką złodziei sklepowych i zatrudniała mnie do rachunków. No wiesz, kto ile jest winien i komu ile się należy.

– Przymknęli ją kiedyś? – spytała Kerry.

James potrząsnął głową.

– Nigdy. Ale kiedy byłem mały, miewałem koszmary o policjantach, którzy zabierają mamę i Laurę. Niedawno Junior mówił coś o swoim tacie i wsadzaniu za kratki. Niby żartował, ale widziałem, że się boi. Pamiętam jeszcze, jak to jest, i szczerze mówiąc, fakt, że wykorzystujemy go do przyskrzynienia jego ojca, wydaje mi się mocno gównianą sprawą.

– Pewnie każdy złoczyńca ma kogoś, kto go kocha – stwierdziła Kerry.

Przez kilka minut patrzyli w milczeniu na zachodzące słońce. Kiedy zapaliły się latarnie, James spojrzał na zegarek.

– Niedługo powinien przyjechać – powiedziała Kerry.

Z klubu bilardowego wyszli trzej mężczyźni i skierowali się w stronę przystanku. Przodem szedł gruby dwudziestokilkulatek z brodą i brązowymi, kręconymi włosami opadającymi na plecy. Za nim maszerowali dwaj nastoletni skinheadzi, prawdopodobnie bracia, o bladej cerze i patykowatych kończynach. Nie byli pierwszymi ludźmi, jacy mijali przystanek, ale mieli w sobie coś, co wzbudziło czujność Jamesa i Kerry.

Wyższy skin zatrzymał się nad Kerry.

– Czekamy na autobus, ta? – rzucił.

– Owszem – potwierdziła Kerry, podnosząc się powoli. – To zwykle robią ludzie na przystankach.

– A ja myślałem, że czekasz, aż przyjdzie takie ciacho jak ja i zrobi ci dobrze.

Niższy pchnął Jamesa na jezdnię.

– A ty co, jej kochaś?

– Spieprzaj! – rzucił James, oddając pchnięcie.

– Macie jakąś kasę? – spytał niższy, mierząc Jamesa wzrokiem. – Bo niedługo nie będziecie mieć.

Obaj skinheadzi sięgnęli do kieszeni. Na szkoleniach agencji uczą się, by na widok noża podejmować błyskawiczną decyzję. Należy albo rozbroić napastnika, zanim ostrze znajdzie się w zagrażającej pozycji, albo wycofać się, jeżeli manewr jest niemożliwy. James i Kerry wybrali pierwszą ewentualność. Jednocześnie złapali kościste nadgarstki i wykręcili je skinom za plecami. Kerry wygięła wyższemu kciuk, a kiedy nóż brzęknął o chodnik, grzmotnęła głową przeciwnika o betonową ściankę przystanku. Po uwolnieniu drugiego noża James przyłożył niższemu w tył głowy i natychmiast schylił się, by podnieść oba sprężynowce. Jeden podał Kerry.

– Nie chcemy kłopotów – oznajmiła Kerry, celując nożem przed siebie. – My tylko czekamy na autobus.

Dwaj skinheadzi nie wycofali się, ale już nie wyglądali na zbyt pewnych siebie. Facet z długimi włosami przez cały czas czekał o kilka kroków z tyłu. Teraz wystąpił przed skinów i uśmiechnął się.

– Widzę, że znacie parę fajnych ruchów – zauważył przyjaźnie. – A potraficie obronić się przed tym? – Wyciągnął spod poły kurtki strzelbę z obciętą lufą i wycelował w dwunastolatków. – Na śrut, kaliber osiemnaście i pół milimetra – wyjaśnił. – Jeden strzał rozniesie was oboje na strzępy. Jeżeli chcecie pożyć dłużej niż kilka minut, to róbcie dokładnie to, co wam każę, jasne?

Kerry i James skinęli głowami.

– Na początek zwrócicie noże ich właścicielom. Rękojeścią do przodu.

Skinheadzi wzięli noże.

– A teraz połóżcie ręce na głowach.

Długowłosy kiwnął na swoich pomagierów. Skinheadzi przetrząsnęli kieszenie agentów, zabierając pieniądze, klucze, bilety kolejowe i telefony. Na koniec odpięli im zegarki.

– Zdejmijcie plecaki.

– Jeśli je weźmiesz, będziesz miał poważne kłopoty – ostrzegł James. – Nie masz pojęcia, co w nich jest.

– Wiem dokładnie, co w nich jest – zaśmiał się włochaty. – Możecie powiedzieć Keithowi Moore'owi, że jak jeszcze raz przyśle tu parę swoich brudnych szczyli, to czeka ich coś znacznie gorszego od lania, jakie zaraz wam sprawimy.

Niższy skin spojrzał na przywódcę.

– Szefie, mogę wziąć buty małego, zanim ich zgnoimy?

– Że co?

Skinhead wskazał na stopy Jamesa.

– Mówiłeś, że dla nas idzie wszystko, z czego ich skroimy. Te kapcie chodzą po sto dziewiętnaście dziewięćdziesiąt dziewięć. Mój brat się ucieszy.

Długowłosy potrząsnął głową z niedowierzaniem.

– Dobra, bierz je – westchnął.

James był zdruzgotany, kiedy zdejmował swoje prawie nowe airmaksy.

– No dobrze – podjął długowłosy, uśmiechając się słodko. – A teraz posłuchajcie. Kiedy skończymy, odejdziecie, a raczej odczołgacie się stąd w cholerę. Jeśli jeszcze raz was tu zobaczę, będę ostatnim waszym widokiem w życiu. I gdybym był wami, nie czekałbym na autobus. Dzieciaki rzucały cegłami w przednią szybę, więc skasowali kursy po zmroku.

Długowłosy kazał Jamesowi i Kerry położyć się na brzuchu z rękami za głową. Nim odszedł, polecił skinheadom urządzić im porządną odprawę.

17. SZALEŃSTWO

Kerry i James zwlekli się z jezdni i ciężko dysząc, opadli na trawę przy chodniku. Kopniaki nie były mocne, ale rano mogli się spodziewać mnóstwa siniaków.

– Pewnie chcieli, żeby starczyło nam sił na powrót i przekazanie Keithowi wiadomości – zauważyła Kerry.

– Jak twoje kolano?

– W porządku. Masz rozciętą wargę.

– Możesz iść czy wolisz trochę odpocząć?

– Mogę iść – zapewniła Kerry. – Co robimy?

– Dokładnie to, co kazał nam człowiek z obrzynem – powiedział James. – Do miasta będziemy szli co najmniej godzinę, ale jeśli znajdziemy po drodze działający telefon, zadzwonimy do domu na koszt odbiorcy.

– I rozłożymy całą operację.

– Niby jak? Wyjaśnię Kelvinowi, co zaszło. To jasne, że ktoś nas wrobił.

– A jeśli w GKM pomyślą, że maczałeś w tym palce? – spytała Kerry. – Chętnych na twoje miejsce nie brakuje. Jeśli twoja lojalność wzbudzi jakiekolwiek wątpliwości, wyleją cię w trzy sekundy.

James uświadomił sobie, że Kerry ma rację.

– Nie będą zachwyceni, kiedy powiem, że straciłem towar za trzysta tysięcy, co?

– Sprawdzą nas wszystkich – ciągnęła Kerry. – Nie tylko ciebie i mnie. Wezmą pod lupę Kyle'a, Nicole, Ewarta i Zarę. Wszystko, co dotąd osiągnęliśmy, pójdzie w kanał.

– Ale jak mamy odzyskać towar? Facet ma broń, a ja jestem na bosaka.

– To tylko jakiś wynajęty menel – powiedziała Kerry.

– Skąd ci to przyszło do głowy?

– Słyszałeś, co powiedział skin, kiedy zabierał ci buty? Włochaty płacił im, pozwalając zatrzymać nasze rzeczy. Czy tak postępuje poważny mafioso?

– No dobra, to jakiś drobny oprych – zgodził się James. – Ale to nie zmienia faktu, że ma broń.

– Nie zabije nas za żadne pieniądze. – Kerry machnęła ręką. – Zapłacili mu parę stówek za porządne nastraszenie nas, zabranie dragów i przekazanie wiadomości Keithowi Moore'owi. To zupełnie coś innego niż zamordowanie dwójki dzieci.

– Przypuśćmy, że masz rację. A jak zamierzasz go znaleźć?

– Wygląda na to, że do tego skrawka raju prowadzi tylko jedna droga, i nie widzieliśmy, by z niej skorzystał – zauważyła Kerry. – Szukamy wysokiego, tłustego dilera z długimi kręconymi włosami i brodą. Założę się, że do takiego opisu każdy tutejszy żul potrafi dopasować nazwisko.

– Po prostu spytamy, a ktoś wskaże nam drogę, tak?

Kerry wzruszyła ramionami.

– Wymyślimy jakiś powód, dla którego musimy go odszukać.

James nie był przekonany.

– Wiesz, gdybym to ja właśnie obrobił GKM z trzystu tysięcy funtów, nie kręciłbym się tu zbyt długo.

– To jasne – zgodziła się Kerry. – Ale on jest pewien, że GKM nie dowie się niczego, dopóki nie dostaniemy się do miasta. Sądzi, że ma jeszcze około godziny.

– Ty mówisz poważnie, prawda? – roześmiał się James.
– Rzeczywiście chcesz, żebym w samych skarpetkach ścigał jakiegoś dilera z obrzynem?

– Myślę, że warto zaryzykować, ale do niczego cię nie zmuszam. Jeśli nie czujesz się na siłach, wrócimy do domu.

James zastanawiał się przez chwilę, ocierając zakrwawioną wargę skrawkiem koszulki. Szanse były mizerne. Gdyby to nie była Kerry, powiedziałby nie.

– No to spróbujmy – westchnął, dźwigając się z trawnika i stawiając pierwsze niepewne kroki od czasu lania.

Przeszli za rzędem sklepów, omijając klub bilardowy, na wypadek gdyby ktoś ze środka zauważył ich wcześniej. Przy jakiejś klatce schodowej natknęli się na dwie chude kobiety, ale ich jedyną reakcją na opis włochatego były puste spojrzenia. Więcej szczęścia mieli za drugim razem, kiedy Kerry zaczęła wypytywać grupę nastolatków.

– Taki w heavymetalowej koszulce? – spytał chłopak.

– Właśnie – przytaknęła Kerry. – Wiecie, gdzie można go znaleźć? Widzieliśmy, jak przy klubie wypadły mu klucze i chcemy je oddać.

– To będzie chyba Szalony Joe. Mieszka w Alhambra House. Lepiej uważajcie, facet jest nieźle porąbany i ciągle chodzi naćpany.

– Wiesz, pod jakim numerem mieszka? – spytał James.

– Co ja jestem, książka adresowa? – zaśmiał się chłopak. – Gdzieś na drugim albo trzecim piętrze.

– Dzięki.

– Fajne skarpetki.

Blok Alhambra House stał na skraju osiedla. Na każdym piętrze było dwadzieścia mieszkań, ale odnalezienie właściwego okazało się łatwiejsze, niż się spodziewali. Wiele zabito deskami, a większość pozostałych nie wyglądała na lokum Szalonego Joego, chociażby ze względu na staroświecki wystrój przedpokojów albo cudzoziemskie nazwiska na wizytówkach. Pasowało tylko jedno, z drzwiami pomalowanymi na czarno i kołatką w kształcie głowy szatana. Poniżej głowy wymalowano korektorem jedno słowo: Joe.

Ostrożnie zajrzeli przez szybkę w drzwiach. Na ścianie w kuchni wisiał plakat Aerosmith, a w całym mieszkaniu paliły się światła. Kerry i James nie mieli przy sobie wytrychów i nie mogli wejść do środka, musieli zatem wywabić Joego na zewnątrz.

– Najpierw sprawdźmy, czy jest w domu – zaproponowała Kerry. – Zadzwoń i uciekamy.

James nacisnął guzik dzwonka i oboje pognali wzdłuż balkonu, by schować się na klatce schodowej. Szalony Joe wyszedł za próg w podkoszulku i bokserkach. Powiódł półprzytomnym wzrokiem po balkonie, wymamrotał coś o przeklętych bachorach i wrócił do środka.

– Co teraz? – spytał James. – Jest rozebrany, więc pewnie siedzi w domu sam.

– Może mieszkać z dziewczyną – zauważyła Kerry.

– Nie sądzę, by w tym domu mieszkała jakaś kobieta – stwierdził James.

– Skąd taki wniosek?

– Widziałaś ten brudny zlew i stos sztućców na suszarce? Według mnie to jest kuchnia samotnego faceta.

– Coś tu nie gra – rzekła Kerry, marszcząc brwi. – Można by pomyśleć, że po takiej akcji powinien się pakować, zbierać do wyjazdu, a nie siedzieć w bieliźnie przed telewizorem.

– Dla mnie to w ogóle nie ma sensu – stwierdził James. – Do tej pory wszystko, co robiłem dla GKM, szło jak w zegarku.

– Joe może mieć kumpli gdzieś w pobliżu. Musimy go załatwić szybko i bez hałasu.

Pięć minut później Szalony Joe otworzył drzwi po raz drugi, by ujrzeć za nimi radośnie uśmiechniętego Jamesa.

– Ostrzegałem was – rzucił Joe ze złym uśmiechem i wyszedł za próg z uniesioną pięścią.

W tym samym momencie Kerry uderzyła go z całej siły w bok głowy. Cios spadł na czuły punkt tuż nad oczodołem, tam gdzie czaszka jest najcieńsza, fundując mózgowi Joego solidny wstrząs. Diler w ułamku sekundy zwiotczał i runął na balkon, zmuszając Jamesa do uskoczenia w bok.

– Ruszaj się! – zawołała Kerry niecierpliwie. – Zaraz się ocknie, a nie chce mi się gasić go drugi raz.

James przeskoczył nad leżącym, wparował do mieszkania i zaczął zaglądać do pokojów, sprawdzając, czy nie ma w nich kogoś jeszcze. Wszędzie walały się pudełka po pizzy i śmiecie. Od starego dymu papierosowego Jamesowi łzawiły oczy. Upewniwszy się, że lokal jest pusty, pomógł Kerry zataszczyć Joego do salonu. Diler zaczął odzyskiwać przytomność.

– Znajdź coś do związania go – poleciła Kerry.

James wyrwał kable z magnetowidu i telewizyjnego dekodera. Joe trochę się rzucał, ale po krótkiej walce udało im się skrępować mu nadgarstki i kostki.

– Gdzie nasz towar, Joe? – spytała Kerry, wznosząc pięść nad jeńcem.

Joe uśmiechnął się.

– Ile wy macie lat? Trzynaście? Czternaście?

– Prawie trzynaście – powiedział James.

– Kto by pomyślał. – Joe pokiwał głową z podziwem. – Mieliście posikać się ze strachu i pobiec z krzykiem do mamusi.

– Stul pysk! – krzyknęła Kerry najtwardszym głosem, na jaki było ją stać. – Od tej pory otwierasz usta tylko wtedy, kiedy ci pozwolę, i lepiej pilnuj, żeby podobało mi się to, co mówisz. A zatem pytam po raz drugi, Joe: gdzie nasz towar?

– Mam! – zawołał James na widok dwóch plecaków wrzuconych za kanapę.

Otworzył je, by sprawdzić zawartość.

– Poszukaj strzelby i wszystkiego, z czym nie powinien nas gonić – zarządziła Kerry.

Pilnowała Joego, podczas gdy James przetrząsał mieszkanie. Obrzyn tkwił w skórzanej kurtce na wieszaku przy drzwiach. James znalazł też pistolet i trochę narkotyków pod łóżkiem. Była to kokaina w jednogramowych paczkach, nieróżniących się niczym od tych, które rozwoził co wieczór.

James był przeszkolony w wyszukiwaniu tego, co ukryte, a wybrzuszenie na dole zasłony było oczywistą wskazówką. Odciągnąwszy zasłonę, znalazł dwie duże torby na zakupy wypchane kokainą oraz kilka tysięcy funtów w pomiętych banknotach. Pośpiesznie upchnął w torbach gotówkę razem z narkotykami i zaciągnął je do salonu.

– Bierzemy to? – spytał.

– Czemu nie? – odparła Kerry z uśmiechem. – Należy się nam.

– Lepiej się już zmywajmy.

– Nie macie pojęcia, w co się wpakowaliście – sapnął gniewnie Joe.

Kerry zacisnęła pięść.

– Pytałam cię o zdanie?

Zgarnęła garść serwetek z zatłuszczonego pudełka po pizzy i wtłoczyła je Joemu do ust.

– Bierzemy taksówkę czy jak? – dopytywał się James.

Kerry wyciągnęła palec w stronę ściany.

– Czy to jest zaparkowane gdzieś tutaj?

James obejrzał się i zobaczył fotografię szczuplejszego, młodszego Joego stojącego przed amerykańskim samochodem. Był to efektowny wóz sportowy z wielkim wlotem powietrza do silnika, pomalowany na pomarańczowo z czarnym pasem przecinającym maskę. James przeczytał napis na złotej plakietce: „Ford Mustang Mach 1, rocznik 1971, podrasowany do 496 KM"s.

– Tam, na stoliku, to chyba kluczyki, prawda? – spytała niewinnie Kerry.

Joe szarpnął się gwałtownie i zabulgotał przez kłąb serwetek. James uśmiechnął się, podrzucając i łapiąc kluczyki.

– Wolę to, niż tłuc się po nocy taryfą. Gdzie stoi?

– Czegoś takiego nie zostawia się na ulicy. Pewnie jest w jednym z garaży na tyłach bloku.

Kerry wyciągnęła knebel z ust Joego.

– Jaki masz numer garażu?

– Jeśli go dotkniecie, oboje jesteście trupami! – wrzasnął diler, plując strzępkami serwetek.

Kerry wbiła mu piętę w brzuch.

– Następnym razem to będą jaja! – krzyknęła. – Numer garażu, już!

– Nic z tego – wykrztusił Joe, zwijając się z bólu na podłodze.

– James – powiedziała Kerry słodziutkim tonem. – Podaj mi strzelbę, proszę.

James spełnił polecenie. Kerry przeładowała broń i przytknęła odpiłowaną lufę do kolana Joego.

– Lepiej, żeby twoim następnym słowem był numer garażu – warknęła. – Inaczej trzeba będzie cudu, żeby usunąć plamę krwi z tego dywanu.

James wiedział, że Kerry nie pociągnie za spust, ale grała znakomicie i Joe wyglądał na wystraszonego.

– Czterdzieści dwa – mruknął.

– No widzisz, jakie to proste – rozczuliła się Kerry. – Ale jeśli kłamiesz, wrócę tu za pięć minut i odstrzelę ci stopę, a potem zapytam znowu.

– Dobra, dobra, kłamałem – przeraził się Joe. – Osiemnaście. Dlaczego nie zamówicie taksówki? To bardzo szybkie auto. Czy wy w ogóle umiecie prowadzić?

– O to się nie martw – wyszczerzył się James.

Wszyscy agenci CHERUBA przechodzą kurs szybkiej jazdy. To przydatna umiejętność, kiedy sprawy przybierają zły obrót i trzeba ratować skórę ucieczką na kołach.

– Może weź jego buty – zaproponowała Kerry.

– Za duże. Będę wyglądał jak klaun.

– Jeszcze telefony. Nie chcemy, żeby zbyt szybko zawiadomił swoich kumpli.

Kerry wyszarpnęła kabel telefonu i zmiażdżyła gniazdko celnym kopniakiem. James schował do kieszeni komórkę Joego i zniszczył telefon w sypialni.

Dziewczyna złapała plecaki.

– Gotowy?

James podniósł torby z narkotykami, pieniędzmi i pistoletem. Wyszli z mieszkania i szybkim krokiem przeszli wzdłuż balkonu, po schodach w dół, a potem wokół bloku do garaży na tyłach. Kerry była tak podekscytowana, że zapomniała o obrzynie w swoim ręku.

Szczęknęła kłódka i blaszane drzwi garażu numer osiemnaście z hałasem wzniosły się pod sufit. Mustang wyglądał lepiej niż w dniu, w którym trzydzieści pięć lat wcześniej wyjechał z salonu. Szalony Joe musiał zainwestować w niego prawdziwą fortunę.

– Ja prowadzę! – zawołał szybko James, dopadając do drzwi po stronie kierowcy. Kerry tylko wzruszyła ramionami. Samochody jej nie kręciły.

James przesunął skórzany fotel tak blisko do przodu, żeby móc dosięgnąć pedałów. Uczył się jeździć na prywatnych drogach samochodem z silnikiem o pojemności naparstka. Nie był przygotowany na burzę, która rozpętała się, kiedy mocarny ośmiocylindrowiec obudził się do życia, łaskocząc go przez pedał gazu w stopę odzianą jedynie w skarpetkę.

– Oooooożeż w mordę! – James wyszczerzył zęby, szukając włącznika świateł.

Reflektory wydobyły z ciemności drogę, a zegary na tablicy rozdzielczej rozjarzyły się neonowym błękitem. James przerzucił dźwignię automatu na drive i wytoczył warczącą bestię z klatki.

Kilka pierwszych kilometrów przejechał niepewnie. Samochód miał fantastyczne przyśpieszenie, ale hamulce łapały znacznie gorzej niż w nowoczesnych autach. Na pierwszym czerwonym świetle James omal nie wjechał komuś w kufer.

Kiedy oddalili się od osiedla na bezpieczną odległość, zatrzymali się. Kerry znalazła pod fotelem atlas drogowy i opracowała trasę do domu. Zanim dotarli do drogi szybkiego ruchu, James zdążył nabrać wprawy i pewności siebie. Na widok pustej drogi przed sobą nie zdołał powstrzymać się przed wduszeniem gazu i rozpędzeniem mustanga do stu osiemdziesięciu kilometrów na godzinę.

Wskaźniki na desce rozdzielczej zaczęły dygotać. Kerry wpadła we wściekłość.

– Bardzo rozsądnie, James! – krzyknęła. – Dwoje dzieci w kradzionym samochodzie, z narkotykami i bronią. Wiesz co, mam pomysł. Może zwrócimy na siebie uwagę, lekceważąc ograniczenie prędkości?!

Przypomniawszy sobie, jak potraktowała Joego, James uznał, że lepiej będzie zwolnić.

*

Skradzionego mustanga zaparkowali na tyłach sklepu z narzędziami, około kilometra od Thornton. Było po jedenastej. Teraz, kiedy adrenalina przestała działać, mieli wrażenie, że mogliby przespać dwadzieścia godzin.

– Zostawmy kluczyki, to ktoś go gwizdnie – zaproponował James.

– Wszędzie są nasze odciski palców – przypomniała Kerry. – Przejażdżkowicze zwykle palą skradzione auta. Jeżeli nie chcemy ryzykować, powinniśmy zrobić to samo.

James popatrzył na samochód z mieszaniną podziwu i żalu.

– Szkoda zniszczyć takie cudo – westchnął.

Kerry wsunęła głowę do auta i otworzyła schowek. Obok papierosów Joego znalazła zapalniczkę. Następnie zaczęła wyrywać kartki z atlasu i zgniatać je w kulki. Kiedy na fotelu pasażera utworzył się papierowy stos, pstryknęła zapalniczką i podpaliła go ze wszystkich stron. Zostawiając otwarte drzwi pasażera, żeby ogień mógł oddychać, James i Kerry zanurkowali w zaroślach przy drodze i czekali na efekt swoich działań.

Najpierw zajęły się fotele. Kiedy płomienie sięgnęły podsufitki, wnętrze rozjarzyło się pomarańczowym blaskiem i smużki dymu zaczęły wydobywać się spod maski.

– Lepiej uciekajmy – rzucił James. – Zaraz zauważy to ochrona któregoś ze sklepów.

Przebiegli zaledwie kilkaset metrów, kiedy pod wpływem temperatury rozerwała się jedna z tylnych opon. Kilka sekund później przepalił się zbiornik paliwa i samochód zniknął w kuli ognia.

Do domu mieli mniej niż kilometr, ale coraz dotkliwiej odczuwali razy zadane przez skinheadów i droga dłużyła się w nieskończoność. Jamesa dopadł koszmarny ból głowy. Kiedy doczłapali do kuchni, Ewart zerwał się zza stołu, przerażony stanem podopiecznych. Przyrządził obojgu gorące kakao i kanapki, podczas gdy Zara z Nicole opatrywały im rozcięcia i stłuczenia.

– Prysznic i do łóżek – zarządziła Zara po wysłuchaniu relacji z wycieczki. – Jutro nie idziecie do szkoły. Należy się wam dzień porządnego wypoczynku.

– Najpierw muszę zadzwonić do Kelvina – powiedział James.

– Dobra – zgodził się Ewart. – Zrób to, kiedy Kerry będzie się kąpać. A potem prosto do łóżka.

18. PERSPEKTYWY

James odpłynął w niebyt w chwili, w której złożył głowę na poduszce, a kiedy się ocknął, była już dziesiąta rano. Miał sześć olbrzymich sińców, kilka otarć i wielki strup na dolnej wardze. Z powodu przykurczu w udzie mógł stawiać tylko małe kroczki.

W kuchni znalazł Joshuę bawiącego się na podłodze magnesami na lodówkę oraz Kerry siedzącą przy stole w koszuli nocnej. Wyglądała na zmaltretowaną.

– Dobrze spałaś? – spytał James.

– Nieźle – mruknęła Kerry. – Jeśli chcesz herbaty, to Zara zaparzyła cały dzbanek.

James nalał sobie herbaty i przygotował porcję płatków z mlekiem.

– Aż trudno uwierzyć w to, co nam się wczoraj przytrafiło. – Kerry uśmiechnęła się z wysiłkiem. – Gdyby nie bolało mnie całe ciało, pomyślałabym, że to był sen.

James odpowiedział uśmiechem.

– Ja też. Ostra byłaś dla Szalonego Joego, kiedy go związaliśmy. Wiedziałem, że masz charakterek, ale jeszcze nigdy nie widziałem cię tak nakręconej.

– Normalnie tak się nie wkurzam... – Kerry pokręciła głową. – No bo jakim trzeba być podłym śmieciem, żeby płacić skinom za bicie dzieci?

– Przynajmniej Kelvin przyjął to spokojnie, gdy wyjaśniłem, w jaki sposób odzyskaliśmy towar. No i uratowaliśmy misję.

Zara przyszła z ogrodu i odstawiła za pralkę pusty kosz na pranie. Usłyszała ostatnie zdanie rozmowy.

– Wiesz, James, czasem nie warto poświęcać się za misję – powiedziała spokojnie.

– Co? – zachłysnął się James.

Kerry także wyglądała na zaskoczoną.

– Szanuję to, co zrobiliście wczoraj – ciągnęła Zara. – Podjęliście decyzję w trudnych okolicznościach i odnieśliście sukces. Ale Ewart i ja jesteśmy zdania, że powinniście byli wrócić do domu. Nalot na mieszkanie uzbrojonego drania był zdecydowanie zbyt ryzykowny.

Naburmuszeni agenci nie spuszczali wzroku ze stołu.

– Nie róbcie takich min – uśmiechnęła się Zara.

Podniosła Joshuę z podłogi i usiadła, sadzając go sobie na kolanach. Zaczęła mówić:

– CHERUB jest jedną z najbardziej tajnych organizacji na świecie. Tylko dwie osoby w brytyjskim rządzie wiedzą o jej istnieniu: szef służb wywiadu i premier. Kiedy politycy dowiadują się o naszej instytucji, zwykle nie chcą słyszeć o narażaniu dzieci na niebezpieczeństwo. Wtedy Mac opowiada o wspaniałych zasługach agentów i wyjaśnia, jak wiele robimy, by zapewniać wam bezpieczeństwo. Wyobraźcie sobie teraz, że wczoraj coś wam nie wyszło i skończyliście w szpitalu albo nawet zginęliście. Mac musiałby udać się do Londynu i wyspowiadać z faktów: oto dwoje dzieci zostało pobitych, po czym ruszyło w pościg za uzbrojonym handlarzem narkotyków. W najlepszym wypadku Mac i inne osoby z kierownictwa CHERUBA straciliby posady za dopuszczenie do tak nieodpowiedzialnych działań. Politycy mogliby też stwierdzić, że nie są w stanie pogodzić się z istnieniem CHERUBA, i zamknąć cały cyrk na dobre.

Kerry pokiwała głową.

– Masz rację. Teraz rozumiem, dlaczego nie było warto.

– Przepraszamy – dorzucił James.

– Nie macie za co przepraszać – uśmiechnęła się Zara. – Po prostu od tej pory postarajcie się działać z większą rozwagą.

*

Kelvin zadzwonił do Jamesa około południa.

– Rozmawiałem już o tobie, z kim trzeba – oświadczył.

– Możesz wpaść do nas do klubu? I przynieś wszystko, co zabrałeś Szalonemu Joemu.

– Nie wdepnąłem w jakiś szajs, co?

– Nie, skąd. Chcemy tylko odebrać fanty i wręczyć ci nagrodę. A i ta laska, która z tobą była...

– Kerry.

– Właśnie. Weź ją ze sobą.

*

Kerry jeszcze nigdy dotąd nie była w klubie bokserskim. O tej porze dnia sala była prawie pusta, ćwiczyło zaledwie kilku bokserów, poważniej traktujących swoją karierę. Ken jak zwykle siedział na plastikowym krześle, popijając herbatę z kubka i obserwując wszystko, co się działo.

– Są w moim biurze – oznajmił. – Zapukajcie, zanim wejdziecie.

Drzwi obskurnego biura strzegł olbrzymi facet w garniturze i pod krawatem. James przekroczył próg i aż zamrugał ze zdumienia. Z tyłu opierał się o ścianę Szalony Joe. Głowę miał owiniętą zakrwawionym bandażem. Na szafce z boku siedział Kelvin, a na wytartym skórzanym fotelu za biurkiem kręcił się leniwie sam wielki szef.

– Siadajcie – rzucił Keith Moore.

Wyglądał raczej niepozornie: ot, zwyczajny, nieduży facet z krótko przystrzyżonymi brązowymi włosami, ubrany w lewisy i koszulkę polo. Jedyną widoczną oznaką jego zamożności był masywny złoty sygnet.

– Nie miałem jeszcze przyjemności – powiedział Keith, wychylając się przez biurko, by uścisnąć dłonie gościom. – Przynieśliście rzeczy, które zabraliście Joemu?

James poklepał torby stojące między jego łydkami.

– Jest wszystko.

– Zakładam, że wiecie, kim jestem.

– Tak. – James skinął głową. – Widziałem pana, kiedy przychodziłem pograć z Juniorem.

– W tej chwili mój biznes kręci się sam – powiedział Keith. – Ludzie latają do Ameryki Południowej po surowiec, surowiec przyjeżdża, surowiec jest rozprowadzany.

James zauważył, że szef nie używa słów narkotyki ani kokaina, na wypadek gdyby w pokoju był podsłuch.

Keith mówił dalej:

– Czasem całymi tygodniami słyszę ten sam meldunek: zwykłe problemy, szefie, nic, z czym nie dalibyśmy sobie rady. I nagle wtedy, kiedy człowiek traci nadzieję, że kiedykolwiek zdarzy się coś ekscytującego, wyskakuje coś takiego jak wasza wczorajsza przygoda.

– To była próba, prawda? – spytała Kerry.

– Nie inaczej – uśmiechnął się Keith. – W biznesie nie przetrwa się bez lojalnych ludzi. Najlepszy sposób na sprawdzenie, z jakiej są gliny, to dać im fałszywe zlecenie i postawić w takiej sytuacji, w jakiej wy znaleźliście się wczoraj. Niektórzy ulegają strachowi i wpadają w histerię. Ci w razie wpadki przysporzyliby nam kłopotów, dlatego musimy się ich pozbyć. Inni są załamani z powodu utraty towaru, ale biorą się w garść, przychodzą do mnie i błagają o jeszcze jedną szansę. Tego oczekujemy: odwagi i determinacji. Jednak do wczorajszej nocy jeszcze nikt nie okazał się aż tak odważny i tak zdeterminowany, by wytropić ludzi, którzy go pobili i obrabowali, a następnie wziąć na nich odwet. Jestem pod wrażeniem.

James i Kerry uśmiechnęli się w tym samym momencie.

– Wszystko pięknie, ale co z moimi rzeczami? – wtrącił Joe z goryczą.

– A tak – powiedział Keith. – Obawiam się, że musicie zwrócić to, co zabraliście Joemu.

– A co z nami? – spytał James. – Straciłem moje najlepsze buty. Ukradli nam też zegarki, telefony...

– Joe wszystko zwróci.

Joe odchrząknął.

– Hmm, no więc... Ci skini, co ich pobili... Pozwoliłem im wziąć wszystko, co uda im się dorwać.

– Rozumiem – powiedział Keith. – James, weź pięćset funtów z pieniędzy Joego. Powinno wystarczyć.

– Trochę słono – rzucił Joe kwaśno. – Nie moja wina, że gnojek chodzi w drogich butach.

– Weź pięćset funtów z pieniędzy Joego. Powinno wystarczyć – powtórzył Keith.

Nie zmienił nawet tonu, ale Joe znał swoje miejsce i nie przeciągał struny. James odliczył pięćset funtów i podzielił się z Kerry. Potem pchnął torby w kierunku Joego.

– Czy to wszystko, co wzięliście? – spytał Keith.

James skinął głową.

– Wszystko.

– Gdzie zaparkowaliście mustanga? – zapytał Joe.

James i Kerry popatrzyli na siebie ze zgrozą.

– Eee, no bo baliśmy się, że zgłosisz kradzież, a na nim były nasze odciski palców – wyjaśnił James po chwili milczenia.

– Chyba nie zmyliście ich spirytusem, co? – zdenerwował się Joe. – Spirytus wysusza skórę.

– Nie, nie – zaprzeczył James. – My...

Nie miał odwagi, by powiedzieć prawdę.

– Spaliliśmy go – wyrzuciła z siebie Kerry.

– Co?! – ryknął Joe, rzucając się naprzód nad biurkiem i łapiąc Jamesa za koszulkę.

– Puść go – rozkazał twardo Keith.

– Pozabijam tych małych sukinsynów! – krzyczał wściekły Joe, wciągając Jamesa na biurko i usiłując dosięgnąć jego gardła.

James bił rękami na oślep, próbując odepchnąć napastnika. Widząc, że Joe zignorował jego polecenie, Keith skinął na Kelvina. Gruby narkoman nie miał szans w starciu z potężnie zbudowanym bokserem. Kelvin uniósł Joego, jakby ten nic nie ważył, grzmotnął nim o ścianę i wymierzył kilka trzeźwiących policzków. Joe nagle oklapł i wydał z siebie wysoki, przeciągły skowyt, przypominający zawodzenie ośmiolatki.

– To było moje dziecko – zaszlochał. – Poświęciłem mu lata pracy.

Kelvin cofnął się, lekko osłupiały. Joe otarł łzy własną brodą.

– Nie był ubezpieczony? – zapytał Keith.

– Nie o to chodzi. – Joe pociągnął nosem. – Włożyłem w ten samochód tyle miłości, a tego nikt mi nie zwróci.

Keith zaczął się śmiać.

– Joe, to tylko samochód! Weź się w garść, chłopie.

– Te gnojki powinny zapłacić odszkodowanie czy coś. To nie może im ujść na sucho.

– Joe – powiedział Keith, trochę już zirytowany. – To nie moja wina, że dałeś się wyrolować parze dwunastolatków. Zrobiłem, o co prosiłeś, a teraz wynoś się stąd, zanim zawołam mojego goryla, żeby przepchnął cię przez ścianę głową naprzód.

Joe złapał swoje torby i wyszedł, pochlipując cicho. Wyglądał tak żałośnie, że Jamesowi prawie zrobiło się go żal. Keith wstał zza biurka, kręcąc głową.

– Coś wam powiem – rzucił, wkładając podsunięty przez Kelvina płaszcz. – Pozostańcie lojalni i pracowici, a zarobicie mnóstwo pieniędzy.

James i Kerry uśmiechnęli się szeroko. Siniaki były umiarkowaną ceną za szacunek Keitha Moore'a.

– Tak naprawdę to ja tylko wyświadczałam przysługę Jamesowi – rzekła Kerry. – Nie przyjmujecie dziewczyn na kurierów.

– Dopóki nie spotkałem ciebie, myślałem, że dziewczęta są miękkie – przyznał Keith.

– Jeśli chcesz, mogę ją ustawić – zaoferował się Kelvin.

– Ci dwoje są naprawdę wyjątkowi – oświadczył Keith z uśmiechem. – Mają mózgi i jaja. Daj im zajęcie i pilnuj, by byli godziwie wynagradzani.

– Dzięki – rzuciła Kerry.

– A ty, James – ciągnął Keith – kiedy znów wpadniesz do Juniora z wizytą, zajrzyj do mojego gabinetu, żeby się przywitać.

Keith i jego goryl wyszli, jakby się dokądś śpieszyli. James spojrzał na Kelvina, który kręcił głową z niedowierzaniem.

– Chyba powinienem traktować was jak najlepiej – oświadczył bokser. – Skoro Keith śpiewa peany na waszą cześć, kto wie, może pewnego dnia będę nazywał któreś z was szefem.

19. TRZYNASTKA

W piątek przed wyjściem do szkoły Kerry zapukała do pokoju chłopców.

– Jesteście ubrani?

– Jeszcze leżę w łóżku – jęknął James zmęczonym głosem. – Jak chcesz, to właź.

Poprzedniego wieczoru on, Kyle i dwaj chłopcy z Thornton urządzili sobie mały turniej Playstation, który zakończył się grubo po północy.

Kerry weszła do pokoju z Joshuą na rękach i posadziła go na łóżku.

– Chciał złożyć ci życzenia – wyjaśniła.

James naciągnął kołdrę na twarz. Joshua odciągnął ją z powrotem i zaniósł się śmiechem, kiedy James wydał z siebie głośne kwaknięcie.

– Jakim cudem nie popłakałeś się, kiedy Kerry wzięła cię na ręce? – zdziwił się James.

– Chyba wreszcie się przyzwyczaił – uśmiechnęła się Kerry. – Mogę ci go na chwilę zostawić? Muszę przygotować podręczniki.

Kerry wyszła. Joshua popełzł po łóżku i zaczął podkopywać się pod poduszkę. James uniósł się na łokciu, żeby zrobić małemu pierdzioszka na plecach, ale kiedy zbliżył twarz, potężny smród odrzucił go w tył.

– Jezu! – krzyknął James, zasłaniając nos dłonią. – Ty mały, cuchnący...

Wyskoczył z łóżka i podniósł Joshuę, trzymając go jak najdalej od siebie. Wyszedł na korytarz, gdzie Kerry i Nicole tarzały się ze śmiechu.

– Byłam ciekawa, kiedy poczujesz – przyznała Kerry.

– Wy żmije – uśmiechnął się James. – Jeszcze was za to dopadnę.

Zaniósł Joshuę na dół, do kuchni. Zara gotowała parówki.

– Witam nastolatka – rzekła. – Prezenty i wszystko inne masz na stole.

– Ten mały potwór zabrudził pieluchę – wyjaśnił James.

Zara uśmiechnęła się.

– Wiesz, gdzie jest przewijak.

– Wiem, ale nie zamierzam się do niego zbliżać.

– Potraktuj to jako nowe doświadczenie. Wprowadzenie do dorosłego życia.

James wiedział, że Zara nie mówi poważnie.

– Tak sobie myślę, że lepszym wprowadzeniem byłaby skrzynka browaru i parę ostrych lasek.

Zara uśmiechnęła się.

– Nie wydaje mi się.

Za Jamesem stanął Ewart.

– Trzeba bardzo uważać – powiedział, wyjmując mu Joshuę z rąk. – Zaczynasz od gorących lasek, a potem zanim się obejrzysz, kończysz nad przewijakiem z taką sikającą na ciebie bestią.

Ewart połaskotał swojego syna w brzuszek i wyszedł, żeby go przewinąć.

James zasiadł za stołem i zaczął przeglądać kartki urodzinowe. Ponieważ agenci nigdy nie mają rodziny, poza rodzeństwem, z reguły przykładają dużą wagę do wysyłania kartek z życzeniami, nawet kiedy są na misji. James dostał ponad trzydzieści, w tym kilka z zagranicznymi znaczkami, przekierowanych z kampusu. Gabrielle życzyła mu wszystkiego najlepszego z Afryki Południowej, koledzy ze szkolenia Connor i Callum z Teksasu, zaś Amy przysłała mu z Australii pocztówkę z wielkim ananasem. Najbardziej niegustowna kartka była od Laury.

James roześmiał się.

– Hej, Zara, posłuchaj, co napisała Laura: „Najdroższy bracie, jesteś idiotą. Czasem na twój widok chce mi się rzygać. Kiedy będziesz to czytał, ja będę już na szkoleniu. Chciałabym, żebyś to ty był na moim miejscu. PS: Wszystkiego najlepszego z okazji trzynastych urodzin. Kocham Cię". Na dole rząd całusków.

James zaczekał z otwieraniem prezentów na Kyle'a i dziewczęta. Największe pudło dostał od Ewarta i Zary: buty Nike'a, takie same jak te, które stracił. Nicole i Kerry zrzuciły się na koszulkę, jaką oglądał w Centrum Reeve'a. Kiedy dziękował, od każdej otrzymał jeszcze po całusku. Kyle szarpnął się na zestaw modnych męskich kosmetyków. W pudełku był szampon, odżywka i mała buteleczka z płynem po goleniu. Na etykiecie widniał napis: używać regularnie.

– To wszystko jest super – cieszył się James. – Dzięki!

Odsunął swoje skarby na bok i wziął sobie kanapkę z parówką z talerza na środku stołu. Myślami wrócił do swoich dwunastych urodzin, tuż po śmierci mamy. Mieszkał wtedy w domu dziecka i nie wolno mu było widywać się z Laurą. To był jeden z najgorszych dni w jego życiu.

Potem pomyślał o innych urodzinach – tych, które urządzała mu mama. Kiedy zbiegał po schodach ku stertom kradzionych zabawek i ubrań, śpiesząc się, by rozpakować wszystko, zanim wyjdzie do szkoły. Laura, która była jeszcze malutka, też musiała otrzymywać prezenty, inaczej z zazdrości dostawała ciężkiego ataku histerii.

Wspomnienia poruszyły czułą strunę w duszy Jamesa i łzy napłynęły mu do oczu. Nie chciał rozpłakać się przy wszystkich, więc gwałtownie odsunął krzesło i pobiegł w stronę schodów.

– Wszystko w porządku? – zawołała za nim Zara.

– Muszę siku – skłamał James.

Zamknął się w łazience. Tak naprawdę nie było mu smutno, lecz zawsze, kiedy myślał o swojej mamie, czuł się pusty w środku. Choć w jego życiu działo się mnóstwo ciekawych rzeczy, często marzył o cofnięciu się w czasie i spędzeniu wieczoru z mamą przed telewizorem.

James opłukał oczy i spojrzał w lustro na tego samego dzieciaka, którym był wczoraj, a zarazem świeżo upieczonego trzynastolatka. Wprawdzie nie czuł specjalnej różnicy, ale i tak było mu fajnie.

*

James, Junior, Nicole i April ustalili, że po lunchu zerwą się ze szkoły i pójdą do kina. Tuż za bramą szkoły zmienili mundurki na zwyczajne ciuchy. James miał pieniądze, więc postawił wszystkim bilety i popcorn.

Thriller okazał się głupi i nudny. Nicole rechotała za każdym razem, kiedy amerykański aktor przemawiał ze swoim sztucznym, niby-londyńskim akcentem, a James i Junior zabijali czas gwizdaniem na widok pewnej piersiastej aktoreczki. Oprócz nich w kinie była tylko garstka emerytów. Pewien staruszek co pewien czas próbował ich uciszyć, aż wreszcie Nicole odwróciła się i pogroziła mu pięścią.

– Zamknij się, stary pierdzielu!

Staruszek poczłapał do wyjścia, żeby złożyć skargę. Po chwili wszedł kierownik i zagroził, że jeśli się nie uspokoją, wyrzuci ich z kina. James skupił się na filmie. Doznał wstrząsu, kiedy odkrył, że Nicole i Junior obejmują się, a jeszcze większego, kiedy zaczęli się całować.

Niemal owinęli się wokół siebie. Noga Nicole wystrzeliła do góry i James raz po raz dostawał kopniaka. Wreszcie wstał i przeniósł się o dwa miejsca w dół, poza zasięg śmigających kończyn. April usiadła obok niego.

– Nieźle im idzie – uśmiechnęła się.

Uśmiechała się bardzo długo. James odwrócił głowę, obejrzał pół minuty filmu, spojrzał, a ona wciąż się uśmiechała. Wtedy pojął, że dziewczęta urządziły zasadzkę. Nicole wiedziała, że podoba się Juniorowi, bo ten już raz się z nią umówił. James poczuł się jak ryba złapana na haczyk, naprzeciw wędkarza zwijającego żyłkę, ale potem przyjrzał się April i uznał, że jak na pułapkę jest niczego sobie.

April była ładna. Miała długie brązowe włosy i kształtne łydki. James zsunął dłoń pod podłokietnik i położył ją na dłoni dziewczyny. April obróciła się w fotelu, żeby móc oprzeć głowę na jego ramieniu. James odwrócił głowę, odetchnął jej zapachem i pocałował w policzek, podczas gdy ona sięgnęła po garść jego maltesersów.

Siedzieli tak jeszcze przez kilka minut. Wreszcie April uniosła głowę. Owionął go czekoladowy oddech.

– To jak będzie – szepnęła. – Pocałujesz mnie wreszcie czy nie?

„A co mi tam, są moje urodziny" – pomyślał James.

Całowali się dziesięć minut, przerywając na końcówkę filmu: wielki pościg samochodowy i strzelaninę, które uznali za warte obejrzenia. Nicole i Junior zaczęli się wygłupiać. Przelali resztki coli do jednego kubka, po czym napluli do niego przeżutą czekoladą i nasypali popcornu pozbieranego z podłogi. Nicole wsunęła kubek między Jamesa i April.

– Plujcie – zażądała.

Oboje posłusznie napluli do kubka.

– Lepiej mnie tym nie oblej – burknął James.

– Nie martw się – wyszczerzyła się Nicole.

Kiedy tylko włączyły się światła, Nicole i Junior popędzili za staruszkiem powoli człapiącym do wyjścia.

– Przepraszam najmocniej – zaczęła Nicole.

Staruszek odwrócił się.

– O co chodzi? – spytał podejrzliwie.

– Chciałam pana przeprosić za nieodpowiednie zachowanie. To było bardzo niegrzeczne z naszej strony.

Staruszek rozpromienił się.

– Nic się nie stało – machnął ręką. – Ale nie róbcie tak więcej.

– Wiemy, że tacy jak pan walczyli w setkach wojen, żeby dzieci jak my mogły tu dzisiaj być – wtrącił Junior.

– Niech pan to przyjmie jako wyraz naszej wdzięczności – zachichotała Nicole i chlusnęła na dziadka zawartością kubka.

Zszokowany staruszek gwałtownie wciągnął powietrze, kiedy ohydny płyn pociekł mu po szyi. Na jego kamizelce wykwitły paskudne plamy. Z przodu przywarły do niej grudki popcornu.

– To cię oduczy kablowania! – krzyknęła Nicole.

James patrzył w osłupieniu, jak Nicole i Junior rzucają się do ucieczki. Uświadomiwszy sobie, że jemu też grożą kłopoty, puścił się biegiem za nimi, pociągając za sobą April. W foyer Junior z fantazją staranował barek, zasypując podłogę orzeszkami i batonikami. Nikt z personelu kina nie zarabiał dość dużo, by zawracać sobie głowę pościgiem.

Wypadli z kina, przebiegli kilkaset metrów i zatrzymali się w bocznej uliczce. James był wściekły.

– Czy was do reszty porąbało?! – wrzasnął. – Co wam strzeliło do łba?!

– A tobie kto wpuścił mrówkę w zadek? – roześmiała się Nicole.

Junior zanosił się nieopanowanym rechotem.

– To był stary człowiek! – gorączkował się James. – Myślicie, że to zabawne? Mógł się przewrócić i złamać sobie biodro czy coś!

April nie odzywała się, ale stała obok Jamesa, pokazując, że jest po jego stronie.

– Mam nadzieję, że cały się połamał, wiesz?! – krzyknęła Nicole z goryczą. – Mam nadzieję, że zdechnie!

– No ładnie – mruknęła April.

– Nie cierpię staruchów – powiedziała Nicole butnie.

– Też kiedyś będziesz stara – zauważył James.

– E tam. Żyj szybko, umieraj młodo, to moje motto.

– To co robimy? – spytał Junior, wciąż chichocząc. – Skoczymy coś przekąsić? Padam z głodu.

Przyjaźnienie się z Juniorem należało do obowiązków Jamesa, ale każdy czasem ulega emocjom, bez względu na to, jak bardzo stara się tego nie robić.

– Idę do domu – rzucił James opryskliwie. – Chcę się wykąpać.

– Chyba nie strzelisz poważnego focha? – zaniepokoił się Junior. – Przyjdziesz wieczorem do klubu, nie?

– Pewnie. Przecież wszyscy tam będą – powiedział James bez przekonania.

– Przemycę z domu trochę piwa. Złoimy się do nieprzytomności.

Junior objął Nicole i razem odeszli w stronę fast foodu. April została z Jamesem na przystanku. Kiedy przyjechał autobus, pocałował ją w policzek.

– Do zobaczenia wieczorem – rzuciła April. – Nie pozwól, żeby tacy idioci zepsuli ci urodziny.

– Nie pozwolę – obiecał James.

A jednak dręczyło go to przez całą drogę do domu. Była różnica pomiędzy wygłupianiem się a byciem wrednym wobec kogoś. Zajście ze staruszkiem pozostawiło w nim uczucie niesmaku.

20. IMPREZA

Incydent z Szalonym Joem miał być utrzymywany w sekrecie, ale była to wieść z gatunku tych, które szybko się rozchodzą i nabierają pikanterii za każdym razem, kiedy są opowiadane. Historia poparta wyrazami uznania od Keitha Moore'a uczyniła z Jamesa znaną i szanowaną postać.

Wchodząc do Klubu Młodych z Kerry i Dineshem, James czuł, że wzbudza dobrą wibrację. Gdziekolwiek spojrzał, tam pojawiały się uśmiechy i pozdrawiały go uniesione ręce. Usiadł przy stole Juniora i Nicole, którzy wyglądali, jakby zdążyli pochłonąć kilka z ukrytych pod stołem piw. Junior był w dobrym nastroju i James nie chciał mu go psuć rozmową o tym, co się stało w kinie.

– Piwka? – zaproponował Junior, popychając puszkę w stronę kolegi.

Picie alkoholu było zakazane, ale kierownik klubu, który powinien egzekwować zakaz, zwykle przesiadywał w swoim kąciku całkowicie pochłonięty tłumaczeniem książek na niemiecki. Kiedy wybuchała bójka, dzwonił na górę i ściągał kilku bokserów, którzy uciszali towarzystwo. Poza tym nie interesowało go, czym zajmuje się młodzież.

– Dzięki – rzucił James, otwierając puszkę.

April przysunęła się z krzesłem do Jamesa i sprowokowała go do pocałunku. James czuł się nieswojo, robiąc to, kiedy Kerry siedziała kilka metrów dalej.

Następne dwie godziny rozmazały się w monotonnym gwarze. Ludzie wchodzili i wychodzili. Wszyscy rozmawiali, śmiali się i pili. Kerry i Dinesh raczyli się małymi łykami, James i April wypili po dwa piwa, za to Nicole i Junior zbombardowali się do cna. W pewnej chwili Nicole dostała takiego ataku śmiechu, że spadła z krzesła.

*

Klub zamykano o dziesiątej. James pomyślał, że przed powrotem do domu warto opróżnić pęcherz. W pijacko rozkosznym nastroju zsunął się po schodach do śmierdzących toalet w piwnicy.

– Nie gniewasz się, co?

James odwrócił się i dopiero teraz zauważył sikającego obok Juniora.

– Za tego starego – wyjaśnił Junior. – Nicole ma jakiś problem ze starcami. Trochę nas poniosło.

– Jasne, że się nie gniewam – powiedział James. – Nie mówmy już o tym.

– Mam coś dla ciebie. Chodźmy.

Stanęli w kącie przy schodach, między damską a męską toaletą. Junior wyciągnął z kieszeni dżinsów pudełko na tabletki i uchylił wieczko. W środku była krótka metalowa rurka leżąca na cienkiej warstwie białego proszku.

James zdębiał.

– Od kiedy wciągasz kokę? – zapytał sucho.

– Od kina.

– Nic dziwnego, że zachowujesz się jak wariat.

James wiedział, że koka zaburza zdolność oceny sytuacji, ale nie zdawał sobie sprawy, że potrafi zrobić z człowieka kompletnego szaleńca.

– Spróbuj – namawiał Junior.

James miał paczuszki z kokainą w swojej szafce w szkole i w domu pod łóżkiem. Czasem nachodziła go pokusa, żeby spróbować, ale nigdy nie wydawało się to takie proste jak teraz – po dwóch piwach, z porcją narkotyku o kilka centymetrów od twarzy i kolegą przekonującym, że to przecież nic złego.

– Nie jestem pewien, czy chcę się w to pakować – oznajmił bez przekonania.

– Ty fajansie – zaśmiał się Junior. – Co ci zaszkodzi jeden niuch?

Z toalety dla dziewcząt wyszła Nicole. Podeszła do chłopców, patrząc na Jamesa.

– Nasz jubilat boi się wciągać śnieg – zachichotał Junior.

– Tak? – Nicole uniosła brwi. – Świetnie. Będzie więcej dla mnie.

Wetknęła sobie metalową rurkę do nosa i wciągnęła połowę zawartości pudełka. Odrzuciła głowę do tyłu.

– Musisz spróbować, James – zaskrzeczała przez nos, ocierając łzę z policzka.

– Przecież nie zwariujesz od tego ani nic – przekonywał Junior. – Po prostu świat stanie się nagle sympatyczniejszym miejscem.

– Z wyjątkiem nosa – zachichotała Nicole. – Nos zamieni się w kawałek gumy.

James zerknął na biały proszek. Zostało bardzo niewiele, a on bardzo chciał spróbować. Tylko raz. Nicole podała mu rurkę. James wepchnął ją sobie do nosa i pochylił się nad podsuniętym pudełkiem.

– Hej, wy tam, wychodzić! Zamykam budę – zawołał Kelvin.

Stał na szczycie schodów. Junior schował kokę, zanim James zdążył pociągnąć. James odwrócił się, zamykając rurkę w dłoni.

– Jeszcze chwila – poprosił Junior.

– Już! – krzyknął Kelvin. – Nie wkurzajcie mnie.

Cała trójka poczłapała na górę i przez Klub Młodych wyszła na chodnik przed wejściem. Noce zaczynały być chłodne. Kerry i April, które stały w grupie dzieci przy wejściu, dygotały z zimna. James podszedł do April.

– Wpadniesz do nas? – spytał. – To tylko dziesięć minut stąd.

April potrząsnęła głową.

– Kelvin podwozi mnie z Juniorem i Dineshem. Muszę przemycić Juniora tylnym wejściem, bo jak tata zobaczy go w tym stanie, dostanie szału.

– Rozumiem – powiedział James, pochylając się i całując April na pożegnanie. – Pogadamy jutro. Może wybierzemy się do Reeve'a czy coś?

– Dobra. – April uśmiechnęła się, a potem wyciągnęła przed siebie rękę, wskazując coś palcem. – Zdaje się, że ty też masz swoje problemy.

James odwrócił się i ujrzał Nicole wymiotującą do studzienki ściekowej.

*

Kerry weszła pierwsza i sprawdziła, czy droga jest wolna. Z ulgą stwierdziła, że Ewart i Zara poszli spać. James i Kyle zaciągnęli Nicole do kuchni i rozłożyli na krześle.

– Umieram – zaszlochała dziewczyna, kładąc głowę i łokcie na stole. – Ale mi niedobrze.

Kerry nalała jej wody.

– Wypij to – zarządziła. – Alkohol odwadnia. Woda złagodzi kaca.

James nie wypił nawet połowy tego co Nicole, ale uznał, że kropla wody nie zaszkodzi, i nalał szklankę dla siebie.

– Będę wymiotować – jęknęła Nicole.

Kyle złapał jedno z wiader stojących pod zlewem i postawił obok cierpiącej dziewczyny. Nicole nachyliła się nad naczyniem, które wzmocniło jej szlochy studziennym pogłosem.

– Dajcie chusteczkę – jęknęła. – Cieknie mi z nosa.

James oderwał z rolki papierowy ręcznik i podał dalej. Kiedy Nicole podniosła głowę znad wiadra, wszyscy ujrzeli, że jej nos krwawi.

– O mój Boże! – zachłysnęła się Kerry. – Obudźmy Zarę.

– Nie – błagała Nicole. – Będę miała kłopoty. Zaprowadźcie mnie do łóżka, muszę po prostu odespać.

Kerry złapała wiadro, rolkę ręczników i ruszyła na górę. James i Kyle zarzucili sobie ramiona Nicole na plecy i pomogli jej dokuśtykać do przedpokoju.

– Nicole – powiedział twardo Kyle. – Jesteśmy przy schodach, musisz podnieść nogę.

Głowa dziewczyny opadła do przodu, nogi nagle zwiotczały. Z nosa chlusnęła nowa fala krwi.

– O Jezu. Kładziemy ją! – zawołał w panice Kyle.

Kerry zbiegała już po schodach na pomoc. Kiedy tylko ujrzała bezwładną Nicole, zawróciła i wparowała do pokoju Ewarta i Zary. Ewart zbiegł na dół w samych bokserkach. Kyle badał puls Nicole.

– Bardzo nierówne tętno – poinformował po chwili piętnastolatek.

– Dzwonić na 999?

– Nie ma sensu czekać na karetkę. Sam ją zawiozę – postanowił Ewart.

Zara zbiegła na dół w szlafroku, niosąc ubranie i buty dla męża. Ewart ubrał się pośpiesznie, po czym zgarnął Nicole z podłogi. Na podjeździe Kyle otworzył drzwi minivana.

– Wciągnęła trochę kokainy – wyrzucił z siebie James.

Nie chciał kablować, ale ta informacja przekazana lekarzom, mogła ocalić jej życie.

– Chryste przenajświętszy! Tylko tego nam brakowało! – zawołał Ewart z wnętrza samochodu, w którym wraz z Kyle'em układał Nicole.

Ewart usiadł za kierownicą i trzasnął drzwiami tak mocno, że szyba tylko cudem pozostała cała. Kiedy samochód zniknął w mroku, James wszedł do domu, zamknął drzwi i odwrócił się do Kerry i Zary. Obie miały zapłakane oczy.

– Mam nadzieję, że nic jej nie jest – chlipnęła Kerry.

– Jesteś całkowicie pewny, że zażyła kokainę? – spytała Zara.

James skinął głową, czując, że w gardle rośnie mu wielka gula.

– Widziałem to.

– To czemu jej nie powstrzymałeś?! – krzyknęła Kerry.

– Próbowałem – skłamał James. – Nie chciała mnie słuchać.

– A ty, James? Brałeś coś? – spytała Zara.

– Skąd! Nie tykam takich rzeczy.

– To dobrze. Jeżeli lekarze wykryją kokainę w jej moczu, Nicole zostanie wydalona z CHERUBA.

– Czy to konieczne? – zapytał James.

– Oboje znacie zasady – odrzekła Zara. – Zero tolerancji dla narkotyków klasy A. Umieściliśmy nawet stosowne przypomnienie na planach misji, które podpisaliście, na wypadek gdyby strzeliło wam do głowy coś głupiego.

– Idziecie teraz do łóżek? – spytała Kerry lekko drżącym głosem.

– Myślę, że tak – powiedziała Zara. – Chyba że chcesz się najpierw napić czy coś...

– Ja już chyba nie zasnę – oznajmiła Kerry. – Nie chcę być sama, zastanawiając się, co się stanie z Nicole.

Zara przyciągnęła Kerry do siebie i przytuliła.

– Jak chcesz, to posiedzę z tobą – zaproponowała. – Nie martw się już.

James pomyślał o Nicole, wyobrażając ją sobie na łóżku na kółkach, wśród pochylonych nad nią lekarzy, wtłaczających jej rurki do przełyku i igły pod skórę. Zastanawiał się, jak to by było zapaść w śpiączkę, i nagle poczuł, że on także nie chce zostać sam.

*

James i Kerry przynieśli swoje kołdry i zasiedli w salonie, opierając stopy na stoliku do kawy. Było jakoś dziwnie. Obojgu ze zmęczenia kiwały się głowy, ale z niecierpliwością czekali na wiadomości. Wskazówki zegara jakby zamarzły.

Zara poszła na górę ukołysać Joshuę, który obudził się i rozpłakał.

– Ty też wciągałeś kokę? – wyszeptała Kerry.

– Nie! Mówiłem przecież! – James zrobił urażoną minę.

– Przy Zarze – zauważyła Kerry. – Mnie możesz powiedzieć prawdę.

– Widziałem, jak to robili, i nawet mi zaproponowali, ale powiedziałem nie.

– Cieszę się – uśmiechnęła się Kerry. – Założyłabym się o oszczędności życia, że gdyby w twoje urodziny trafiła ci się okazja zrobienia czegoś tak kretyńskiego, nie zastanawiałbyś się ani sekundy.

– Nie jestem kompletnym debilem, wiesz? – naburmuszył się James.

W tej samej chwili rozdzwoniła się komórka Kerry. Jeszcze w klubie, kiedy Kerry wyszła do toalety, James dla żartu zmienił jej dzwonek na hymn państwowy, ale teraz nie miało to już znaczenia.

– Dinesh? – powiedziała Kerry wyraźnie zaskoczona. – Ty płaczesz? Uspokój się... Powiedz mi, o co chodzi. Co, do diabła, robisz w komisariacie?!

21. GŁUPOTA

Trzy godziny wcześniej Dinesh załapał się na podwózkę samochodem Kelvina z April i Juniorem. Mieszkał z rodzicami w luksusowym domu, kilka posesji od Keitha Moore'a. Tatę znalazł w gabinecie, pochylonego nad włączonym laptopem. Nie zdziwiło go to, choć było już po jedenastej.

– Jak bawiłeś się w klubie?

– Nic specjalnego. – Dinesh wzruszył ramionami. – Dzwoniła mama?

– Tak. Mam dopilnować, żebyś umył się za uszami i zmienił majtki.

– Bardzo śmieszne, tato – powiedział Dinesh z uśmiechem. – Idę spać. Nie siedź tu przez całą noc.

Chłopiec umył zęby i już miał wskoczyć do łóżka, kiedy usłyszał warkot silnika przed domem. Podszedł do okna. Z podjazdu korzystały czasem zawracające samochody, ale ten zatrzymał się i wysiedli z niego dwaj mężczyźni. Tuż za nim zaparkował drugi: biały, z niebieskimi kogutami na dachu i policyjnymi oznaczeniami.

– Tato! – zawołał Dinesh.

Dwaj gliniarze z pierwszego auta byli w cywilnych ubraniach. Trzej z radiowozu mieli mundury i broń. Policjanci szybko obstawili oba wyjścia. Dinesh pośpiesznie wśliznął się w spodnie od dresu i wybiegł z pokoju.

– Tato? – zawołał jeszcze raz. – Przed naszym domem jest policja.

Drzwi frontowe otworzyły się z hukiem. Podczas nalotów narkotykowych policja nie używała dzwonka, żeby nie dać podejrzanemu czasu na zniszczenie dowodów. Do tej pory Dinesh widywał karabiny jedynie w muzeum. Teraz dwa celowały w jego głowę.

– Na ziemię – szczeknął policjant. – Ręce tak, żebym je widział.

Policjanci wbiegli po schodach do chłopca próbującego opanować dygot.

– Nie bój się, mały – powiedział jeden z nich. – Gdzie twój staruszek?

Pan Singh otworzył drzwi gabinetu. Lufy obróciły się w jego stronę.

– Ręce do góry!

Kolejny z policjantów w cywilu wspiął się na schody, pchnął pana Singha na ścianę i skuł go kajdankami.

– Masz prawo zachować milczenie. Wszystko, co odtąd powiesz, może być wykorzystane przeciwko tobie...

Uzbrojony policjant spojrzał na Dinesha.

– Kto jeszcze jest w domu?

– Nikt.

– Gdzie twoja mama?

– W Barcelonie. Wróci dopiero jutro.

– Ile masz lat?

– Dwanaście.

– Nie możemy zostawić cię tu samego – stwierdził policjant. – Pojedziesz z nami.

*

Radiowóz zaparkował na podjeździe. Kiedy Zara otworzyła drzwi, Dinesh wyglądał na wystraszonego.

– Ale nie ma mi pani za złe, prawda? – dopytywał się. – Kazali mi wymyślić, gdzie mógłbym zaczekać do przyjazdu mamy. Kerry była pierwszą osobą, która przyszła mi do głowy.

– Nic się nie martw – uspokajała Zara, kładąc dłoń na ramieniu chłopca. – Przez ten dom przewija się tyle dzieci, że jedno więcej nie robi różnicy.

Policjant podsunął Zarze do podpisania formularz przejęcia opieki. Dinesh przeszedł do salonu. Kerry wstała i uścisnęła go.

– Tak mi przykro z powodu twojego taty – rzekła cicho.

– Mówiłem ci, że jest kryminalistą. Prędzej czy później to musiało się zdarzyć.

Dinesh potoczył zdumionym wzrokiem po poduszkach i kołdrach porozrzucanych po pokoju.

– Nie mogliśmy zasnąć – wyjaśniła Kerry. – Nicole trafiła do szpitala.

– Za dużo piwa?

– Dzwonił Kyle. Dali jej zastrzyk adrenaliny na pobudzenie i zrobili płukanie żołądka.

– Widziałem to raz w telewizji – powiedział Dinesh ponuro. – Paskudna sprawa. Biorą gumową rurę i wpychają przez gardło do samego żołądka.

– Zatrzymali ją na kilka godzin na obserwacji, ale powiedzieli, że raczej nic jej nie będzie – wtrącił James.

Dinesh zdobył się na słaby uśmiech.

– Za nic nie chciałbym być na jej miejscu, kiedy wróci do domu.

Było już po trzeciej, kiedy przed dom zajechała taksówka z Kyle'em. Zara wysłała wszystkich na górę, żeby spróbowali się choć trochę przespać. Dinesh przenocował na łóżku Nicole.

*

Dopóki operacja przebiegała gładko, Ewart był uosobieniem spokoju, ale gdy około jedenastej obudził Jamesa potrząsaniem za ramiona, twarz płonęła mu wściekłością.

– Do łazienki, już! – warknął.

– Eee? – James był półprzytomny.

Ewart złapał go za nadgarstek i wyciągnął z łóżka, prawie łamiąc mu rękę. Następnie pchnął go do łazienki, przycisnął pięścią do ściany i zamknął drzwi na zasuwkę.

– Musimy uważać, dopóki jest u nas Dinesh, ale opowiesz mi teraz PRAWDĘ o wczorajszym wieczorze albo pożałujesz – wysyczał Ewart.

– Ja nic nie zrobiłem – jęknął James.

– A zatem co to jest?

Ewart uniósł w dwóch palcach metalową rurkę. Na jednym końcu widniały drobiny białego proszku.

– To nie moje.

– Kłamiesz! – warknął Ewart. – Opróżniałem kieszenie w ubraniach przed wstawieniem prania. To było w twoich dżinsach.

James uświadomił sobie, że musiał schować rurkę do kieszeni w momencie, gdy nakrył ich Kelvin.

– Przysięgam, nie brałem żadnej koki – wyrzucił z siebie rozpaczliwie. – To na pewno Juniora. Musiałem wziąć przez pomyłkę.

Ewart otworzył szafkę i wyjął plastikowy pojemnik na próbkę moczu.

– Przekonamy się – powiedział z przekąsem. – Wziąłem ze szpitala trzy. Nasikaj tu. Sprawdzimy ciebie, Kyle'a i Kerry. Jeśli znajdziemy kokainę, wylatujecie z CHERUBA razem z Nicole.

Na widok pojemnika James odetchnął z ulgą. Badanie wyjaśni wszelkie wątpliwości.

– Dawaj to – rzucił z drwiącym uśmiechem. – O ile zakład, że jestem czysty? Pięćdziesiąt funtów? Stówka?

– Zamknij się i lej – uciął Ewart.

James wyrwał mu z ręki pojemnik, oderwał plastikowe wieczko i stanął nad sedesem. Jak co rano miał pełny pęcherz, ale z Ewartem za plecami jakoś nie mógł się rozluźnić.

– Zechciałbyś poczekać na zewnątrz?

– Żebyś coś namieszał? – zaśmiał się Ewart. – Pomyśl o wodospadzie czy czymś takim.

Kiedy James skończył, wręczył pojemnik koordynatorowi misji.

– O każde pieniądze – powiedział butnie.

Jego pewność siebie przygasiła nieco gniew Ewarta.

– Idź do pokoju i przyślij tu Kyle'a.

Kiedy Kyle wyszedł, James rzucił się na łóżko. Był zadowolony z siebie. Gdy wrócą wyniki badań, Ewart wyjdzie na idiotę. Nagle nawiedziła go straszliwa myśl: gdyby Kelvin zawołał ich sekundę później...

James wrócił myślą do tamtej chwili, kiedy tacka z białym proszkiem była centymetry od jego twarzy. Zrobiło mu się niedobrze, kiedy uświadomił sobie, jak niewiele brakowało, by zażył groźny narkotyk... i dał się wykopać z CHERUBA.

22. NICOLE

Junior zadzwonił do Jamesa na komórkę.

– Stary...!

– Coś taki wesoły? Stało się coś?

– To jakieś pandemonium – cieszył się Junior. – Nie dość, że mam kaca giganta, to jeszcze psy aresztowały wczoraj ponad osiemdziesiąt osób z GKM. Tata wariuje ze strachu. Biegnie do okna za każdym razem, kiedy przeleci ptak.

– Zgarnęli pana Singha – powiedział James. – Dinesh spędził noc u nas. Ewart pojechał z nim na lotnisko po jego mamę.

– Wujek George i wujek Pete też wpadli. Nie są moimi prawdziwymi wujkami, ale pracowali dla taty, jeszcze zanim się urodziłem.

– No to skąd u ciebie taki świetny nastrój? – dziwił się James.

– Dzięki Nicole, oczywiście. Stary, mówię ci, miałem ręce wszędzie! Bez obrazy, James. Wiem, że to twoja siostra i w ogóle...

– Jest w szpitalu. Załatwiła się koką.

Junior zamilkł na sekundę.

– Serio? To wyjaśnia, dlaczego nie mogłem się do niej dodzwonić. Wszystko z nią w porządku?

– Tak, ale na twoim miejscu nie robiłbym sobie nadziei na szybkie spotkanie. Już raz przedawkowała – powiedział

James, powtarzając najnowszą opowiastkę wymyśloną przez opiekunkę. – Ewart i Zara dostali paranoi, że się w końcu zabije. Wysyłają ją z powrotem do domu dziecka na obserwację psychologiczną.

– O cholera. Strasznie mi przykro, stary. Gdybym wiedział, nigdy nie zaproponowałbym jej koki. Jak długo jej nie będzie?

– Eeem... – zająknął się James, gorączkowo zastanawiając się nad odpowiedzią. – To chyba zależy od wyników obserwacji... Może nie wrócić w ogóle... Wiesz co, Zara właśnie przyszła z zakupów. Muszę jej pomóc rozpakować samochód, bo znów się obrazi.

– No to na razie. Aha, April pyta, czy nie chciałbyś wpaść w niedzielę na lunch.

– Możliwe... nie wiem. Muszę zorientować się w sytuacji, co z Nicole i tak dalej. Zadzwonię później.

James zakończył połączenie. Przed dom naprawdę zajechał samochód, ale Johna Jonesa. Zara parzyła herbatę, podczas gdy John wyjaśniał, co się działo przez minione dwadzieścia cztery godziny.

– Wszystko zaczęło się od tej pakowalni, którą znaleźliście w Thunderfoods. GKM importuje i rozprowadza kokainę wieloma kanałami, ale wy odkryliście najsłabsze ogniwo w łańcuchu dostaw. Niemal każdy gram był pakowany w zautomatyzowanym zakładziku na poddaszu tamtego magazynu.

Naszpikowaliśmy to miejsce kamerami i obserwowaliśmy wszystkich, którzy tam wchodzili. Brałem udział w dochodzeniach narkotykowych, w których miesiącami szukaliśmy dobrego tropu. Tutaj, odkąd wzięliśmy zakład pod obserwację, zaczęliśmy gromadzić takie masy danych, że musieliśmy ściągnąć dodatkowych ludzi.

Tak jak przypuszczałem, na poddasze od czasu do czasu wpadali ludzie z GKM, żeby wymieszać i zapakować kilka kilogramów koki. Praca była nudna, więc zwykle zaczynali plotkować. Czuli się bezpiecznie, dlatego jakość informacji była niesamowita: nazwiska, daty, numery telefonów, numery lotów. „Co robisz w przyszłym tygodniu? Gdzie jedzie twoja następna dostawa? Z kim taki to a taki ubił ostatnio interes?".

Zatrzymaliśmy już setki osób, a to dopiero początek. Wysyłamy informacje do komend w całym kraju i w ciągu następnych kilku dni zgarniemy jeszcze dwie albo trzy setki handlarzy. Kiedy skończymy, GKM będzie miała szczęście, jeśli zdoła sprzedać torbę cukierków na szkolnym boisku.

– Właśnie rozmawiałem z Juniorem. Keith Moore wciąż jest na wolności – powiedział James.

– Polityka – westchnął John. – My, to jest MI5, chcieliśmy wstrzymać się z aresztowaniami do czasu, aż zebrane dowody pozwolą nam dopaść Keitha. Ale policja nie wytrzymała. Operacja „Ścieżka" to nie tylko funkcjonariusze, ale też administracja i personel pomocniczy. Pracują tam setki ludzi. Wszystko razem kosztuje ponad milion funtów miesięcznie i mówiło się już o zakończeniu działań, jeżeli nie zaczną przynosić rezultatów.

– To znaczy, że Moore'owi może się upiec? – spytała Kerry.

John uśmiechnął się niepewnie.

– Mam nadzieję, że nie, Kerry. Zebraliśmy dość dowodów, by na każdych dziesięć osób z kierownictwa GKM osiem wsadzić za kratki. Niektórych spróbujemy namówić do współpracy. Zaproponujemy uwolnienie od wszelkich zarzutów. Mając wybór pomiędzy dwudziestoma latami w więzieniu a powrotem do żony i dziatek, kilka osób może się złamać i wsypać swojego szefa.

– Czy jest coś, na co powinniśmy zwrócić teraz szczególną uwagę? – zapytał Kyle.

– Byłbym zdumiony, gdybyście doprowadzili do kolejnego przełomu na miarę tego, którego już dokonaliście. Na razie po prostu trzymajcie się blisko czarnych charakterów i zobaczymy, co będzie dalej.

– Słuchajcie, dzieciaki – wtrąciła Zara. – Dzwoniłam do Maca, żeby wyjaśnić, co się stało z Nicole. Jego zdaniem osiągnęliśmy już większość z tego, co było do osiągnięcia. Nie jest zachwycony przygodą Nicole i martwi się o resztę. Spodziewam się, że wrócimy do kampusu w ciągu kilku tygodni, więc możecie zacząć przygotowywać grunt. Zasugerujcie znajomym, że Ewart pojechał na rozmowę w sprawie pracy i być może wkrótce wrócicie do Londynu.

John Jones zaczął zbierać się do wyjścia, zaczynając od swojego rytuału ściskania wszystkim rąk. Przy Kerry zatrzymał się dłużej.

– Rzecz jasna, jesteś największą bohaterką, młoda damo – oświadczył uroczyście.

Jeszcze pięć minut po jego wyjściu z twarzy Kerry nie znikał szeroki uśmiech. James poczuł, że dłużej tego nie zniesie, i cisnął w koleżankę betoniarką Joshuy. Kerry odrzuciła ją z powrotem, prowokując tym samym wielką gonitwę dookoła stołu i przez przedpokój do salonu.

– Jestem bohaterką! – śpiewała Kerry, biegnąc. – Bohaterką! Bohaterką!

James obrzucił ją poduszkami z kanapy. Kerry dopadła go, unieruchomiła na podłodze, a potem złapała za kostkę i zaczęła łaskotać w podeszwę. Wiedziała, że to jego najsłabszy punkt. W ciągu trzydziestu sekund James przemienił się w zaśliniony wrak.

– Dobra, jesteś bohaterką – wykrztusił, dusząc się ze śmiechu. – Jesteś bohaterką!

Kerry zerwała się na równe nogi, nagle poważniejąc. Na progu pokoju stali Ewart i Nicole, z kamiennymi twarzami. James podniósł się i wytarł usta rękawem.

– W szpitalu zbadali wasze próbki – powiedział Ewart. – Oboje jesteście czyści, jeśli chodzi o narkotyki, ale poziom alkoholu był, jak na mój gust, zdecydowanie za wysoki. Zwłaszcza u ciebie, James. Wiem, że wolno wam pić, kiedy robią to dzieci wokół was, ale nie oznacza to przyzwolenia na opilstwo.

– Czyli cieszysz się, że nie postawiłeś pięćdziesięciu funtów? – uśmiechnął się James.

Ewart rzucił mu jadowite spojrzenie. Zdecydowanie nie był w nastroju do żartów.

– Pomóżcie Nicole w pakowaniu i pożegnajcie się. Za pół godziny odwożę ją do kampusu. Gdzie Kyle?

– W kuchni – odrzekła Kerry.

– Dobra – westchnął Ewart ponuro. – Jeszcze tylko on.

Wybiegł z salonu z wściekłą miną. Po chwili trzasnęły drzwi kuchni.

– Co Kyle nawywijał? – spytała Kerry, patrząc na Nicole.

– Nie wiem i mam to gdzieś – rzuciła Nicole z goryczą. – Pewnie zawalił test na dragi.

– Niemożliwe – stwierdził James.

– Nie wciągał koki ze mną i Juniorem, ale ciągle chodził na jakieś przyjęcia – zauważyła Nicole. – Kto wie, co tam wyczyniał.

– O Boże – westchnęła Kerry, chowając twarz w dłoniach. – Jakie to smutne.

Nicole zaczęła już wchodzić na górę. Przyjaciele ruszyli za nią.

– Jak się czujesz? – spytała Kerry.

– Nieźle, poza tym, że boli mnie żołądek i mam wrażenie, że chodzę ze słoniem na głowie.

– Strasznie mi przykro, że to się tak skończyło, Nicole. To mogło się przytrafić każdemu z nas – zauważył James, kiedy wchodzili do sypialni dziewcząt.

Nicole uśmiechnęła się.

– O mały włos, co, James?

– Jak to? – zdziwiła się Kerry.

– Już miał wciągnąć kreskę – wyjaśniła Nicole. – Gdyby nie wszedł Kelvin...

– Ty debilu! – krzyknęła Kerry, popychając Jamesa na ścianę. – A mi wmawiałeś, że próbowałeś ją powstrzymać.

– Wcale tego nie powiedziałem – zaprotestował James.

– Powiedziałeś dokładnie to, James!

– Znaczy, każdy, kto spróbuje narkotyku, jest debilem, tak? – zaperzyła się Nicole. – Tak, Kerry?

– Posłuchaj, Nicole! – zawołała Kerry ze złością. – Gdybyś straciła przytomność w łóżku, a nie na schodach, nikt by się nie zorientował do samego rana. Mogłaś umrzeć!

– Ale ty jesteś fałszywa, Kerry! Ty i ta twoja poza: patrzcie na mnie, jestem dobrą dziewczynką!

– A co mam niby zrobić?! Pogratulować ci wywalenia z CHERUBA?! – wybuchła Kerry.

– Mam gdzieś całą tę waszą jazdę z CHERUBEM – powiedziała Nicole wojowniczo. – Banda przygłupich dzieciaków podniecających się kolorem koszulek i głupimi misjami. A kogo to obchodzi? Dadzą mi rodzinę zastępczą i miejsce w normalnej szkole. Wreszcie będę mogła mieć chłopaka, wyluzować i prowadzić zwyczajnie życie!

– Czy ty naprawdę nic nie rozumiesz, kretynko? – spytała cicho Kerry, pukając się palcem w czoło. – Wczoraj w nocy omal nie umarłaś.

– Zamknij się. Co ty w ogóle możesz wiedzieć? – warknęła Nicole, popychając Kerry na łóżko.

– Nie waż się mnie dotykać! – krzyknęła rozjuszona Kerry, zrywając się na równe nogi. – Dokopałabym ci w trzy sekundy, ale jesteś takim żałosnym zerem, że szkoda mi na ciebie nawet tych trzech sekund.

Kerry obróciła się na pięcie i ruszyła do drzwi. James chciał pójść za nią, ale zawołała go Nicole.

– James, pomóż mi się spakować.

Jakaś rozpaczliwa nutka w głosie dziewczyny kazała mu zostać.

– Tak, siedź tu – rzuciła Kerry od progu. – Dopilnuj, żeby nie ruszała moich rzeczy.

Trzasnęła drzwiami i hałaśliwie zeszła po schodach do salonu. Nicole wyciągnęła spod łóżka torbę i zaczęła wrzucać do niej swe rzeczy.

– Wiesz co, James? – odezwała się nagle. – Fajny z ciebie chłopak. Ty też nie pasujesz do CHERUBA.

– Nie masz pojęcia, ile mu zawdzięczam – oświadczył James. – Czasem cała ta nieustająca praca i szkolenia wychodzą mi uszami, ale zanim tu trafiłem, moje życie było koszmarem. Mieszkałem w zaplutym domu dziecka i ciągle pakowałem się w kłopoty. Gdyby CHERUB mnie nie wyciągnął, pewnie skończyłbym w więzieniu.

– Ja tam się cieszę, że stąd wypadam – oznajmiła Nicole, zapinając torbę. – Byle w mojej nowej rodzinie nie było jakichś starych pryków.

– A co ty właściwie masz do starych ludzi? – zapytał James.

Nicole usiadła na krawędzi łóżka.

– Wiesz, że moi rodzice zginęli w wypadku samochodowym?

– Słyszałem.

– Przechodzili przez ulicę w biały dzień. A ten głupi, stary matoł przejechał na czerwonym świetle i wjechał prosto na nich. Potem go zbadali i okazało się, że jest niemal ślepy.

– Okropna sytuacja – przyznał James. – Strasznie mi przykro.

– Gdyby był młody, przynajmniej by go zamknęli. Ale nie! Ponieważ był starym pierdzielem, zrobiło im się szkoda i po prostu go puścili, rozumiesz?! Zabił moją mamę, tatę i małych braciszków i totalnie uszło mu na sucho. A potem wszyscy tłumaczą, że starcom należy się szacunek. Tak? A ja mówię, pocałujcie się w...!

Drzwi uchyliły się i do pokoju zajrzał Ewart.

– Spakowana?

– Już kończę.

– Dobra. Spotykamy się na dole za pięć minut – zarządził Ewart i zniknął.

– Trzymaj za mnie kciuki – szepnęła Nicole.

– Jasne – odrzekł James, obejmując ją i przyciskając do siebie. Po policzku dziewczyny spłynęła łza.

James zaniósł jedną z toreb Nicole do samochodu. Kerry stała na progu salonu z rękami splecionymi na piersi i kamiennym obliczem. James pomyślał, że w sumie to szkoda, że pokłóciła się z Nicole. Do tej pory świetnie się dogadywały.

Zara wyszła z domu, żeby uściskać Nicole i życzyć jej szczęścia w życiu, jakiekolwiek je sobie wybierze. Kiedy samochód zaczął się toczyć po podjeździe, Kerry złamała się i wybiegła przed drzwi, żeby pomachać Nicole na pożegnanie.

– Mam nadzieję, że się jej ułoży – mruknęła.

– Znajdziemy jej dobrą rodzinę – powiedziała Zara. – Myślę, że ostatecznie nieźle na tym wyjdzie. Nie każdy nadaje się na agenta.

– A właśnie – przypomniał sobie James. – Co się stało z Kyle'em?

– To jego sprawa – powiedziała Zara. – Sam zdecyduje, czy chce, żebyście wiedzieli, czy nie.

James i Kerry znaleźli Kyle'a leżącego na łóżku, z twarzą wciśniętą w poduszkę.

– Dlaczego Ewart na ciebie wsiadł? – zapytał James.

– W mojej próbce znaleźli ślady zioła – poinformował Kyle. – Każdy inny narkotyk przelatuje przez człowieka w jeden dzień. Na moje nieszczęście na oczyszczenie się z marihuany organizm potrzebuje trzech tygodni.

– Czyli naprawdę paliłeś – zauważyła Kerry surowym tonem.

– Nic wielkiego się nie stało, Kerry. Dwa tygodnie temu wciągnąłem parę chmurek na imprezie i tyle.

– Jakim cudem cię nie wywalili? – zdziwiła się Kerry.

– Marihuana to narkotyk klasy C – wyjaśnił Kyle. – Odesłaliby mnie od razu do kampusu, ale gdybym wyjechał tego samego dnia co Nicole, wyglądałoby to podejrzanie.

James wyszczerzył się radośnie.

– Kiedy wrócimy, dostaniesz po tyłku, co?

– Na to wygląda – westchnął Kyle. – Czeka mnie pewnie parę tygodni szorowania podłóg i jeszcze kilka miesięcy zakazu udziału w operacjach. Co najmniej.

23. FART

W niedzielny poranek James zainstalował się w salonie ze swoją Playstation. Sielanka trwała, dopóki do pokoju nie wszedł Ewart i nie zepchnął mu nóg ze stolika do kawy.

– Zamierzasz wałkonić się przez cały dzień? – spytał.

– Taki był plan A – uśmiechnął się James. Ostatnie tygodnie spędził bardzo aktywnie. Miło było dla odmiany pobyczyć się w domu.

– Co z dostawami? – zapytał Ewart.

– Dzwonił Kelvin – poinformował James z ociąganiem, zatrzymując grę. – Tę miłą panią, która ustawiała mi kursy, zgarnęła policja. Co zresztą nie ma wielkiego znaczenia, bo zabrakło klientów. Każdy słyszał o aresztowaniach i boi się, że jak zadzwoni po towar, zamiast mnie u drzwi stanie policjant Plod.

– Kelvin uważa, że to koniec GKM?

– Mówi, że stworzenie nowych kanałów dostaw i zorganizowanie dystrybucji potrwa co najmniej miesiąc. Klienci będą ostrożni, a inne gangi wykorzystają okazję i przejmą sporą część rynku. Kelvin wierzy, że GKM może odzyskać dawną siłę, ale pod warunkiem, że Keith Moore nie da się schwytać.

– Co u Juniora i April? Odzywali się do ciebie?

– Tak. Mam zaproszenie na lunch, ale chyba to oleję.

Ewart poruszył się, jakby coś go lekko zirytowało.

– Można wiedzieć dlaczego?

James wzruszył ramionami.

– Po co mam tam iść? Zadanie praktycznie wykonane. Za tydzień, góra dwa będziemy z powrotem w kampusie.

– James, operacja trwa, dopóki Keith Moore jest na wolności albo dopóki nie dostaniemy oficjalnego rozkazu wycofania się. Po wyjeździe Nicole ty jesteś najbliżej dzieci Moore'a, a ja chciałbym wiedzieć, co on teraz knuje.

James sięgnął do konsoli i wyłączył ją zrezygnowanym gestem. Wyglądał na zgaszonego.

– Dobra – westchnął. – Zadzwonię do Juniora i wproszę się jeszcze raz.

*

Ewart zawiózł Jamesa pod dom Moore'a, a Kerry do Dinesha. James bał się, że wszyscy będą w wisielczym nastroju, ale jego obawy rozwiały się, kiedy otworzył mu Keith w kąpielówkach i z radosnym uśmiechem na twarzy. Dom był wielki i choć Moore'owie mieli sprzątaczkę, fakt, że mieszka w nim czworo dzieci, dostrzegało się natychmiast po przekroczeniu progu. Wszędzie walały się buty, poduszki, brudne kubki i talerze. James lubił panującą tu swobodę.

– Wejdź, proszę – powiedział ociekający wodą Keith. – April i Junior są na basenie.

– Nie wiedziałem, że będziecie pływać.

– Żaden problem. Leć do pokoju Juniora. W środkowej szufladzie ma z dziesięć par kąpielówek.

– Dzięki – ucieszył się James.

Junior mieszkał w obszernym pokoju z ogromnym telewizorem, sprzętem wideo, szafą pełną markowych ciuchów i banią z kulkami gumy do żucia. Nieźle jak na dzieciaka, który twierdzi, że cienko przędzie.

James przebrał się i zszedł na dół w pomarańczowych szortach w koniki morskie. Kryty basen miał mniej więcej piętnaście metrów długości. Po jednej stronie zdobił go rząd palm i rabat kwiatowych. Pływali tylko Ringo i Keith.

April i Junior siedzieli w jacuzzi na drugim końcu pomieszczenia. James wszedł do parującej wody, przywitał April pocałunkiem i usiadł obok niej. W kostiumie kąpielowym wyglądała jeszcze ponętniej niż zwykle.

Po wejściu do wanny James pomyślał z wdzięcznością o Ewarcie, który zmusił go do wyjścia z domu. Strumienie ciepłej wody działały relaksująco, a bliskość April była rozkoszną premią. Na widok zbliżającego się Keitha James wyjął rękę zza jej pleców.

– Zamawiam jedzenie – oznajmił Keith, wznosząc głos ponad chlupot wirującej wody. – Co chcecie?

– Indyjskie – powiedziała April.

– Pizza – przebił Junior.

Keith przeniósł wzrok na Jamesa.

– Gość ma decydujący głos.

James nie przepadał za indyjską kuchnią, ale April uśmiechnęła się do niego słodko i zaczęła powoli przesuwać stopę po jego łydce.

– Indyjskie – rzucił.

– Zdrajca – zawołał Junior, ochlapując Jamesa wodą.

James, Junior i April stoczyli wodną bitwę, a gdy przyjechało jedzenie, wytarli się i włożyli szlafroki. Ringo i Keith rozsiedli się na kanapie, pozostawiając reszcie poduszki wokół stolika do kawy, na którym piętrzyły się pachnące przysmaki w pudełkach.

Keith wydobył pilota spomiędzy poduszek kanapy, włączył wiszący na ścianie telewizor i przełączył na program informacyjny. Wszyscy opychali się w milczeniu, do chwili gdy na ekranie pojawił się policjant. Napis na dole ekranu głosił: nadinspektor Carlisle, operacja „Ścieżka". Policjant zaczął mówić:

– W ciągu minionych trzech dni dokonaliśmy ponad stu pięćdziesięciu aresztowań. Wierzę, że to ważny sukces w walce z narkotykami w naszym kraju...

Bryłka krewetkowego vindaloo pacnęła nadinspektora w czoło i zaczęła powoli zsuwać się po ekranie.

– ...olbrzymi krok naprzód w prowadzonej przez nas wojnie z handlarzami narkotyków...

– Spróbuj złapać mnie, nadinspektorze! – zawołał Keith, rzucając następną krewetkę.

Dzieci Keitha przyłączyły się do niego, ciskając grudki curry i ryżu, dopóki ekran nie pokrył się kolorową masą jedzenia. Wszyscy się śmiali, ale nie był to śmiech radosny, jakby rodzina nie mogła zapomnieć o strachu.

Junior odwrócił się i spojrzał na swojego tatę.

– Pytałeś Jamesa o Miami?

– Nie.

– Miami? – zdziwił się James.

– Zwykle na ferie zabieram chłopców do Miami – wyjaśnił Keith. – Ale Ringo mówi, że ma dużo nauki i w tym roku nie jedzie.

– Urządza imprezę – wtrąciła April. – Kiedy wrócimy, dom będzie zrównany z ziemią.

– Kto powiedział, że urządzam imprezę? – oburzył się Ringo.

– Bez Ringa będzie nudno, a że bilet jest już kupiony, tata zaproponował, żebym wziął kolegę – wyjaśnił Junior.

– Ekstra! – ucieszył się James. – Muszę zapytać rodziców, ale raczej się zgodzą. A ty jedziesz, April?

Dziewczyna potrząsnęła głową.

– Nie. Jadę z mamą na narty.

– Rodzinna tradycja – dorzucił Keith. – Kiedyś jeździliśmy razem, ale ja zawsze próbowałem udusić żonę, Junior i April zaczynali się tłuc już po kilku godzinach przebywania razem, a Erin...

– Uważamy, że prawdziwa Erin została porwana i podmieniona przez kosmitę z Neptuna – wyjaśnił Junior.

– Byłem tu z dziesięć razy, ale nigdy jej nie spotkałem.

Keith potrząsnął głową z uśmiechem.

– Ta dziewczyna jest zapewne moją córką, ale nie mam pojęcia, co się dzieje w jej małej główce.

– Spodoba ci się w Miami – powiedział Junior. – Nieziemski upał, ale nasz dom stoi na plaży. Zwlekasz się z wyra, idziesz na dwór i w pół minuty jesteś w oceanie.

– Zadzwonię do Zary od razu – oświadczył James.

– Kyle jest w domu? – zapytał Ringo.

– Pewnie tak. Chcesz z nim pogadać?

Ringo spojrzał na tatę z łobuzerskim uśmiechem.

– Powiedz mu tylko, że szykuje się duża impreza. W drugi piątek od dziś.

Keith parsknął śmiechem. James pomyślał, że całkiem fajny z niego tata, zwłaszcza biorąc pod uwagę stres, jaki musiał odczuwać.

– Możesz sobie zrobić tę imprezę – oznajmił Keith. – Ale Kelvin i paru chłopaków z klubu będą waszymi przyzwoitkami, na wypadek gdyby twoi kumple zaczęli sikać do doniczek i gasić pety na moim egipskim dywanie.

– Co? – zachłysnął się Ringo. – Nie chcę, żeby jakieś lewary straszyły moich kolegów. Chyba umarłbym ze wstydu.

– Bez obaw. Powiem im, żeby byli dyskretni.

James zadzwonił do Zary. Była zaskoczona, ale pozwoliła mu jechać.

*

James dotarł do domu tuż przed zmrokiem. Na podjeździe stała toyota Johna Jonesa. John był w salonie z Zarą, Ewartem, Kerry i Kyle'em.

– Co się dzieje? – zapytał James.

John wstał i wyciągnął do niego dłoń.

– Witaj, James. Kiedy tylko Zara usłyszała o twoich planach na ferie, zadzwoniła do mnie i przyjechałem najszybciej, jak się dało.

– Ale dlaczego mój wyjazd jest taki ważny?

– Miami to stolica światowego handlu narkotykami – wyjaśnił John. – To nie przypadek, że Keith Moore ma dom właśnie tam. Jak to się mówi: „Jeśli chcesz gram kokainy, stań na dowolnym rogu ulicy, jeśli chcesz tonę kokainy, stań na dowolnym rogu ulicy w Miami". Około dwudziestu mniejszych gangów depcze GKM po piętach. Keith musi zapewnić sobie nowe dostawy i jak najszybciej znów wprawić machinę w ruch. Chodzi o to, że stracił zbyt wielu ludzi z samej góry. Nie wie, komu z pozostałych może ufać, więc będzie ubijał interesy sam.

– A w czym ja mogę pomóc? – zapytał James.

– Wiemy, że GKM od dawna współpracuje z peruwiańskim kartelem narkotykowym Lambayeke. Aby zapłacić Peruwiańczykom, Keith będzie musiał przelać miliony dolarów ze swoich zagranicznych kont bankowych. Jeśli zdołamy odkryć, z jakiego kraju i banku płyną jego pieniądze, będziemy mieli trop, który pomoże w rozpracowaniu całej finansowej struktury GKM, a może nawet Lambayeke.

Keith nie może przechowywać w głowie wszystkich danych dotyczących jego działalności. Musi mieć jakieś notatki albo zapiski. To może być numer konta, telefonu banku albo plik na twardym dysku laptopa. Cokolwiek to jest, ty przez tydzień będziesz miał dostęp do Keitha Moore'a. Trudno o lepszą okazję, by zdobyć informacje.

James westchnął.

– I tyle z moich planów wylegiwania się na plaży.

– Natychmiast po spotkaniu odwiozę cię do kampusu na dwudniowy kurs doszkalający – powiedział Ewart. – Musisz się bardzo wiele nauczyć, ale nie chcemy, żebyś odrywał się od Moore'ów na dłużej niż kilka dni.

– Jak wytłumaczymy moją nieobecność w szkole?

– Powiemy wszystkim, że w ferie zamierzałaś odwiedzić ciocię i kuzynkę Laurę, ale przyśpieszyliśmy wizytę z powodu twojego wyjazdu do Miami.

24. FAKTY

James nie spał tak dobrze od wieków. Łóżko w Luton było za małe, a jego sprężyny uwierały w plecy. Ponadto w kampusie nie było Kyle'a, wiercącego się na górnej pryczy, ani odrzutowców ryczących nad domem. Także hydraulika działała o niebo lepiej. James puścił sobie płytę Metalliki i udawał gwiazdora pod prysznicem, bez strachu, że zostanie ugotowany, kiedy ktoś odkręci kran w kuchni.

Po kąpieli założył świeży uniform CHERUBA. Pokoje i korytarze w głównym budynku przypominały mu hotel. Zjeżdżając windą do stołówki, nagle uświadomił sobie, że do pełnego komfortu brakowało tylko służby hotelowej.

Napełnił swój talerz odsmażanymi ziemniakami z bekonem i zajadał palcami, podczas gdy jeden z kucharzy smażył mu omlet. Większość dzieci poszła już na pierwszą lekcję. Przy jednym ze stołów siedziała Amy i melancholijnie moczyła kawałki tostu w jajku na miękko.

– Jesteś w białej koszulce – powiedział osłupiały James.

Białe koszulki nosili agenci, którzy ostatecznie zakończyli służbę.

– Moja kariera szpiega skończona – oznajmiła dziewczyna.

– Ale...

James nagle posmutniał.

– Mam siedemnaście lat, James – wyjaśniła Amy. – Latem zdałam maturę. Zatrudniłam się w organizacji, żeby zarobić trochę pieniędzy. Potem chcę zobaczyć świat, a w styczniu pojadę na uniwerek.

– Dokąd jedziesz?

– Do Cairns w Australii. Mieszka tam mój starszy brat.

– To po drugiej stronie świata – jęknął James żałośnie. – Pewnie już nigdy cię nie zobaczę.

– Wystarczy wsiąść do samolotu. Mój brat po studiach założył szkołę nurkowania. Dwa tygodnie temu zabrał mnie na Wielką Rafę Koralową. Tam jest cudnie.

– Słyszałem, że to ty szkolisz mnie przed Miami – powiedział James.

Amy skinęła głową.

– Aha, i lepiej się zachowuj. Teraz należę do kadry i mogę wymierzać kary.

– Ekstra – ucieszył się James. – Kogo już dopadłaś?

– Tylko jednego dzieciaka. Zastępowałam jednego z trenerów dżudo, a ten gnojek w czerwonej koszulce ciągle mi pyskował. Dostał tydzień sprzątania szatni przy torze przeszkód.

James uśmiechnął się złośliwie.

– Tam zawsze jest kupa błota. Ile lat ma ten dzieciak?

– Osiem. Ryczał jak nieszczęście, ale byłam twarda. Po tym wszystkim od klasy słyszałam już tylko: „Tak, pszepani, nie, pszepani, oczywiście, pszepani".

– No dobra, co masz dla mnie? – spytał James.

Amy wyjęła na stół i pchnęła w jego stronę stertę książek. Grubych książek. Jedna z nich miała tytuł *Wielki poradnik hakera* i ponad dziesięć centymetrów grubości.

– To będą dwa pracowite dni – obwieściła Amy. – Do popołudnia spróbujemy omówić sposoby włamania się do komputera Keitha Moore'a. Potem zajmiemy się bankowością.

– A to po co? – zdziwił się James.

– Przypuśćmy, że Keith rozmawia przez telefon, a do ciebie docierają słowa: Euro CD, transza, IBAN. Nie znając się choć trochę na bankowości, nie będziesz wiedział, czy dzwoni do rosyjskiego syndykatu piorącego pieniądze, czy organizuje zespół na dyskotekę.

– Zapowiada się niezły ubaw – wyseplenił James z ustami pełnymi bekonu, jednocześnie kartkując jeden z tomów.

Amy zignorowała jego słowa.

– MI5 przygotowuje materiały o Lambayeke. Prześlą je tutaj mailem, żebyśmy mogli zająć się nimi jutro rano. A po południu sprawdzimy twoje umiejętności na prawdziwych komputerach.

*

Zwykle na doszkalanie przed misją miało się co najmniej dwa tygodnie, ale tym razem James musiał przerobić cały materiał w dwa dni. Amy zwolniła go dopiero o ósmej wieczorem.

– Mam ochotę trochę popływać – oświadczyła. – Idziesz ze mną czy chcesz odpocząć?

W kampusie były cztery baseny. Ten dla początkujących był najmniejszy i najmniej atrakcyjny, ale to właśnie w nim przed rokiem Amy uczyła Jamesa pływać, więc poszli tam przez wzgląd na dawne czasy. Byli sami. Dzieci na ogół wolały korzystać z głównego basenu wyposażonego w trampoliny i zjeżdżalnie.

Urządzili sobie ostry wyścig na dystansie dziesięciu długości. James dotrzymywał kroku dziewczynie aż do ostatniego zwrotu, po którym wystrzeliła jak torpeda, zostawiając go daleko w tyle. Kiedy wyszli z wody i usiedli na brzegu, James miał wrażenie, że zaraz pękną mu płuca.

– Jesteś coraz lepszy – uśmiechnęła się Amy, która nie miała nawet lekkiej zadyszki. – Może któregoś dnia pościgamy się na poważnie, jak jeszcze podrośniesz i zrzucisz to szczenięce sadełko.

James nachmurzył się, zrozumiawszy, że Amy specjalnie płynęła powoli.

– Kiedy dorosnę, muszę odwiedzić cię w tej Australii – powiedział po chwili, kreśląc stopą kółka na wodzie. – Jeśli nie masz nic przeciwko temu, oczywiście.

Amy uśmiechnęła się.

– Pewnie, że nie mam. Mojego brata bez przerwy odwiedzają kumple z CHERUBA.

– To dziwne – zauważył James. – Zanim tutaj trafiłem, w ogóle nie dbałem o swoich znajomych, ale na ludziach, których poznałem tutaj, naprawdę mi zależy.

– To znane zjawisko psychologiczne.

James zamrugał oczami.

– Że co?

– Każdy człowiek ma wrodzoną potrzebę dzielenia z kimś życia – wyjaśniła Amy. – Dzieci potrzebują rodziców, dorośli współmałżonków, kochanków i tak dalej. Ponieważ dzieci z CHERUBA nie mają rodziców, tworzą bardzo silne więzi między sobą. Co dwa lata w kampusie odbywa się wielki zjazd, tylko dla byłych agentów. Byłbyś zdumiony, widząc, ile przyjeżdża tam małżeństw.

James pokręcił głową z niedowierzaniem.

– Czasem irytuje mnie, że wszyscy w agencji są tacy mądrzy. No bo skąd ty to wszystko możesz wiedzieć?

– Idę na psychologię – wyjaśniła Amy. – Uniwersytet dał nam listę książek do przeczytania. Poza tym ty wcale nie jesteś głupi, James. CHERUB nawet by nie spojrzał na dzieciaka, który nie jest dużo powyżej przeciętnej.

– W normalnej szkole zawsze należałem do najzdolniejszych – przyznał James. – Ale tu jestem przeciętniakiem.

– W każdym razie, kiedy przybyłeś do nas kilka miesięcy po śmierci mamy, było naturalne, że przywiązałeś się do następnej kobiety, która odegrała w twoim życiu ważną rolę.

– Na przykład do ciebie, bo nauczyłaś mnie pływać, tak? – burknął James.

Amy skinęła głową.

– I do Kerry, bo była twoją partnerką na szkoleniu podstawowym. Powiedziałeś jej już, co do niej czujesz?

– Chryste, litości! – jęknął James. – Wystarczy, że Kyle ciągle o tym mędzi.

– Ale wy tak słodko ze sobą wyglądacie. Uwielbiam, kiedy sobie dogryzacie jak jakieś stare, dobre małżeństwo.

James nie miał ochoty tego słuchać. Ześliznął się do basenu i zaczął płynąć w stronę głębokiego końca.

*

Materiały przysłane przez MI5 liczyły grubo ponad trzysta stron, ale większość stanowiły fotografie i mapy. James i Amy spędzili wtorkowy poranek w jednej z sal planowania misji, kartkując wydruki i zaznaczając markerem najistotniejsze fragmenty. Książki o komputerach nie były tajne i James mógł wziąć je do Luton, by tam uzupełnić swoją wiedzę, ale akta Lambayeke musiały pozostać w kampusie.

Kiedy uporali się z dossier, Amy wyjęła z szafki pięć laptopów i rozstawiła je na biurku. Następnie nakręciła archaiczny minutnik i ustawiła na kwadrans.

– Na dysku każdego z tych komputerów jest ukryta lista numerów kradzionych kart kredytowych – powiedziała Amy. – Musisz dostać się do każdej z nich w wyznaczonym czasie, nie zostawiając za sobą żadnych śladów.

– Który pierwszy? – zapytał James.

– Bez znaczenia – odrzekła Amy, sięgając do minutnika. – Start!

Serce Jamesa zabiło gwałtownie. Ustawił ekran najbliższego komputera i nacisnął kilka klawiszy.

– Co tu zrobić? – mruknął do siebie, bębniąc palcami po blacie.

– Na początek proponuję go włączyć. – Amy uśmiechnęła się drwiąco. – I nie zapomnij zajrzeć do BIOS-u, zanim uruchomi się Windows.

James myślał na głos.

– Dwieście pięćdziesiąt sześć mega pamięci, Windows ME. Dysk ma jedną partycję. Skoro to jest ME, to korzysta z systemu plików FAT32, czyli jeśli nacisnę F8 i przejdę do DOS-u, będę mógł otworzyć dowolny plik, nawet zabezpieczony hasłem.

James przerzucił kilka rzeczy na biurku w poszukiwaniu dyskietki. Pomachał nią przed nosem Amy.

– Na tej dyskietce jest program narzędziowy wyświetlający listę plików na dysku, tak?

Amy skinęła głową.

– Nie powinnam ci podpowiadać.

James obmacał laptopa, szukając szczeliny stacji dyskietek.

– Kurczę... To nie ma napędu! Jest tu gdzieś stacja zewnętrzna?

Amy potrząsnęła głową.

– To co ja mam zrobić?

Amy wzruszyła ramionami i spojrzała na minutnik.

– Masz dwanaście minut, żeby się tego domyślić.

James strawił na jałowym myśleniu kolejne trzy minuty. Najchętniej wywaliłby minutnik przez okno.

– Dziewięć minut.

– No powiedz, Amy – błagał James. – Mam pustkę w głowie. Jak mam odpalić tę dyskietkę?

– Komputer ma z tyłu gniazdo karty sieciowej. Mógłbyś podłączyć go do innego laptopa, takiego, który ma napęd dyskietek. Potem wystarczyłoby wejść we właściwości sieci na drugim kompie i przemienić go w stację sieciową. Wtedy napęd drugiego laptopa zacząłby działać jak podłączony do pierwszego.

– Nigdy nie zdążę z tym wszystkim w dziewięć minut – żalił się James.

– Zdążyłbyś, gdybyś się pośpieszył. Ale dlaczego nie zaczniesz od czegoś prostszego?

– Na przykład czego?

– Czego przede wszystkim uczą na kursach hakowania? Pierwsza złota zasada?

– Najsłabszym ogniwem jest człowiek – wyrecytował James.

Amy skinęła głową.

– Aha. A ty próbujesz znaleźć tylne drzwi do systemu, choć nawet nie sprawdziłeś, czy frontowe nie są przypadkiem otwarte. Nigdy nie zakładaj, że plik, którego szukasz, jest ukryty albo zabezpieczony. Najprawdopodobniej można go otworzyć, po prostu klikając myszą.

– Twierdzisz, że właśnie zmarnowałem sześć minut?

– Już prawie siedem – uśmiechnęła się Amy.

James zresetował komputer i zaczął od początku. Na laptopie zainstalowano tylko kilka programów i wszystkie dokumenty znajdowały się w jednym folderze. James znalazł plik o nazwie „Numery kart" i otworzył go podwójnym kliknięciem. W oknie edytora pojawiła się jedna linijka tekstu: „Chyba nie sądziłeś, że to będzie aż tak proste, prawda?". James był zbyt spięty, by dostrzec w tym coś zabawnego. Popatrzył na długą listę dokumentów na ekranie. Nie miał dość czasu, by otworzyć wszystkie, ale przypomniał sobie, że szuka listy numerów, co znaczyło, że plik raczej będzie niewielki. Zmienił sposób wyświetlania tak, by widzieć rozszerzenia i wielkość plików. Po posortowaniu listy według rozmiaru przewinął ją do samego dołu i zaczął otwierać każdy dokument tekstowy budzący podejrzenie, że mógłby być spisem numerów.

– Trzy minuty – oznajmiła Amy. – Lepiej się sprężaj, kowboju.

James otwierał pliki najszybciej, jak potrafił. Kilka zabezpieczono hasłem – te przeciągnął do osobnego folderu. Kiedy skończyły mu się dokumenty niezabezpieczone, zajął się chronionymi.

Hasłem mogła być dowolna kombinacja cyfr i liter, ale James znał drugą złotą zasadę hakera: ponad 75 procent haseł jest łatwych do odgadnięcia. Zaczął od listy najczęściej używanych słów, którą poprzedniego dnia Amy kazała mu wkuć na pamięć – słów takich jak: hasło, otwórz czy zabezpieczenie. Kiedy te zawiodły, James zaczął szukać różnych informacji o właścicielu laptopa. Przypomniał sobie, że jednym z otwartych wcześniej dokumentów był list do szkoły. Kliknął na plik i powiódł wzrokiem po tekście. List był podpisany przez niejakiego Juliana Stipe'a i wymieniał imiona trojga jego dzieci. James wpisał w pole hasła Julian, potem Stipe, i wreszcie Julian Stipe, ze spacją i bez.

– Dziewięćdziesiąt sekund – powiedziała Amy.

Zaczął wpisywać imiona dzieci. Przy Jennifer dokument otworzył się, ale nie była to lista kart kredytowych. Pozostałe chronione pliki otwierały się po podaniu tego samego hasła i James poczuł dziką radość, kiedy po kilku próbach na ekran wypłynęła kolumna szesnastocyfrowych numerów.

– Bingo! – zawołał.

– Piętnaście sekund – powiedziała Amy.

– Przecież mam numery – zdziwił się James. – O co ci chodzi?

Minutnik zadzwonił.

– Czas minął. Może następnym razem pójdzie ci lepiej.

– Jak to? Przecież je znalazłem – denerwował się James.

– Wiem – przyznała Amy. – Ale miałeś nie zostawiać za sobą śladów. To był dobry pomysł, żeby przenieść chronione pliki do innego folderu, ale potem powinieneś przerzucić je z powrotem, a folder skasować. Gotowy do następnej próby?

– W głowie mi się kręci – mruknął James. – Możemy zrobić pięć minut przerwy?

Na twarzy Amy wykwitł zły uśmieszek.

– Nie zasłużyłeś na przerwę po tak żałosnym występie.

Ustawiła minutnik na piętnaście minut i wcisnęła guzik, puszczając w ruch wskazówkę.

25. ROWY

James zawalił egzamin z hakowania tak dokumentnie, że Amy przytrzymała go do dziewiątej na dodatkowej lekcji. Pod koniec był wściekły i wycieńczony. Jego mózg uparcie odmawiał przyswajania nowych informacji.

Kiedy zeszli do stołówki, kuchnia nie wydawała już posiłków. Wprawdzie była tam lodówka pełna kanapek i gotowych dań do odgrzania w mikrofalówce, ale James miał nadzieję na uczciwy obiad przed powrotem do Zary i jej eksperymentów z mrożonkami.

Wszedł do pokoju w kiepskim nastroju. Trzasnął drzwiami i zaczął pakować podręczniki hakowania i swoje rzeczy do plecaka. Kiedy skończył, rozebrał się i poczłapał do łazienki, żeby wysikać się przed snem.

Przy uchylonych drzwiach łazienki wyczuł charakterystyczny zatęchły zapaszek podobny do tego, jakiego nabierają trampki po ostrym meczu na błotnistym boisku. Trochę się wystraszył. Wyobraźnia podsuwała mu obrazy zdechłych szczurów i cieknącej kanalizacji. Uchylił drzwi szerzej i włączył światło.

– Co, do...

Laura siedziała sztywno na klapie sedesu w zabłoconym uniformie rekrutki. Miała obcięte na krótko włosy, paskudny strup na twarzy oraz mnóstwo rozmaitych skaleczeń i sińców, normalnych po miesiącu szkolenia podstawowego.

– Co... Co ty tu robisz? – spytał osłupiały James.

– Skisiłam – oświadczyła smutno Laura. – Skisiłam i mam poważne kłopoty.

Głośno pociągnęła nosem i opuściła głowę. Rozległ się narastający pisk, będący, jak się zaraz okazało, wstępem do pięciominutowego ataku najbardziej rozpaczliwego szlochu, jakiego James kiedykolwiek był świadkiem. Próbował przytulić siostrę, ale odpychała go od siebie.

– Laura – zaczął w końcu tłumaczyć. – Laura, chcę ci pomóc, ale nie mogę, dopóki nie powiesz mi, co się stało.

Laura najwyraźniej dostrzegła sens w jego słowach, bo uniosła głowę.

– Ja... ja... walnęłam – łkała, nie mogąc się opanować.

Wstała i zarzuciła Jamesowi na szyję swoje utytłane ręce. Cuchnęła potem.

– Uspokój się i usiądź na łóżku – powiedział James łagodnie, gładząc siostrę po plecach.

Wyszedł tyłem z łazienki z Laurą wiszącą mu na szyi. Czuł się, jakby tańczył z pijaną dziewczyną. Dotarłszy do łóżka, ostrożnie wyplótł się z jej ramion i pozwolił opaść na róg materaca.

– Walnęłam go – powtórzyła Laura, pociągając nosem.

– Kogo?

– Pana Large'a.

James usiadł obok siostry.

– Wątpię, żeby w ogóle to poczuł. Jest dziesięć razy większy od ciebie.

– Oj, poczuł, mówię ci – oznajmiła Laura, łykając łzy.

James wziął ze stolika paczkę chusteczek i podał jedną Laurze. Podziękowała skinieniem głowy i zaczęła mówić:

– Wczoraj rano Bethany nadwerężyła sobie plecy. Dziś na torze przeszkód pomagałam jej, jak mogłam, ale i tak szło nam powoli. Skończyłyśmy na szarym końcu. Large darł się jak wariat: „Jesteście beznadziejne! Nie nadajecie się na agentki! Nie jesteście godne nawet żreć własnych wymiocin!". Wyciągnął dwa szpadle i kazał nam kopać groby.

Była to standardowa tortura z repertuaru Large'a. James i Kerry zaliczyli ją kilka razy, kiedy byli na szkoleniu podstawowym. Delikwent musiał wykopać wielki dół, a potem go zasypać. Jeżeli robił to nie dość żwawo, Large zmuszał go do powtórzenia pracy.

– To było okropne – ciągnęła Laura. – Wytrzymałam, ale plecy i ramiona tak mnie bolały, że chciało mi się wyć. Bethany już wcześniej miała problemy z kręgosłupem, więc możesz sobie wyobrazić, jak wyglądała po dwóch godzinach kopania. Large kazał mi stać na baczność na krawędzi mojego grobu, dopóki Bethany nie skończy. Szło jej coraz wolniej, aż wreszcie ledwie mogła dźwignąć szpadel. Błagała Large'a o coś do picia, więc wyciągnął ten wielki wąż strażacki i zaczął ją polewać. Kiedy skończył, stała w wodzie po kolana. Płakała strasznie żałośnie i cała była w błocie. A wtedy on zaczął zwalać tę ziemię, którą wykopała, z powrotem do dołu. Kopał jej grudy błota prosto w twarz i darł się: „Jesteś zbyt słaba! Nigdy ci się nie uda! Dlaczego nie zrezygnujesz?!". Tak mnie wkurzył, że nie wiem. Miałam dość jego wrzasków. Zrobiłabym wszystko, żeby zamknąć mu tę głupią gębę. I wtedy zobaczyłam szpadel wbity w ziemię tuż przede mną.

– O nie! – zachłysnął się James.

– Kiedy Large się odwrócił, wzięłam zamach i rąbnęłam go z całej siły pod kolanami. Chciałam zwalić go z nóg, ale on tylko się zachwiał. Zaczął odwracać się w moją stronę, a ja tak się bałam... Byłam pewna, że mnie zabije, więc przywaliłam mu jeszcze raz. Wtedy upadł, ale tak nieszczęśliwie, że rozbił sobie głowę o kamień i stracił przytomność.

James nie mógł powstrzymać uśmiechu.

– Znokautowałaś Large'a. Klasa!

– To nie jest śmieszne, James – powiedziała ponuro Laura. – Pewnie mnie teraz wyrzucą. Przez chwilę myślałam, że go zabiłam. Było dużo krwi. Przestraszyłam się i uciekłam z ośrodka. Chciałam najpierw pogadać z tobą, więc poszłam do siebie i zadzwoniłam. Zara powiedziała, że jesteś w kampusie, ale nie wolno mi wchodzić do działu planowania, więc poczekałam na ciebie tutaj.

James zastanawiał się przez chwilę.

– Po kolei – oznajmił wreszcie. – Najpierw się umyjesz, a potem poszukamy Maca i o wszystkim mu opowiemy.

– Myślisz, że mnie wykopią?

– Mam nadzieję, że nie. – James wzruszył ramionami. – Ale za wlanie trenerowi... Ujmę to tak: zachwyceni nie będą.

*

Podczas gdy Laura brała prysznic, James skompletował dla niej czyste ubranie, wybierając najmniejsze rzeczy ze swojej szafy. Kiedy zeszli na parter, gabinet Maca był zamknięty. Zapytali o Prezesa recepcjonistkę.

– Około ósmej Mac zwykle wyjeżdża do domu – wyjaśniła. – Ale niewykluczone, że wciąż jest w ambulatorium, bo dziś jeden z instruktorów został ranny. Jeśli to coś pilnego, mogę zadzwonić do niego na komórkę.

– Lepiej niech pani to zrobi – poradził James.

Recepcjonistka odbyła krótką rozmowę telefoniczną.

– Mac już tu jedzie – poinformowała, odkładając słuchawkę. – Nie wiem, coście nawywijali, ale głos ma taki, że raczej nie chciałabym być teraz w waszej skórze.

Kilka minut później Mac zajechał na żwirowy podjazd jednym z wózków golfowych, jakich personel używał do poruszania się po kampusie.

– Za mną – rzucił sucho, krocząc przez recepcję. Wydobył z kieszeni wielki pęk kluczy i otworzył drzwi. – Usiądźcie przy biurku.

James niespokojnie przysiadł na brzegu skórzanego fotela przy wielkim, dębowym biurku. Laura wyglądała, jakby znowu zbierało się jej na płacz. Mac wbił w nią mroczne spojrzenie.

– A zatem, młoda damo, czy byłabyś łaskawa wytłumaczyć, dlaczego mój starszy instruktor leży w ambulatorium ze wstrząsem mózgu i ośmioma szwami na głowie?

– Ja naprawdę strasznie, strasznie przepraszam – wybuchła Laura. – Byłam zdenerwowana, Bethany już ledwie stała, a pan Large nie chciał zostawić jej w spokoju.

– Jeśli Bethany źle się czuła, powinna była zrezygnować. Nie miałaś prawa się wtrącać.

– Co jej zrobicie? – zapytał James.

– Nie lubię pozbywać się ludzi – westchnął Mac. – Ale jeśli nie wyrzucę agenta za atak na członka personelu, to właściwie czym mógłby sobie na to zasłużyć?

– Wiem, że Laura postąpiła źle – przyznał James. – Ale to nie było tak, jakby weszła do klasy i sprała nauczyciela bez powodu. Konała ze zmęczenia i patrzyła, jak wściekły obłąkaniec pastwi się nad jej najlepszą przyjaciółką. Na szkoleniu każdy czasem marzy, żeby przyłożyć Large'owi. Pech Laury polegał na tym, że miała w ręku szpadel, kiedy ta myśl przyszła jej do głowy.

Mac pogładził się po brodzie, zakrywając dłonią nieznaczny uśmieszek.

– Hmm – mruknął. – Sądzę, że w tym, co mówisz, jest trochę racji. Gdybym jednak wydalił Laurę, posłalibyśmy ją do dobrej szkoły i znaleźli odpowiednią rodzinę zastępczą w pobliżu kampusu, żebyś mógł ją odwiedzać w weekendy.

– Niech sobie mieszka nawet po drugiej stronie ulicy – zdenerwował się James. – Jeśli Laura odejdzie, to ja też. Już raz nas rozdzielono, kiedy umarła mama, i nie chcę, żeby to się powtórzyło.

– Rekrutowanie agentów jest trudne, a ja nie chciałbym was stracić – oświadczył Mac. – Jednak jeżeli pozwolę Laurze zostać, będzie musiała ponieść surową karę, inaczej wszystkie dzieciaki w kampusie zaczną się odgrywać na szkoleniowcach.

– Proszę, pozwólcie mi zostać – błagała Laura. – Zrobię wszystko, co trzeba, będę grzeczna, przysięgam!

Mac przeniósł wzrok na Jamesa.

– Czy masz jakiś pomysł co do sposobu, w jaki Laura powinna odpokutować swój błąd?

James spojrzał niespokojnie na siostrę.

– Zgadzam się, że musi to być kara najgorsza z możliwych – powiedział powoli. – Musi też potrwać przez całe dwa miesiące z kawałkiem, jakie zostały do następnego szkolenia.

– Zgoda. – Mac skinął głową.

– Może sprzątanie toalet i szatni? Wszyscy zawsze mówią, że to najgorszy koszmar.

– Za mało – stwierdził Mac, odrzucając pomysł machnięciem dłoni. – Kible i szatnie dostaje się za przeklinanie albo wagarowanie. To żadna frajda, ale sprowadza się do popychania mopa i lania środka dezynfekującego.

– Czyli gorsze niż kible, tak? – zamyślił się James.

Zastanawiał się, w jaki sposób Mac zdołał pokierować sytuacją tak, by to James wymyślał najgorsze możliwe kary dla kogoś, kogo chciał bronić.

– Cóż... – uśmiechnął się Mac. – Przyszedł mi do głowy pewien pomysł. Mamy problem z drenażem na zalesionej części kampusu. Łąki wciąż są zalewane, ponieważ rowy zapchały się mułem. Przypuszczam, że komuś o rozmiarach Laury oczyszczenie ich zajęłoby jakieś dwa miesiące. Będzie musiała ciężko pracować codziennie przed szkołą i po niej, jak również w soboty i niedziele. Co ty na to, Laura?

– Muszę ponieść karę – przyznała Laura, pokornie spuszczając głowę. – Jeśli mam czyścić rowy, będę je czyścić.

– A zatem rowy – powiedział Mac, klaszcząc w dłonie. – Ustalone. Aha, i to jest twoje ostatnie ostrzeżenie. To znaczy, że za każde następne przewinienie wylatujesz z CHERUBA. Mam tu na myśli każde przewinienie, choćby najdrobniejsze. Pobiegniesz korytarzem, wylatujesz. Nie odrobisz pracy domowej, wylatujesz. Spóźnisz się na lekcję, wylatujesz. Przez następne trzy miesiące siedzisz cicho jak mysz pod miotłą. Twoje zachowanie musi być idealne. Zrozumiałaś?

Laura skinęła głową.

– Mam jeszcze jeden warunek – dodał Mac. – Dla ciebie, James.

– Dla mnie? – zdumiał się James.

– Tak. Namówiłeś mnie, żebym dał Laurze jeszcze jedną szansę. W zamian chciałbym, żebyś mi coś obiecał. Daj słowo, że jeśli Laura złamie warunki kary, ty pozostaniesz w CHERUBIE.

James zastanawiał się przez kilka sekund.

– Ale będzie mieszkać w pobliżu, żebym mógł ją odwiedzać, kiedy nie będę na akcji.

Mac skinął głową.

– To brzmi rozsądnie.

– W takim razie zgoda – powiedział James.

Mac podejrzanie łatwo wymyślił doskonałą karę dla Laury. James przypuszczał, że Prezes zaplanował wszystko zawczasu, a groźba wylania z CHERUBA była blefem mającym napędzić im strachu.

Mac uśmiechnął się.

– Oczywiście, Lauro, kiedy już odmulisz rowy i ponowisz próbę przebrnięcia przez szkolenie podstawowe, jestem pewien, że pan Large opracuje jakąś własną, specjalną zemstę.

*

211

Laura przenocowała w pokoju Jamesa. Łóżko było podwójne, ale i tak spali wtuleni w siebie na środku. Laura obudziła się pierwsza. Nie wyglądała na kogoś, kto przez następne pięć miesięcy miał przeżyć piekło na ziemi.

– Masz kalendarzyk? – spytała.

– Poszukaj w biurku – mruknął James, wciąż zagrzebany w pościeli.

Laura sprawdziła, że do końca kary i szkolenia podstawowego dzielą ją dokładnie sto siedemdziesiąt cztery dni. Wyjęła kartkę i swoim najstaranniejszym pismem zaczęła kreślić liczby od stu siedemdziesięciu czterech do zera. James wytknął głowę spod kołdry.

– Co ty robisz, Laura?

– Kalendarz do odliczania. Przez następne sto siedemdziesiąt cztery dni postaram się nie narzekać i nie skarżyć się na cokolwiek. Tę kartkę będę wszędzie nosić ze sobą. Kiedy zrobi się źle, pomyślę o tym, za ile godzin skreślę następną liczbę. Za sto siedemdziesiąt cztery dni ukończę szkolenie podstawowe. Przysięgam na grób naszej mamy.

James wyskoczył z łóżka.

– Akurat! – rzucił gniewnie. – Nie możesz przysięgać w takiej sprawie na grób mamy. Nie jesteś w stanie przewidzieć wszystkiego. A jeśli coś sobie zrobisz? Lub zachorujesz?

– Nie zachoruję – oświadczyła twardo. – A jak będzie boleć, zacisnę zęby i będę myśleć o kartce w mojej kieszeni.

– Dobrze jest mieć coś, na czym można skupić myśli – przyznał James, wsuwając nogi w spodnie od dresu. – Myśl jednak realistycznie. Wiesz, ile dzieciaków podchodziło do szkolenia po trzy albo cztery razy? Narażasz się na potężne rozczarowanie.

Laura stanęła w rozkroku przed Jamesem i rozkazała:

– Uderz mnie w twarz.

– Jasne, nie mam co robić – odparł James, kiwając głową z politowaniem.

– Udowodnię ci, że jestem twarda. No, dalej. Najmocniej, jak potrafisz.

– Daj spokój, Laura. Wiesz, że mogliśmy wylegiwać się w łóżku jeszcze co najmniej pół godziny?

Laura skoczyła naprzód, złapała Jamesa za sutek i wykręciła go z całej siły. James runął na łóżko, wyjąc z bólu.

– Dlaczego to zrobiłaś?! – wrzasnął.

– Uderz mnie, do cholery! – odkrzyknęła Laura.

– Chcesz się przekonać, jaka jesteś twarda? – wściekał się James. – Świetnie. Może wbiję ci trochę rozumu do głowy.

Jego dłoń z ostrym klaśnięciem spadła na policzek siostry. Uderzenie bolało bardziej, niż Laura się spodziewała, ale stłumiła jęk i zacisnęła usta w sztywny uśmiech.

– Sto siedemdziesiąt cztery dni – powiedziała. – Lepiej mi uwierz.

James uśmiechnął się.

– To jak, idziesz ze mną na śniadanie czy jesteś za twarda, żeby jeść?

*

Kiedy stanęli w drzwiach stołówki, w środku było już około sześćdziesięciu dzieciaków. W ciągu kilku sekund sala uciszyła się, a potem szurnęły odsuwane krzesła. Na przybyłych runęła fala oklasków i bębnienia sztućcami o stoły. Kilka osób krzyknęło „Laura!", ktoś zaczął gwizdać.

James zwrócił się do stojącego opodal Shakeela.

– O co tu chodzi?

– O twoją siostrę – odrzekł Shakeel takim tonem, jakby James był skończonym idiotą. – Jest największą bohaterką w historii CHERUBA. Każdy marzy o odegraniu się na Large'u, ale w życiu bym nie uwierzył, że komukolwiek wystarczy odwagi, by to zrobić.

Agenci napływali ze wszystkich stron, topiąc Laurę w oceanie ucałowań i uścisków dłoni. Dwaj postawni nastoletni chłopcy dźwignęli ją w górę, posadzili sobie na ramionach i zabrali na paradę zwycięstwa wokół stołówki. Twarz Laury wyrażała całą gamę uczuć: od zachwytu, przez podejrzliwość, aż po strach przed rozbiciem głowy o jedną z lamp. Podczas gdy dryblasy obnosiły ją po sali, przy stołach dzieci uroczyście zobowiązywały się, że pomogą jej kopać.

– Kopać co? – zapytał James.

– Podobno Laura ma za karę odmulić kanały na końcu kampusu. W sobotę rano wszyscy wskakujemy w kalosze i idziemy jej pomóc – wyjaśnił Shakeel. – Policzyliśmy, że jak przyjdzie nas setka, to uporamy się ze wszystkim w jeden dzień.

– Ekstra – ucieszył się James. – To naprawdę miło z waszej strony.

– Jesteśmy jej to winni. Chciałbym mieć dość odwagi, żeby wlać Large'owi. Urządziliśmy też zbiórkę pieniędzy i chcemy zamówić coś dla niej w tym sklepie, w którym robią puchary.

Przy trzecim okrążeniu Laury do Jamesa podeszła Amy.

– Zrobiliśmy zrzutkę na moim piętrze – oznajmiła. – Zebraliśmy siedemdziesiąt funtów. Jaki jest ulubiony sklep Laury?

– Najczęściej kupuje w Gap Kids, a co?

– Mamy więcej niż trzeba na grawerowany puchar. Myśleliśmy, żeby dorzucić jej jakieś bony do sklepu albo może gigantycznego pluszaka...

26. SKARPETKI

– Ty mały, nadęty farciarzu – pekliła się Kerry. – Zdajesz sobie sprawę, że ja i Kyle jesteśmy skazani na Thornton aż do końca misji?

Był piątkowy wieczór. Kerry siedziała w pokoju chłopców, patrząc, jak James pakuje się przed porannym lotem do Miami.

– Masz niewłaściwe podejście – oznajmił James, szczerząc zęby w uśmiechu. – Jesteśmy równie ważnymi członkami zespołu, tyle że moja rola polega na smażeniu się na plaży na Florydzie, a wasza na spędzeniu ferii tutaj. Jak dopisze wam szczęście, ktoś podpali jeden z opuszczonych domów i popatrzycie sobie na pożar.

– Ale śmieszne – skrzywiła się Kerry.

– Jak myślisz, ile skarpetek?

– Co najmniej po parze na dzień.

James zajrzał do szuflady i uświadomił sobie, że zostały mu tylko dwie pary czystych. Niewiele myśląc, wygarnął resztę skarpet spod łóżka i zaczął zwijać w kulki po dwie sztuki naraz.

– Czy te nie są brudne? – zainteresowała się Kerry.

– Trochę – zgodził się James. – Ale większość nosiłem tylko raz. W każdym razie jeszcze nie capią, zobacz.

Podsunął jej jedną pod nos.

– Przestań! – Kerry odepchnęła jego rękę. – To obrzydliwe.

James niuchnął.

– Fuj! Faktycznie, te są już trochę przejrzałe. No tak, to w nich ćwiczyłem wczoraj w klubie. Ale większość jest w porządku.

Kerry pokręciła głową z niedowierzaniem.

– Zwierzę z ciebie, James.

Zsunęła się z łóżka i wyszła z pokoju. Zadzwoniła komórka Jamesa.

– Cześć, April – rzucił James do telefonu. – Gdzie jesteś?

– Na lotnisku, z Erin i mamą – wyjaśniła April. – Siedzimy w poczekalni i pomyślałam, że zadzwonię, by pogadać.

– Widzieliśmy się parę godzin temu.

– Nie chcesz ze mną rozmawiać? – W głosie April dało się wyczuć nutkę rozczarowania.

– Oczywiście, że chcę – skłamał James. – Ja tylko... Jestem strasznie zajęty pakowaniem i w ogóle.

– Założyłam twój zegarek – zachichotała April. – Będzie mi o tobie przypominał za każdym razem, gdy popatrzę na godzinę.

– Nie zapomnij go oddać. To mój jedyny działający.

– Poślij mi całuska.

James wzniósł oczy ku niebu, po czym cmoknął telefon.

– Zara woła mnie na dół, April. Muszę lecieć. Miłej podróży, pa.

– James, ja...

– Muszę iść, April, sorry.

James zakończył połączenie i zacmokał z niesmakiem. Kerry stanęła za jego plecami. W ręku trzymała cztery pary czystych sportowych skarpetek.

– Problem z dziewczyną? – spytała.

– Nie pytaj – westchnął James.

– Pożyczę ci te. Mam stopę niewiele mniejszą od twojej. Tylko nie zapomnij uprać, zanim oddasz.

– Dzięki – powiedział James, wrzucając skarpetki do torby. – Wiesz, April doprowadza mnie do szału.

– A to czemu? – zdziwiła się Kerry. – Wygląda na miłą dziewczynę.

– Jest miła, ale przegina. Bez przerwy do mnie wydzwania, w szkole ciągle za mną łazi i próbuje obejmować. Kiedy rozmawiam z kimś innym, odciąga mnie i zaczyna się łasić.

– Spodobałeś się jej. Powinieneś być zadowolony.

– To coś więcej. Założę się, że wybrała już suknię ślubną, a teraz pracuje nad imionami naszych dzieci.

– Typowy facet – prychnęła Kerry. – Fajnie jest mieć babkę uwieszoną na ramieniu, ale tylko do obmacywania i chwalenia się przed kolegami.

– Zejdź ze mnie – zirytował się James. – Po prostu April jest mną zainteresowana o wiele bardziej niż ja nią. Nie moja wina, że dziewczyny nie mogą mi się oprzeć.

Kerry pokiwała głową z politowaniem.

– Marzyciel. Pewnie rzucisz April i zostawisz w rozpaczy tak samo jak Nicole.

– Nicole? – James był zaskoczony. – Całowałem ją tylko raz, i to przez jakieś dwie sekundy.

– Nicole spytała, czy ci się podoba, więc pocałowałeś ją, a potem rzuciłeś.

– Po prostu więcej się z nią nie całowałem – zdenerwował się James. – Nie wiem, dlaczego robisz z tego taką sprawę.

– Nie miałeś nawet tyle przyzwoitości, żeby z nią porozmawiać. Przez następne dni przemykałeś się chyłkiem przez dom, żeby tylko się na nią nie natknąć. Nicole było bardzo przykro.

– No bo... – zająknął się James. – Nie chciałem urazić jej uczuć.

– Tak, jasne.

– Posłuchaj, Kerry, ja nie traktuję dziewczyn w ten sposób. Na pewno nie celowo. Jeśli chcesz znać prawdę, to jest ktoś inny, na kim mi naprawdę zależy.

– Znaczy Amy? – uśmiechnęła się Kerry. – Widziałam, jak ślinisz się na jej widok, ale oprzytomniej, ona ma siedemnaście lat.

– Ale ty jesteś bystra! – skrzywił się James. – Każdy chłopak w kampusie ślini się na widok Amy, ale nie ją miałem na myśli.

– No to kogo?

– Nie twoja sprawa.

– Jasne! – Kerry uśmiechnęła się z przekąsem. – Ściemniasz, żebym nie myślała, że jesteś świnią.

– Nieprawda.

– Znam ją? – zainteresowała się Kerry.

– Tak.

– To nie jest Gabrielle, prawda?

James roześmiał się.

– Skąd.

– Ale z ciebie głupek. Nie wiem, czemu w ogóle z tobą rozmawiam.

James uwielbiał sposób, w jaki wspinała się na palce, kiedy była zirytowana.

– Naprawdę chcesz wiedzieć, kogo lubię?

– Mam to gdzieś – odparła Kerry, splatając ręce na piersi.

– Dobra. Jak chcesz.

Ale ciekawość Kerry była już rozbudzona. Dziewczyna nie wytrzymała długo.

– Och... No dobra, powiedz.

James przez chwilę bawił się pomysłem wymyślenia kogoś albo powiedzenia czegoś głupiego, ale uświadomił sobie, że nigdy nie trafi mu się lepsza okazja do wyjawienia Kerry, co naprawdę czuje. Przecież nie mógł tłumić tego w sobie do końca życia. Wziął głęboki oddech.

– Ja...

Zaschło mu w ustach. Zdenerwowanie rozsadzało mu mózg.

Kerry potrząsnęła głową.

– Wiedziałam, że ściemniasz.

– Nie, chodzi o ciebie – wyrzucił z siebie James.

Gapił się na Kerry przez jakiś trylion lat, czekając na jej reakcję.

– Czy ty mnie wkręcasz? – spytała Kerry podejrzliwie.

– Od szkolenia podstawowego – wysapał James. – Gdy ćwiczyliśmy razem, cali w błocie i w ogóle, zawsze miałaś w sobie coś fajnego. To znaczy... Zawsze dobrze nam szło, bo ty jesteś taka porządna, wszystko robisz, jak trzeba, i tak dalej, no, a ja jestem jakby... Chyba można powiedzieć, że czasem jestem idiotą...

– Naprawdę ci się podobam? – przerwała mu Kerry.

James chciał umrzeć.

– Tak.

– Mówisz poważnie? Bo jeśli ze mną pogrywasz, wybiję ci z tej durnej czaszki wszystkie zęby po kolei.

– Przysięgam – zapewnił James. – No więc... Powiedz, marnuję czas czy...?

Kerry uśmiechnęła się lekko.

– Od wszystkich, których znamy, ciągle słyszę, jaka to ładna z nas para. Ale szczerze mówiąc, nie wierzyłam, że mogę ci się podobać. Ty ciągle gadasz o cyckach, a ja praktycznie ich nie mam.

– Cóż, tak... – zająknął się speszony James. – Ja też nie jestem doskonały, ale... podobam ci się choć trochę?

Kerry skinęła głową.

– Kiedy nie doprowadzasz mnie do białej gorączki, jesteś moim ulubionym chłopcem w całym kampusie.

James pochylił się, żeby ją pocałować, ale potknął się o torbę podróżną zajmującą pół maleńkiego pokoiku. Po krótkiej szamotaninie przedostał się na drugą stronę.

To było tylko króciutkie muśnięcie warg, ale wystarczyło, by Jamesa oblała fala żaru.

– Szkoda, że nie jedziesz ze mną do Miami – wyszeptał.

– To tylko tydzień – uśmiechnęła się Kerry. – Możesz być moim chłopakiem pod jednym warunkiem.

– Jakim?

– Od dziś zmieniasz bieliznę codziennie.

27. MIAMI

James i Junior wylądowali w Miami w sobotni wieczór. Keith zmienił plany i poleciał dwa dni wcześniej ze swoim gorylem George'em. Masywny były bokser wagi ciężkiej czekał na nich w urzędzie imigracyjnym i odwiózł do domu Keitha range roverem.

James pokonał całą drogę przyklejony do okna niczym pięciolatek. Fascynowały go te drobne różnice zdradzające, że jest się w obcym kraju: sygnalizacja świetlna zawieszona na linkach nad skrzyżowaniem, tablice reklamowe z cenami w dolarach i gigantyczne ciężarówki z długimi maskami.

Automatyczna brama otworzyła się posłusznie, kiedy samochód zbliżył się do posiadłości Keitha. Zza gęstwy palm wyłonił się pastelowobłękitny budynek. Miał dwie kondygnacje, balkony wychodzące na ocean oraz fantastyczny ogród z palmami i kwitnącymi kaktusami.

Chłopcy wysiedli z samochodu.

– Ale twój tata jest nadziany – odezwał się James, kręcąc głową z niedowierzaniem.

– Chodź zobaczyć, co trzyma w garażu – zaproponował Junior.

Garaż okazał się oddzielnym budynkiem wielkości remizy strażackiej. Chłopcy pobiegli w jego stronę, pozostawiając George'a z bagażami. W środku stał szereg luksusowych bmw i mercedesów, jednak naprawdę interesujące maszyny zaparkowano pod tylną ścianą. James naliczył siedem sylwetek porsche ukrytych pod ochronnymi pokrowcami. Junior odciągnął róg nakrycia, odsłaniając reflektor.

– Ten startował w 24 godziny Le Mans – oświadczył z dumą. – Tata zabrał go na Daytonę na dzień otwarty. Na prostej wyciąga trzysta na godzinę.

– Klasa – powiedział James.

– Fajne fury, James? – spytał znajomy głos.

James odwrócił się, by ujrzeć Keitha stojącego na progu w klapkach i rozpiętej hawajskiej koszuli.

– Ma pan różne porsche na każdy dzień tygodnia – zauważył, nie kryjąc podziwu.

– Jutro wieczorem zabiorę cię jednym z nich na rundkę po South Beach – powiedział Keith. – Po zmroku wygląda niesamowicie z tymi wszystkimi neonami i jest tam mnóstwo świetnych restauracji. Znalazłeś w przewodniku coś jeszcze, co chciałbyś zobaczyć?

– Czy do Orlando nie byłoby za daleko? – zapytał James. – Junior mówił, że w Universal Studios jest super.

– To kilkaset kilometrów – odrzekł Keith. – Ale możemy się tam wybrać. Jak chcecie, to przenocujemy tam i zwiedzimy kilka parków rozrywki. Musicie poczekać, aż załatwię parę swoich spraw, ale nie powinno mi to zająć więcej niż dzień lub dwa. Jeszcze jakieś propozycje?

James wzruszył ramionami.

– Nie wiem, ale niech pan nie robi sobie kłopotu. Ja i Junior możemy pobyczyć się na plaży, pójść na zakupy czy coś...

– Ślizgacze na Everglades to niezła frajda. A jak zapatrujecie się na szastanie forsą? – zapytał Keith, wyciągając z kieszeni szortów zwitek banknotów.

– Nie mogę przyjąć od pana pieniędzy – oświadczył James. – Zapłacił pan za mój lot i w ogóle...

Keith wcisnął Jamesowi trzy banknoty studolarowe. Taką samą kwotę wręczył Juniorowi.

– Kup coś dla April – powiedział do Jamesa. – Robi do ciebie słodkie oczy.

– Dzięki. Nie miałby pan nic przeciwko temu, żebym zadzwonił do Zary i powiedział, że dojechałem?

– Ależ skąd! – Keith rozłożył szeroko ramiona. – Przy domu tej wielkości rachunek za telefon to najmniejsze z moich zmartwień.

Kiedy James skończył rozmawiać z Zarą, chłopcy rozebrali się do bokserek, zeskoczyli z drewnianego pomostu na tyłach domu i pognali po pustej, białej plaży w stronę oceanu. James czuł się trochę nieświeżo po ośmiu godzinach lotu, ale przeszło mu, kiedy tylko zagłębił stopy w miękkim piasku i pozwolił chłodnym falom omywać jego ciało.

– Cieszę się, że pojechałeś ze mną zamiast Ringa! – zawołał Junior, przekrzykując szum morza. – To będzie fantastyczny tydzień.

*

James zamieszkał w jednej z sypialni gościnnych, wyposażonej w łóżko z baldachimem i łazienkę z olbrzymią marmurową wanną. Gdy tylko się obudził, wskoczył w szorty i koszulkę, po czym rozsunął szklane drzwi balkonu wychodzącego na ocean. Zaczerpnął pełną piersią morskiego powietrza i oparł się o stalową barierkę, wystawiając twarz na promienie słońca.

Przy brzegu roiło się od jachtów i motorówek. Pod balkonem latynoski ogrodnik w podeszłym wieku podlewał ogród wężem. Napotkawszy wzrok Jamesa, uprzejmie skinął głową. Na jego widok James zaczął się zastanawiać, jak potoczy się jego życie. Czy będzie miał kiedyś dom na plaży wart dziesięć milionów dolarów, czy skończy jak ten pomarszczony koleś podlewający kwiaty?

– Hej! – krzyknął Junior. Przemierzył szybkim krokiem sypialnię Jamesa i wyszedł na balkon. – Co robisz? – spytał.

James wzruszył ramionami.

– Myślę.

– Głupi pomysł – orzekł Junior. – Od myślenia zużywa się mózg. Tata prosi nas na dół. Jedziemy do IHOP na śniadanie.

– Gdzie?

– To taka naleśnikarnia – wyjaśnił Junior. – Ja biorę z truskawkami i bitą śmietaną. Dają tak dużo, że kiedy człowiek już skończy, ledwie może się ruszać. Potem tata i George jadą do miasta na jakieś spotkanie, więc wysadzą nas przy wielkim centrum handlowym. Jest ze dwadzieścia razy większe od Centrum Reeve'a. Możemy przepuścić trochę kasy na zakupach, a jak nam się znudzi, mają tam szesnastosalowe kino i kolejkę górską.

– Brzmi nieźle – uśmiechnął się James.

*

James kupił sobie nowe dżinsy, kąpielówki i kilka płyt, w tym jedną w prezencie dla Kerry. Po zakupach poszli do kina, a potem pokręcili się jeszcze bez celu, czekając, aż George po nich przyjedzie. Do domu wrócili dopiero po południu.

– Jak spotkanie? – zagadnął James.

Keith uśmiechnął się szeroko.

– Dobrze. Nawet bardzo dobrze.

– Czy to znaczy, że znów będę mógł zarabiać na dostawach?

– Co do tego, to nie wiem – odrzekł Keith, na chwilę poważniejąc. – Teraz wszystko będzie inaczej. Słońce już tak nie piecze. Idziesz popływać?

James podrapał się w głowę.

– Właściwie to chciałem zapytać, czy mógłbym pożyczyć laptopa i wysłać maila.

– Oczywiście – powiedział Keith.

George, Keith i Junior przebrali się w kąpielówki i poszli na plażę. Kiedy wyszli, James pognał do swojego pokoju po pamięć USB i płytę z hakerskimi programami narzędziowymi, które ukrywał na dnie torby podróżnej. Kiedy wrócił, wspiął się na jeden z wysokich stołków przy barku w kuchni, włączył laptopa Keitha i połączył się z Internetem.

Kliknął na Hotmail i sprawdził pocztę na koncie, jakie założył na nazwisko Jamesa Becketta. Miał trzy wiadomości od April, w tym jedną z niewyraźną fotografią April i Erin w kombinezonach narciarskich oraz tekstem: „Już za Tobą tęsknię, April, XXX". James odpisał nieszczerze, że także bardzo tęskni, po czym wystukał dłuższą wiadomość do Kerry, zachwycając się pogodą i pięknym domem, w jakim mieszkał.

Kiedy skończył pisać wiadomości, wyjrzał przez okno, żeby upewnić się, że Keith, George i Junior wciąż są daleko od domu. Buszując pewnie wśród list plików na dyskach komputera, uświadomił sobie, że warto było torturować mózg na maratonie doszkalającym z Amy.

Folder z dokumentami Keitha zawierał kilkaset plików. Większość miała ikonkę z kłódką, co oznaczało, że są chronione. James uznał, że czytanie dokumentów, podczas gdy Keith jest tak blisko, byłoby zbyt ryzykowne. Zamiast tego wepchnął kartę pamięci w port USB z boku laptopa. Karta miała rozmiary skuwki długopisu, ale pojemność sześciu płyt kompaktowych.

Na ekranie pojawiło się szare okno z komunikatem: „Znaleziono nowy sprzęt". James sprawdził rozmiar folderu z dokumentami – karta USB była wystarczająco pojemna, by pomieścić wszystko. Odczekał kilka nerwowych minut, w czasie których komputer kopiował kolejne pliki. Wreszcie wyłączył laptopa i poszedł do swojej sypialni. Wyciągnął z torby komórkę i kazał jej szukać amerykańskiej sieci. Kiedy znalazła zasięg, wystukał numer miejscowego biura Amerykańskiej Agencji Antynarkotykowej, który podano mu przed wyjazdem. Odebrał John Jones.

– James?

– Cześć.

– Zaaklimatyzowałeś się już?

– Nie jest źle – powiedział James. – A ty?

– Lot był w porządku, ale ten upał mnie zabija. Wiesz, ze mnie jest raczej pan Ryba-Z-Frytkami-W-Gazecie-W--Mroźny-Zimowy-Wieczór...

– Nie mogę długo rozmawiać – uciął James. – Szperałem w laptopie Keitha.

– Znalazłeś coś?

– Nie wiem. Szukałem podejrzanych rzeczy, jak ukryte partycje na dysku, ale niczego takiego nie ma. Większość dokumentów Keitha jest zaszyfrowana i nie miałem czasu przy nich dłubać, więc skopiowałem wam wszystko na kartę USB.

– Dobra robota – pochwalił John.

– Powiedz tylko, jak mam wam ją dostarczyć.

– Możemy zorganizować dodatkowy odbiór śmieci dzisiaj wieczorem. Masz coś, co chciałbyś wyrzucić, a w czym mógłbyś schować kartę pamięci?

James rozejrzał się po pokoju.

– Mam napoczęte pudełko milk dudsów, które przywiozłem z kina – oświadczył po chwili. – Włożę kartę do środka i wyrzucę do śmieci.

– Doskonale – ucieszył się John. – Zgnieć pudełko, żeby nie wypadła, i wyrzuć do pojemnika przy drodze. Wyślemy po nie śmieciarkę.

– Będziecie w stanie rozkodować pliki? – spytał James.

– Zależy, jakich programów używa Keith, ale prawdopodobnie tak. Masz jeszcze coś do zgłoszenia?

– Tak. Keith powiedział coś, co wydało mi się dziwne. Kiedy spytałem go, kiedy będę mógł wrócić do pracy kuriera, on na to: „Nie wiem, teraz wszystko będzie inaczej".

– Hmm – zamyślił się John. – Nie mam pojęcia, co to może znaczyć, ale to faktycznie interesujące.

– Muszę już iść – rzekł James. – Będą się zastanawiać, co robię tak długo.

– W porządku. Tak trzymaj, James, i uważaj na siebie.

28. ORLANDO

James przeżywał jeden z najwspanialszych tygodni swojego życia. W poniedziałek popłynął z Juniorem na ryby. Nigdy przedtem nie łowił na oceanie, ale szyper nauczył go podstaw i pomógł wciągnąć na pokład pierwszą zdobycz.

Jeszcze tego samego wieczoru James zadzwonił do Johna Jonesa, by przekazać najciekawsze fragmenty podsłuchanych rozmów telefonicznych Keitha. John powiedział mu, że amerykańscy agenci znaleźli kartę USB, a specjaliści z MI5 zdołali odczytać większość plików. Zawierały szczegółowe dane dotyczące kilku zagranicznych kont bankowych i transakcji ujawniających powiązania Keitha z firmą, która zajmowała się praniem brudnych pieniędzy. Przedsiębiorstwo przyjmowało określoną kwotę, przerzucało ją w różne zakątki światowego systemu bankowego tak długo, aż trop stawał się nie do odtworzenia, po czym przelewało na anonimowe, zagraniczne konto, pomniejszoną o dwudziestopięcioprocentową prowizję. John nie sądził, by te informacje wystarczyły do skazania Keitha, ale uznał je za cenny element układanki.

Następnego dnia James, Junior i Keith pojechali do oddalonego o trzysta pięćdziesiąt kilometrów Orlando. Sezon dawno się skończył i chłopcy świetnie się bawili na Wyspach Przygody, przeżywając chwile grozy na kolejkach górskich i emocje w symulatorach, niemal nie tracąc czasu na czekanie. W sklepie z pamiątkami James doznał ataku manii zakupów. Wrzucił do koszyka mnóstwo koszulek dla Kerry i Kyle'a oraz mały śliniak i szorty dla Joshuy. Kiedy podeszli do kasy, Keith zapłacił za wszystko swoją kartą kredytową.

Po południu wszyscy trzej byli już mocno zmęczeni. Zameldowawszy się w hotelu, wzięli prysznic i zeszli do restauracji. Wybrali stolik na zewnątrz, przy brzegu sporej sadzawki z kaczkami i fontannami na środku. Keith zamówił tagliatelle, a James i Junior po półfuntowym hamburgerze z frytkami. Podczas gdy czekali na jedzenie, kelnerka podała chleb z orzechami i oliwę z oliwek.

– Myślę, że tutaj możemy bezpiecznie porozmawiać – powiedział Keith. – Chyba że przyjechała za nami banda gliniarzy i w tej chwili celują w nas kierunkowym mikrofonem z krzaków za sadzawką.

James oderwał wzrok od kaczek walczących o okruszki chleba, które zresztą rzucił sam, zanim zauważył tabliczkę z napisem: „Prosimy nie karmić kaczek".

– Porozmawiać o czym? – zainteresował się Junior.

– O czymkolwiek.

– Sądzi pan, że gliny pana podsłuchują? – zapytał James.

– Założyli mikrofony wszędzie – oświadczył Keith. – W domu w Luton, w domu w Miami, w moich samochodach, biurach... Doprawdy nie wiem, komu z moich ludzi mogę jeszcze ufać. Ściga mnie nawet służba bezpieczeństwa.

– MI5? – domyślił się James.

Keith przytaknął.

– Mają mnie na oku od czasu doniesień o korupcji wewnątrz operacji „Ścieżka". Jeden z moich pewniejszych informatorów twierdzi, że George współpracuje z policją. Nie bardzo w to wierzę, ale pewności nie mam. George ma rodzinę, dwójkę dzieci. Jeśli gliniarze zagrozili mu długim wyrokiem, kto wie, co im obiecał.

– Każesz go sprzątnąć? – zapytał Junior.

Keith parsknął śmiechem.

– Synu, gdybym zabijał za każdym razem, gdy słyszę plotkę o tym, że ktoś donosi, byłbym seryjnym mordercą. Większość tych pogłosek rozpuszcza policja w nadziei, że dojdzie do tarć wewnątrz organizacji. Odpłacamy im pięknym za nadobne, oskarżając porządnych gliniarzy o branie w łapę.

– A kazałeś kiedyś kogoś zabić? – dopytywał się Junior.

– Kiedy mam problemy, każę swoim ludziom uwolnić mnie od nich. Nie obchodzi mnie, czy będą łaskotać kolesia, dopóki nie obieca, że będzie grzeczny, czy wyrzucą go z dziesiątego piętra.

– Ekstra! – wyszczerzył się Junior.

– Kojarzycie tę scenę z filmu, w której samochód pędzi w stronę przepaści, a za nim jadą radiowozy? Wszyscy myślą, że ja jestem teraz właśnie w takiej sytuacji. Ale gliny nie wiedzą jednego.

– Czego? – spytał Junior.

– Że wysiadłem z samochodu – powiedział Keith. – Wszyscy myślą, że przyjechałem tu kupować narkotyki i podnosić GKM z gruzów. Zostawiłem nawet kilka śladów wiodących w tym kierunku. W rzeczywistości spłacam zobowiązania i organizuję finanse. Posiedzę w Stanach kilka miesięcy, a kiedy awantura w kraju przycichnie, zamierzam spocząć na laurach. Ostatecznie, ile milionów można potrzebować do szczęścia?

– To super, tato – ucieszył się Junior. – Nie chcę, żebyś poszedł do więzienia.

– Co będzie z GKM? – dociekał James.

– Przypuszczam, że rozpadnie się na tysiąc kawałków – odparł Keith. – Część ludzi wyląduje za kratkami, inni nawiążą kontakt z moimi dostawcami i zaczną importować kokainę na własną rękę. Za rok, dwa lata nikt już nawet o mnie nie wspomni. Na ulicy będą sprzedawać kokę ci sami ludzie co zawsze. Zmienią się tylko ci, którzy dostarczają im towar i napychają pieniędzmi zagraniczne konta. Za cztery, pięć lat jedna grupa zdominuje pozostałe. Nowy GKM. Policja uruchomi kolejną operację w rodzaju „Ścieżki", rozbije gang, cykl zacznie się od nowa.

– Nie wierzę, że rozbicie GKM nie wpłynie jakoś na handel narkotykami – stwierdził James.

Keith uśmiechnął się.

– Policja ma cięcia budżetowe i limity wydatków, a handlarze stosy pieniędzy. To tak jakby paru dwunastolatków stanęło do walki z całą drużyną rugby. Policja może zadać kilka celnych ciosów, ale prędzej czy później i tak dostaną po tyłku.

– A jeśli jednak pana przymkną? – spytał James.

– Wydaję majątek na łapówki i legalne honoraria, więc bądźmy dobrej myśli.

Nadeszła kelnerka z trzema talerzami.

– A zresztą cała ta poważna gadka zaraz zepsuje mi apetyt – oznajmił Keith, ujmując sztućce. – Jedzmy. Chcecie iść wieczorem do kina?

*

James poczekał, aż Junior zaśnie, po czym wymknął się z pokoju. Przyczaiwszy się we wnęce z dozownikiem lodu i automatem z pepsi, zadzwonił do Johna Jonesa i opowiedział mu o planach Keitha Moore'a.

– Dzięki informacjom z laptopa Keitha wytropiliśmy kolejną część jego pieniędzy – powiedział John. – Zacząłem nawet podejrzewać, że Keith nie przyjechał do Miami po narkotyki, i to, co mówisz, potwierdza moją teorię, ale wciąż nie wydaje mi się, by powiedział ci całą prawdę.

– Czemu tak sądzisz? – spytał James.

– Sprawdziliśmy historię jednego z kont na Trynidadzie. Keith właśnie kupił pakiet amerykańskich obligacji skarbowych za pół miliona dolarów w imieniu Erin Moore. Skontaktowaliśmy się z bankiem i poprosiliśmy o szczegóły. Keith Moore powierzył obligacje bankowi z poleceniem sprzedania ich w osiemnaste urodziny Erin Moore i wypłacenia jej pieniędzy. W podobny sposób Keith zabezpieczył Juniora, April i Ringa. Utworzył także fundusz powierniczy dla byłej żony. Spłacił hipoteki dwóch domów w Anglii i sprzedał dom w Miami za mniej, niż jest wart, żeby jak najszybciej dostać pieniądze.

– Ale mnie mówił, że zostanie w Miami, dopóki sprawa nie przycichnie – zdziwił się James.

– Nowy właściciel wprowadza się do domu w Miami za trzy tygodnie. W dodatku nie mamy pojęcia, co się stało z jedenastoma milionami dolarów, które wziął za dom.

– Myślisz, że kupił za nie narkotyki?

– Nie sądzę.

– No to co on knuje?

– Ile łodzi widziałeś, od kiedy jesteś w Miami? – spytał John.

– Miliony – odrzekł James. – Są wszędzie.

– Otóż mam wrażenie, że Keith, skoro już zabezpieczył całą swoją rodzinę, zamierza wskoczyć na pokład jednej z takich łódek i zniknąć jak obłok dymu.

– Jak to?

– Keith czuje, że pętla się zaciska. Ma informatorów w operacji „Ścieżka", a zatem musi wiedzieć, że udało nam się zebrać wystarczającą ilość dowodów, by wsadzić go za kratki na wiele lat.

– Dokąd ucieknie?

– W Ameryce Południowej jedenaście milionów zielonych wystarczy na bardzo długo. Ja stawiałbym na Brazylię. Łatwo jest zniknąć w kraju z dwustu milionami obywateli. Od jakiegoś skorumpowanego wysokiego urzędnika Keith bez trudu kupi nową tożsamość. Może nawet zafunduje sobie operację plastyczną, żeby zmienić wygląd.

– A co z jego dziećmi i w ogóle?

– Finansowo są ustawione na całe życie – wyjaśnił John. – Keith z pewnością dopilnował, by pieniędzy, jakie zostawił rodzinie, nie dało się połączyć z żadną nielegalną działalnością.

– Ale jeśli ucieknie, już nigdy ich nie zobaczy.

– Tkwiąc w celi, też nieczęsto by się z nimi widywał. Wciąż powtarzasz, że Keith jest w wyśmienitym nastroju. Moim zdaniem to tylko maska. Dla niego nadszedł czas podejmowania decyzji, a żadna z nich nie jest łatwa.

– Co zrobicie, by nie pozwolić mu zniknąć? – spytał James.

John westchnął w słuchawkę.

– I tu mamy kłopot. Poprosiliśmy Amerykanów o pomoc w roztoczeniu stałego nadzoru nad Keithem, ale mogli nam dać tylko jednego agenta DEA. Zaproponowaliśmy nawet, że pokryjemy koszty, ale brakuje im ludzi, a mają wielu własnych złoczyńców do łapania. Planujemy kolejne spotkania i negocjacje z jankesami, co nie zmienia faktu, że przez następnych kilka dni nikt nie będzie w stanie powstrzymać Keitha Moore'a od wymknięcia się w środku nocy.

– Z wyjątkiem mnie – zauważył James.

– Pamiętaj, że uczestniczysz w tajnej misji – przypomniał John. – Dla otoczenia masz być zwyczajnym dzieckiem, więc nie mieszaj się w to. Jedyne, co ci wolno, to zadzwonić do mnie, kiedy uznasz, że Keith chce dać nogę.

Słysząc zbliżające się kroki, James szybko przerwał połączenie. Korytarzem szedł Keith, w hotelowym szlafroku, z wiaderkiem na lód w dłoni. James był w koszulce i bokserkach, więc nie miał gdzie schować komórki.

– Nie możesz zasnąć? – zapytał Keith. – Do kogo dzwonisz o tej porze?

Dzieci z CHERUBA uczy się, by zawsze miały przygotowaną wymówkę.

– Do Zary – odrzekł James. – W domu jest ranek, a Joshua zawsze budzi się wcześnie.

– Większość komórek nie działa w Ameryce – zauważył Keith. – Musisz mieć trzypasmową.

Telefon został przerobiony przez służby wywiadu tak, by działał w każdej sieci na świecie, ale James nie mógł tego zdradzić Keithowi.

– Może... Nie znam się. – James zrobił głupią minę. – Normalnie włączyłem i zadziałała. Wyszedłem na korytarz, żeby nie budzić Juniora.

– Wiesz, że dzwonienie z komórki ze Stanów kosztuje jakieś cztery funty za minutę?

– Serio? – zachłysnął się James, udając przerażonego. – Ewart mnie zabije, jak zobaczy rachunek.

Keith napełnił wiaderko z dozownika i zaczął wrzucać monety do automatu.

– Chyba się odwodniłem, biegając przez cały dzień na słońcu – wyznał. – Obudziło mnie koszmarne pragnienie. Chcesz pepsi?

James skinął głową.

– Chętnie.

Keith wrzucał kolejne monety, dopóki maszyna nie wypluła drugiej puszki. Wręczył ją Jamesowi, po czym obaj jak na komendę otworzyli swoje napoje i pociągnęli po kilka słusznych łyków.

– Jestem panu bardzo wdzięczny, że zabrał mnie pan tutaj na ferie. Ewarta i Zary nie stać na wysyłanie nas za granicę – wyjaśnił James.

– Nie ma sprawy – rzucił Keith z uśmiechem. – Kiedy Ringo oświadczył, że nie jedzie, to ja zaproponowałem, żeby wziąć ciebie.

– Naprawdę? – zdumiał się James. – Dlaczego?

– Jesteś jedynym kumplem Juniora, który potrafiłby o niego zadbać, gdyby wydarzyło się coś złego.

– Złego, na przykład co? – dopytywał się James.

– W każdej chwili mogą mnie aresztować, James. Wiem, że Junior uważa się za twardziela, ale w rzeczywistości wychował się pod kloszem i jestem spokojniejszy, kiedy ma obok siebie kogoś takiego jak ty.

– W Miami ma pan George'a – zauważył James.

Keith uśmiechnął się lekko.

– Junior nadaje się do dwóch rzeczy: rozwalania głów i mycia samochodów. Znam go od przedszkola i naprawdę kocham, ale mówiąc szczerze, to cud, że potrafi zawiązać sobie sznurówki.

– Kto wie, może nigdy pana nie zgarną – powiedział James.

– Życie jest pełne niespodzianek – westchnął Keith. – O tym mogę cię zapewnić.

Nagle odbiło mu się basowym grzmotem, który poniósł się echem wzdłuż korytarza. James zachichotał i odpowiedział cienkim beknięciem.

– Żałosne – skomentował Keith. – Słuchaj teraz.

Keith odchylił głowę do tyłu, opróżnił puszkę kilkoma haustami, po czym wytoczył z trzewi najdłuższe i najgłośniejsze beknięcie, jakie James kiedykolwiek słyszał. Traf chciał, że korytarzem przechodziła starsza Amerykanka. Miała ogromne, prostokątne okulary i pomarszczoną twarz kogoś, kto zbyt dużą część życia spędził na słońcu.

– Co za maniery! – fuknęła groźnie.

– Przepraszamy, proszę pani – powiedział Keith, chichocząc. – Dopilnuję, by chłopak już tak nie robił.

Z tymi słowy lekko klepnął Jamesa w tył głowy.

– To nie ja! – zaprotestował James, z trudem powstrzymując się od śmiechu.

Kobieta zrobiła jeszcze kilka kroków i zatrzymała się przed drzwiami swojego pokoju. Podczas gdy przetrząsała torebkę w poszukiwaniu karty magnetycznej, Keith wystąpił na korytarz i beknął jeszcze raz, nie tak donośnie jak poprzednim razem, ale i tak efektownie. James nie zdołał się opanować i wybuchł niekontrolowanym rechotem. Kobieta rzuciła im tak groźne spojrzenie, że James nie zdziwiłby się, gdyby z jej oczu wystrzeliły promienie laserowe.

– Kiedyś w tym hotelu mieszkali przyzwoici ludzie! – zawołała gniewnie. – Niechże zachowuje się pan jak dorosły!

Trzasnęły drzwi jej pokoju. James i Keith zataczali się ze śmiechu jeszcze przez jakieś dziesięć minut, aż rozbolały ich boki.

Keith spojrzał na zegarek.

– Lepiej idź do łóżka. Minęła północ, a jutro jedziemy do następnego parku rozrywki.

James wśliznął się do swojego pokoju, uważając, by nie obudzić Juniora. Po krótkiej wizycie w ubikacji wsunął się między swoje prześcieradła. Był zmęczony, ale jego mózg pracował pełną parą, gdy leżał wpatrzony w sufit, wsłuchany w spokojny oddech Juniora.

Zastanawiał się, czy Keith naprawdę planuje zniknięcie. Wydało mu się szalenie smutne, że facet, któremu zawdzięczał wakacje życia, musi wybierać pomiędzy dwudziestoletnią odsiadką a ucieczką i rozstaniem z rodziną. James zadawał sobie pytanie, co by zrobił, gdyby zauważył, że Keith szykuje się do ucieczki. Złapałby za telefon od razu czy raczej dał handlarzowi trochę czasu?

*

Keith i chłopcy opuścili hotel wczesnym rankiem, by pojechać do Disneyworldu. Popołudnie spędzili, chłodząc się w parku wodnym, i dopiero kiedy zaczęło się ściemniać, ruszyli w pięciogodzinną podróż powrotną do Miami.

W czwartek James ocknął się późnym rankiem na łożu z baldachimem w domu w Miami. Leżał na kołdrze w butach i ubraniu, które miał na sobie poprzedniego dnia. Ostatnia rzecz, jaką pamiętał, to powolne zasypianie na tylnym siedzeniu samochodu. Teraz desperacko potrzebował prysznica, a w ustach miał smak starego kapcia, ale zanim udał się do łazienki, zszedł na dół, by sprawdzić, czy Keith wciąż jest z nimi.

George, Keith i Junior, wszyscy w samych kąpielówkach, siedzieli przy barku śniadaniowym w kuchni i oglądali talk-show.

– Jest nasza śpiąca królewna – ucieszył się Keith.

Junior zaczął się śmiać.

– No co? – James był nieco zdezorientowany.

– Szczypałem cię w policzki i szarpałem, ale nawet nie otworzyłeś oka – powiedział Keith. – Musiałem poprosić George'a, żeby zaniósł cię na górę i ułożył do snu.

– Byłeś cały czerwony na twarzy – zachichotał Junior. – Wyglądałeś jak mały aniołek.

– Nic nie pamiętam. – James potrząsnął głową. – Boże... Taki wstyd.

– Wszystko przez te rozmowy telefoniczne o północy – orzekł Keith. – Za mało śpisz.

Jamesa zmroziła nagła myśl. Przegapił nocny kontakt i John Jones na pewno się martwił.

– Lepiej pójdę się odświeżyć – rzucił James.

W sypialni otworzył torbę, z którą pojechał do Orlando, i odszukał telefon. Kiedy spróbował go włączyć, okazało się, że jest rozładowany. Zaczął przetrząsać pokój, dopóki nie znalazł ładowarki i przejściówki na sto dziesięć woltów. Komórka ożyła, kiedy tylko podłączył ją do sieci.

– A, nasz Rip Van Winkle – ucieszył się John. – Jak się czujesz?

– Nie zaczynaj – mruknął James. – Skąd o tym wiesz?

– Kiedy minęła pierwsza, a ja wciąż nie miałem sygnału od ciebie, zacząłem się niepokoić. Namierzyliśmy sygnał twojej komórki i okazało się, że właśnie wracacie z Orlando. Potem twój telefon przestał nadawać.

– Rozładował się – wyjaśnił James. – Zapomniałem zasilacza.

– To poważny błąd operacyjny – cmoknął John. – Ale, jak sądzę, możemy wziąć poprawkę na fakt, że masz dopiero trzynaście lat.

– Cieszę się, że MI5 bierze na coś poprawki. CHERUB nie ma tego w zwyczaju – zaśmiał się James.

– Wracając do tematu, pomyślałem, że lepiej sprawdzę, co z tobą, i ukryłem się w zaroślach przy domu. Widziałem, jak George wyciąga cię z samochodu. Wyglądałeś jak sześcioletni malec, wtulony w jego wielkie, tłuste ramiona.

– Będę się tego wstydził do końca życia – westchnął James. – Tak czy owak, poza tym, że zrobiłem z siebie kretyna, wczoraj nie wydarzyło się nic szczególnego. A jak po twojej stronie?

– Jankesi chcą nam pomóc w ujęciu Keitha, ale nie mają ludzi. Sądzimy, że zebraliśmy dość dowodów, by postawić Keithowi zarzuty dotyczące przestępstw podatkowych i prania pieniędzy, ale za to grozi mu zaledwie od dwóch do pięciu lat więzienia. Chcieliśmy poczekać, aż będzie można wsadzić go za narkotyki, ale wobec braku całodobowego nadzoru i ryzyka zniknięcia podejrzanego postanowiliśmy wkroczyć od razu.

– Ekstradycja? – spytał James.

– Zgadza się, James. Jeszcze dziś policja z Bedfordshire zwróci się do DEA z prośbą o zatrzymanie Keitha pod zarzutem przestępstw podatkowych i odesłanie go do Wielkiej Brytanii. Musimy jeszcze przedstawić dowody amerykańskiemu sędziemu, który wystawi nakaz. Zebranie dokumentów i zorganizowanie posiedzenia zajmie co najmniej jeden dzień.

– I macie nadzieję, że przez ten czas Keith nie da nogi.

– Dokładnie – przytaknął John. – Aha, i jeszcze jedno. Mam dla ciebie wiadomość od Zary. Dr McAfferty postanowił wycofać siły CHERUBA z operacji bez względu na to, czy uda się przyskrzynić Keitha, czy nie. Powiedz Juniorowi i Keithowi, że Ewartowi zaproponowano lepszą pracę, więc przeprowadzacie się do Londynu.

29. NOC

Wieczorem James i Junior obejrzeli horror na DVD. Kiedy skończył się film, James wstał, by wrócić do swojej sypialni.
– Ta kanapa jest rozkładana – powiedział Junior. – Możesz spać tutaj, jeśli chcesz.
James uśmiechnął się.
– Boisz się zostać sam? Myślisz, że ten koleś z zakrwawioną siekierą wparuje tutaj przez okno?
– Nie – odparł Junior lekko urażonym tonem. – Pomyślałem tylko, że fajnie by było pogadać i w ogóle.
James przyniósł swoją poduszkę i kołdrę, a Junior rozłożył kanapę. Chłopcy wyłączyli światło, by po ciemku roztrząsać ważkie życiowe kwestie: Gdybyś mógł mieć każdy samochód na świecie, jaki byś wybrał? Gdzie byś zamieszkał, gdybyś mógł mieszkać wszędzie?
– Polizałbyś psu tyłek za milion funtów? – spytał Junior.
James zastanawiał się tylko sekundę.
– Tak.
Junior zatrząsł się ze śmiechu.
– Bleee! James, ty obrzydliwcze!
– Łatwo ci mówić, bo masz nadzianego tatę – rzekł James ze śmiechem. – Milion funtów odmieniłby moje życie. Nie musiałbym pracować, miałbym porządny dom, samochód...
– A gdyby kazano ci to zrobić w telewizji, tak żeby wszyscy widzieli?

James wzruszył ramionami.

– Bez różnicy. Milion ustawiłby mnie na całe życie.

– No dobra... – Junior namyślał się przez chwilę. – A jaka jest najniższa cena? Zrobiłbyś to za dziesięć tysięcy?

– W życiu!

– No to za ile?

– Bo ja wiem... Pół miliona?

Na suficie rozpostarł się trójkąt światła, a w uchylonych drzwiach pojawiła się głowa.

– Dajcie już spokój, chłopcy, bądźcie rozsądni – poprosił Keith. – Jest pierwsza w nocy. Wyjeżdżamy wcześnie rano i znów będziecie nieprzytomni. Przestańcie gadać i śpijcie.

Chłopcy z trudem powstrzymywali śmiech.

– Dobranoc, tato – wykrztusił Junior.

– Idźcie spać – polecił Keith i zamknął drzwi.

Chłopcy odczekali dłuższą chwilę, dopóki nie nabrali pewności, że Keith wrócił do swojej sypialni. Pierwszy odezwał się Junior.

– Wiesz, co mnie męczy? – wyszeptał. – Kiedy przeprowadzicie się do Londynu, pewnie już nigdy nie zobaczę ciebie ani Nicole.

– Mnie też będzie ciebie brakowało – przyznał James. – Jesteś jednym z najfajniejszych kumpli, jakich kiedykolwiek miałem.

– Może moglibyśmy odwiedzać się w wakacje?

– Może – powiedział James, choć wiedział, że to niemożliwe. – To tylko pół godziny jazdy pociągiem. A wiesz, co jest najgorsze?

– Co?

– Że nie spotkamy się już na ringu.

Junior zastanawiał się przez chwilę.

– Chcesz walczyć teraz?

James uniósł się na łokciu.

– Twój tata się wścieknie.

– Na dole w siłowni jest worek treningowy i kilka par rękawic. Możemy walczyć na plaży w świetle księżyca. Jak staniemy blisko morza, to z domu nie będzie nas widać.

James usiadł na łóżku.

– Dobra – rzucił z zawadiackim uśmiechem. – Tylko żebyś nie poleciał na skargę do tatusia, kiedy już dam ci wycisk.

Junior skrzywił się drwiąco.

– Jesteś bardzo pewny siebie jak na kogoś, kto walczył tylko w sparingu.

Junior włączył lampkę nocną i założył zegarek. Chłopcy włożyli szorty i buty, po czym przekradli się na dół po rękawice. James nie krył zaskoczenia na widok ich niewielkich rozmiarów.

– Takich używają zawodowcy – wyjaśnił Junior szeptem. – Mają znacznie cieńszą wyściółkę niż amatorskie. W nich to już zaczyna boleć.

– Macie tu gdzieś kaski? – zapytał James.

– Walczymy jak mężczyźni – oświadczył Junior. – Żadnej taśmy, żadnych kasków, żadnych ochraniaczy, zawodowe rękawice. Chyba się nie boisz, co?

James zaczął się zastanawiać, czy to na pewno dobry pomysł. Jego przełożeni z CHERUBA nie byliby zachwyceni, gdyby zrobił sobie coś złego podczas niepotrzebnej nocnej walki bokserskiej. Był jednak zbyt dumny, by się wycofać.

Przekradając się przez salon, zmartwieli ze strachu, kiedy George głośno zachrapał. Wielki ochroniarz zasnął tu przed telewizorem. Junior ostrożnie rozsunął drzwi tarasu i chłopcy wymknęli się na plażę.

Trwał odpływ. Księżyc świecił jasno, a biały piasek przyjemnie skrzypiał pod gumowymi podeszwami butów. Junior znalazł patyk i nakreślił nim koślawy kwadrat ringu. Potem przełączył zegarek na minutnik i ustawił na trzy minuty.

– Trzy rundy po trzy minuty – zarządził. – Kto poleci na deski trzy razy, ten odpada.

James wciągnął zębami drugą rękawicę. Był trochę niespokojny.

– Do narożników – powiedział Junior.

Pisnął minutnik i chłopcy ruszyli na siebie, wymieniając pierwsze ciosy. W rękawicach amatorskich nawet mocne uderzenie praktycznie nie boli, ale pierwsza salwa Juniora w lekkich rękawicach zawodowych spadła na Jamesa niczym tona cegieł. Jeden z ciosów wytrącił go z równowagi i na chwilę pozbawił tchu. Gdy James zatoczył się do tyłu, Junior ulokował kolejną bombę pod gumką jego szortów, momentalnie składając go wpół. Trzeci cios spadł Jamesowi na głowę, posyłając go na mokry piasek.

– To było poniżej pasa – stęknął James, trzymając się za brzuch.

Walka trwała zaledwie kilka sekund, ale noc była ciepła i chłopcy ociekali potem.

– Wcale nie – wydyszał Junior, opierając dłonie na kolanach. – To się liczy jako mój pierwszy knockdown.

James wstał z wysiłkiem. Zwykle lubił emocje podczas walki na pięści, ale Junior był nadzwyczajnie szybki i silny. James nie mógł się oprzeć wrażeniu, że ugryzł więcej, niż może przełknąć.

– A więc koniec z czystą walką, tak? – zawarczał, powstrzymując wybuch gniewu. – Jak dla mnie, może być.

Wyprowadził błyskawiczny cios. Junior nie był gotowy i pięść w cienkiej rękawicy zmiażdżyła mu nos. W następnym ułamku sekundy potężny podbródkowy podbił mu głowę do tyłu.

– Stój! – wrzasnął Junior, zasłaniając twarz ramieniem i kuląc się z bólu. – Jezu Chryste...! Ty idioto!

– Co? – James był nieco zdezorientowany.

– Masz piasek na rękawicach! Dostał mi się do oka.

Junior zerwał jedną rękawicę i zaczął gorączkowo przecierać oko.

– Przepraszam, nie wiedziałem – powiedział James. – Nic ci nie jest?

Junior uśmiechnął się krzywo, wciąż próbując wymrugać piasek z oka.

– Wiesz co? – rzucił po chwili. – Przede wszystkim to wina tego kretyna, który wpadł na ten głupi pomysł.

James roześmiał się.

– Czyli twoja.

– Niech będzie remis, co, James?

– Niech będzie – zgodził się James, ściągając rękawice. – Teraz wiemy, dlaczego nie ma boksu plażowego.

– Idę do wody – oznajmił Junior, ściągając buty. – Muszę zmyć z siebie pot.

W tej samej chwili Jamesowi wydało się, że słyszy odległy huk.

– Słyszałeś to? – spytał, unosząc palec.

– Co?

– Coś walnęło. W domu.

Junior uśmiechnął się.

– Może to George spadł z kanapy.

– Tak – roześmiał się James. – Albo przyszedł ten maniak z siekierą.

Junior wszedł po pas do wody i zanurkował, wykonując salto pod wodą. James opadł na plecy i pozwolił, by fale znosiły go ku plaży.

– Miałeś kiedyś koszmary po obejrzeniu horroru? – spytała głowa Juniora, która wyłoniła się nagle obok Jamesa.

– Widziałeś film *Siedem*? – odparł James, patrząc w niebo.

– Uwielbiam ten film. Jest totalnie chory.

– Kiedyś, kiedy moja mama jeszcze żyła, zrobiłem jej awanturę, żeby pozwoliła mi go obejrzeć. No i pozwoliła. W środku nocy obudziłem się przerażony i wlazłem jej do

łóżka. Moja siostra Laura nabijała się ze mnie przez tydzień.

– Siostra? – zdziwił się Junior.

– No... cioteczna – nerwowo poprawił się James. – To
było w wakacje. Laura mieszkała z nami przez jakiś czas.

– Ringo lubił się ze mną drażnić, kiedy byłem mały – wyznał Junior. – Kiedy chciałem obejrzeć *Pingu*, on włączał
Terminatora, żeby mnie wystraszyć.

Chłopcy wyszli na brzeg.

– Lepiej chodźmy już spać – zaproponował James, podnosząc rękawice i wsuwając zapiaszczone stopy w buty. –
Nie mogę się doczekać tej przejażdżki ślizgaczami.

– Zwykle nie robimy nawet połowy tych fajnych rzeczy,
które zrobiliśmy na tym wyjeździe – zauważył Junior. –
Z jakiegoś powodu mój tata bardzo cię polubił.

James pomyślał, że Keith rozpieszcza ich tylko dlatego, że
lada chwila ma zniknąć, po czym najpewniej już nigdy w życiu nie zobaczy swojego syna. Chłopcy ruszyli w stronę domu, chlapiąc wodą kapiącą z mokrych szortów. Junior odwrócił się i zaczął iść tyłem, wpatrzony w bezkresny ocean.

– Tylko pomyśl – powiedział nagle, rozkładając szeroko
ramiona. – Jeżeli doliczyć różnicę czasu między Miami
a Londynem, to za mniej niż trzy dni będziemy szykować
się do kolejnego nędznego poniedziałku w szkole Grey
Park.

– Musisz mi przypominać? – zdenerwował się James. –
Jak tam twoje oko, już w porządku?

– Trochę piecze. Szkoda, że nie możemy stoczyć porząd-
nej walki.

James rozsunął szklane drzwi i wszedł do salonu. Tuż
za progiem pośliznął się na czymś mokrym i musiał oprzeć
się dłonią o ścianę, żeby odzyskać równowagę. Światło
w kuchni było włączone, a George leżał na podłodze obok
kanapy.

– Coś jest nie tak – wycedził James pod nosem.

Junior wyszczerzył zęby w uśmiechu.

– A co? Przyszedł ten z siekierą?

– Mówię poważnie – powiedział James, odrywając stopę od lepkiej plamy na podłodze.

Omal nie zemdlał, kiedy uświadomił sobie, że to krew.

– Daj spokój, James – żachnął się Junior. – Nie nastraszysz mnie.

Junior przeszedł przez próg i zobaczył George'a.

– Ha! Naprawdę spadł z kanapy! – zaśmiał się głośno.

James przykucnął i włączył lampę na stole. Junior spojrzał na George'a, na swoje zakrwawione buty i wydał z siebie przeraźliwy wrzask.

30. ZWŁOKI

Jamesa wciąż prześladowało wspomnienie zimnego dotyku palców mamy leżącej bez życia przed telewizorem. Zwłoki George'a nie wywarły na nim aż tak mocnego wrażenia, choć widok był straszniejszy. Z otworu po kuli na piersi sączyła się krew. Ściekała po ramieniu, a potem płynęła wzdłuż spoin między płytkami mozaiki, tworząc sieć czerwonych linii prowadzących do kałuży przy rozsuwanych drzwiach. James miał wrażenie, że wszystko dzieje się w zwolnionym tempie. Czuł każdą pojedynczą wibrację w krzyku Juniora i obserwował tryskające mu z ust kropelki śliny.

W głowie przerażonego Jamesa zrodziła się myśl: Keith zastrzelił George'a za zdradę i zniknął. Ale teoria runęła, kiedy James wypadł na korytarz i zajrzał przez uchylone drzwi do kuchni. Trzej uzbrojeni mężczyźni przytrzymywali Keitha na stołku przy barku śniadaniowym. Wyglądało na to, że go bili.

– Zostawcie chłopców! – zawołał Keith, kiedy usłyszał krzyk Juniora. – Wszystko wam powiem.

James wiedział, że ma zaledwie milisekundy, zanim jeden z bandytów wyjdzie z kuchni z wymierzoną przed siebie bronią. Odwrócił się do Juniora, który stał sztywno w drzwiach wpatrzony w ciało George'a.

– Uciekaj! – krzyknął James. – Sprowadź pomoc!

Junior otrząsnął się z paniki na tyle, by zrozumieć polecenie. Nie zwlekając, zeskoczył z drewnianego pomostu i puścił się sprintem wzdłuż plaży. James miał nadzieję, że wykaże dość rozsądku, by zastukać do któregoś z sąsiadów i wezwać policję. Sam zamierzał pobiec za Juniorem, ale nim zdążył choćby drgnąć, z kuchni wypadł mężczyzna o wyglądzie przestępcy. Przez przepoconą koszulkę opinającą węzły mięśni przeświecały skomplikowane tatuaże.

– Ty, dzieciak, chodź no tutaj – zawołał zakapior, machając lufą pistoletu.

James rzucił się w kierunku najbliższych drzwi i wpadł do pokoju, w którym Keith trzymał swój sprzęt muzyczny i kolekcję płyt.

– Ej! – wrzasnął wściekle osiłek. – Tak ze mną pogrywasz? Zginiesz, zanim dotrzesz do drzwi.

Mówił trochę jak Meksykanin. James nie wiedział, czego intruzi chcieli od Keitha, ale dowiedli już, że są gotowi zabijać, a on nie zamierzał zostać ich następną ofiarą. Rozważył pomysł ucieczki przez okno, ale w tym pokoju było ono pod samym sufitem. Nie zdążyłby się wspiąć.

W drzwiach tkwił klucz. James przekręcił go, zyskując kilka dodatkowych sekund. Podczas gdy bandzior mocował się z klamką, zastawił drzwi fotelem i zaczął w panice rozglądać się za jakąkolwiek bronią.

– Otwieraj albo cię rozwalę! – zawołał bandyta, łomocąc w drzwi pięścią.

James zdjął ze stojaka jedną z winylowych płyt Keitha. Ze szkolenia podstawowego pamiętał, że łamiąc przedmiot z twardego plastiku, można sporządzić prowizoryczny sztylet. Oparł płytę w kopercie o ścianę i wdepnął w nią zakrwawionym butem.

Mężczyzna natarł na drzwi ramieniem. Wytrzymały. Jeden z jego kolegów zawołał z kuchni:

– Pomóc ci?

Bandyta był pewny siebie.

– To tylko jakiś cwany gówniarz, który zaraz będzie mnie błagał o litość.

Rozległy się trzy ogłuszające strzały. W miejscu zamka w drzwiach ziała teraz poszarpana dziura. James wysypał odłamki płyty z koperty i wybrał najdłuższy kawałek tego, co przed sekundą było cennym, wytłoczonym na purpurowym winylu wydaniem Led Zeppelin IV.

Dwoma brutalnymi kopniakami bandzior utorował sobie drogę do pokoju. James przywarł do ściany tuż za drzwiami, ściskając w dłoni trójkąt z purpurowego winylu. Serce waliło mu, jakby chciało wyrwać się z piersi. Jeśli cokolwiek pójdzie nie tak, skończy z kulką w głowie.

W chwili gdy ujrzał wyłaniający się zza drzwi pistolet, złapał za lufę, jednocześnie wbijając ostry plastik w nadgarstek napastnika. Mężczyzna zawył z bólu. Palce rozwarły się i James chwycił pistolet. Natychmiast przypadł plecami do przeciwległej ściany i obrócił broń tak, by trzymać palec na spuście.

Zbir wyrwał sobie plastik z ręki i gniewnym kopniakiem usunął z drogi fotel. Stanął naprzeciw Jamesa z drwiącym uśmieszkiem na twarzy.

– Duża spluwa jak na takiego chłopaczka, co? – powiedział, prezentując pożółkłe uzębienie.

W kuchni wybuchło jakieś zamieszanie. Keith Moore zawył z bólu.

– Nna kolana i ręce za głowę – wyjąkał James.

Mężczyzna podszedł o krok bliżej. James przypomniał sobie, czego uczono go na treningu strzeleckim. Z bezpiecznej pozycji wolno strzelać tak, by ranić, ale wobec zagrożenia życia nie można sobie pozwolić na chybiony strzał. Należy mierzyć w największy cel: klatkę piersiową.

– Nie ruszaj się, bo strzelę! – zawołał James rozpaczliwie.

Pistolet w rozdygotanych rękach ważył milion ton. Bandyta zignorował ostrzeżenie i przysuwał się coraz bliżej.

James nie chciał strzelać, ale co mu pozostało? Wstrzymał oddech, by uspokoić lufę.

– Nikogo nie zabijesz, mój mały – szydził mężczyzna, unosząc stopę przed postawieniem kolejnego kroku.

Powietrzem targnął ogłuszający huk. Pocisk, wystrzelony z odległości niespełna dwóch metrów, trafił mężczyznę w pierś, rzucając go do tyłu, prosto na przewrócony fotel. Oszołomiony faktem, że właśnie strzelił do żywego człowieka, James poczuł przypływ mdłości. Opanował się jednak i przeskoczywszy nad krwawiącą ofiarą, wypadł na korytarz.

Wparował do salonu, chcąc umknąć na plażę, ale przez otwarte drzwi ujrzał kolejnego uzbrojonego mężczyznę prowadzącego Juniora w stronę domu. Wycofał się na korytarz, mając nadzieję, że nie został dostrzeżony. Miał tylko sekundę do namysłu. Wiedział, że zaintrygowani wystrzałem kumple postrzelonego lada chwila wyjdą go szukać, ale ucieczka frontowym wejściem była możliwa tylko przez kuchnię, w której tamci siedzieli, co równało się samobójstwu. To znaczyło, że została mu tylko jedna droga.

Wciąż ściskając w dłoni pistolet, James pobiegł na górę. Zamknął się w pokoju, zgarnął komórkę ze stolika przy łóżku i zadzwonił do Johna Jonesa. Odebrała kobieta.

– Chcę mówić z Johnem Jonesem – wysapał James.

– Jestem Beverly Shapiro – przedstawiła się kobieta. – James Beckett?

– Tak. Gdzie jest John?

– W toalecie. Masz dziwny głos, James. Czy coś się stało? Możesz śmiało ze mną rozmawiać. Jestem agentką DEA i współpracownicą Johna.

James odetchnął z ulgą.

– Dzięki Bogu! Proszę posłuchać, jestem w domu Keitha Moore'a. Na dole jest tłum uzbrojonych bandziorów. Biją Keitha i próbują z niego wyciągnąć jakieś informacje.

– Zawiadomię miejscową policję – powiedziała Beverly.

– Dasz radę wymknąć się z domu?

– Złapali Juniora, kiedy uciekał plażą. Myślę, że obstawili całą posiadłość.

– Dzwonię po gliny. Znajdź sobie jakąś kryjówkę i nie rozłączaj się.

James zastanowił się i doszedł do wniosku, że ukrywając się, nie zapewni sobie bezpieczeństwa na dłużej niż kilka minut. Wiedział też, że policjanci nie zdążą przyjechać w tak krótkim czasie, a kiedy już dotrą, z pewnością nie wkroczą do zajętego przez bandytów domu, ryzykując postrzelenie. James rozważył pomysł zabarykadowania się na szczycie schodów i strzelania do każdego, kto spróbowałby wejść na górę. Sposób mógłby okazać się skuteczny w domu z jednym wejściem na górę, ale willa Keitha Moore'a miała trzy, a nawet cztery, jeżeli liczyć stalowy pomost łączący ją z garażem.

Garaż!

James uświadomił sobie, że to jego jedyna szansa. Ostrożnie wyjrzał na korytarz, wciąż trzymając telefon przy uchu. Beverly zaczęła coś mówić.

– Słucham? – spytał James.

– Powiedziałam, że policja już jedzie. Znalazłeś sobie bezpieczną kryjówkę?

– Tu nigdzie nie jest bezpiecznie – odparł James. – Pewnie już mnie szukają.

– Powiedziałam ci, że masz się ukryć – stanowczo rzekła Beverly. – Zachowaj spokój i czekaj na policję.

– Nie ma mowy. Muszę stąd spadać.

James wepchnął telefon za gumkę mokrych szortów, nie przerywając połączenia. Pognał korytarzem do głównej sypialni, gdzie znalazł spodnie Keitha leżące na podłodze. Wyjął z kieszeni pęk kluczyków i zaczął je gorączkowo przerzucać. Były tam klucze do porsche i mercedesów, ale

James uznał, że największą szansę da mu wielki range rover z napędem na cztery koła.

Kiedy wrócił na korytarz, usłyszał zbliżające się po schodach kroki. Wystrzelił w tamtą stronę jeden pocisk, wiedząc, że to powstrzyma nadchodzących najwyżej na minutę lub dwie.

Ostrożnie uchylił drzwi na końcu korytarza i wyjrzał na zewnątrz. Upewniwszy się, że w pobliżu nie ma nikogo, wstąpił na metalowy pomost łączący dom z garażem. Gdy doszedł do drzwi garażu, otworzył je i zszedł po spiralnych schodach na parter. Odszukał range rovera i usiadł za kierownicą. Wsunął kluczyk do stacyjki, uruchomił silnik i pośpiesznie zapiął pas, by uciąć irytujące bing-bong sygnału ostrzegawczego. Odetchnął głęboko i wcisnął guzik na tablicy rozdzielczej, który, jak pamiętał, otwierał jednocześnie drzwi garażu i bramę.

Drewniane wrota, niespełna metr od przedniego zderzaka samochodu, drgnęły i bardzo powoli zaczęły się rozchylać. James uświadomił sobie, że za chwilę ktoś je usłyszy. Nie mógł czekać. Przełączył dźwignię biegów na jazdę i wdusił pedał gazu do podłogi. Drzwi wybuchły setkami drewnianych odłamków. Ryczący range rover wypadł z garażu i pognał prosto na ceglany mur. James gorączkowo zakręcił kierownicą, by skręcić w stronę bramy, i nagle serce podeszło mu do gardła. Brama posesji wciąż była zamknięta. Przycisk nie działał. James zrozumiał, że bandyci musieli odłączyć bramę od systemu, kiedy włamywali się na posesję. Range rover zapewne byłby w stanie przebić się na zewnątrz, gdyby przed bramą nie stały dwa samochody gangsterów przygotowane do natychmiastowego odjazdu.

James rozglądał się, rozpaczliwie szukając innej drogi ucieczki. Z okna na pierwszym piętrze padł strzał. Pocisk przebił dach samochodu i wywiercił zgrabny otworek w oparciu prawego fotela. James docisnął gaz i obrócił samochód w miejscu. Wycelował range rovera w gęstwinę ogrodu, mając nadzieję, że auto okaże się dość mocne, by przedrzeć się przez setki metrów zarośli. Jeśli tak, to miał szansę na ucieczkę przez plażę za domem.

Przednie opony podskoczyły na kamiennych schodkach. Samochód zaczął piąć się wolno po łagodnym zboczu, kołysząc się z boku na bok, tratując krzewy i wyrywając z korzeniami mniejsze drzewka. Kamienie i gałęzie głośno szorowały o podwozie. Wreszcie auto naparło zderzakiem na masywną palmę, zabuksowało kołami w miejscu i zaczęło zsuwać się do tyłu. Przez tylną klapę przebił się z hukiem kolejny pocisk. James pomyślał, że być może powinien wyskoczyć, ale wtedy automatyczna skrzynia biegów przeskoczyła na najniższe przełożenie. Tylne opony wgryzły się w miękki grunt, złapały przyczepność na warstwie kamieni i samochód znów popełzł w górę, by oprzeć się o drzewo. James z wyczuciem dodał gazu. Po krótkiej walce palma uległa i range rover triumfalnie przekolebał się po zwalonym pniu.

Na szczycie zbocza samochód wypadł na wyłożony płytkami taras, o włos minął ceglany grill i potoczył się w dół, nabierając prędkości. Niskie krzaczki i rabaty od strony oceanu stawiały o wiele mniejszy opór niż palmy. Na dole James w ostatniej chwili ominął oczko wodne i wcisnął gaz do dechy. Musiał rozpędzić auto, żeby przebić się przez ogrodzenie plaży.

Cienki, betonowy słupek rozprysł się na kawałki. Samochód wyrwał potężną dziurę w drucianej siatce, wyjechał przodem poza szczyt murku o wysokości metra i zarył nosem w piasek. Tylne koła obracały się bezradnie w powietrzu, dopóki przednie nie wgryzły się głębiej, pociągając auto do przodu. James wdusił gaz i ruszył wzdłuż plaży. Jechał lekkim slalomem, by uwolnić samochód od dziesięciometrowego odcinka siatki, który przyczepił się do zderzaka.

Kiedy siatka odpadła, świat stał się nagle dziwnie cichy i spokojny. Reflektory wyławiały z mroku kilkaset metrów równego piasku. James wystawił twarz na chłodny powiew klimatyzacji. Spojrzał w lusterko – wyglądało na to, że nikt go nie ściga. Sięgnął do szortów i wyciągnął telefon.

– Beverly, jesteś tam jeszcze?

– Co to były za hałasy?! – John Jones był wyraźnie roztrzęsiony. – Czy ja słyszałem strzały? Jesteś cały? Mów do mnie!

– Nic mi nie jest, ale niewykluczone, że właśnie zabiłem jednego maniaka, no i mają Juniora. Teraz jadę wzdłuż plaży range roverem Keitha. Kiedy znajdę lukę między domami, wyjadę na drogę.

– W porządku. Nikt za tobą nie jedzie?

– Z tego, co widzę, nie.

– Wiesz, jak dojechać do IHOP z miejsca, w którym jesteś?

– No pewnie. To tylko kilka kilometrów.

– Spotkamy się tam za piętnaście minut. Będę z Beverly. Wie, że jesteś moim informatorem, ale nie ma pojęcia o organizacji, więc uważaj na to, co mówisz.

– Spoko – powiedział James.

– Zjedź z plaży najszybciej, jak się da, i prowadź rozsądnie. Lepiej, żeby cię nie dorwała drogówka.

*

Naleśnikarnia była zamknięta, więc przeszli do całodobowego McDonalda po drugiej stronie ulicy. John usiadł naprzeciw Jamesa, a Beverly poszła po ciastka i kawę. James spojrzał w dół na swoje zakrwawione buty.

– Sto dziewiętnaście, dziewięćdziesiąt dziewięć – powiedział z goryczą. – Pierwsza para skradziona, druga nadaje się na śmietnik.

John Jones się roześmiał.

– Może to Bóg na swój sposób próbuje ci powiedzieć, że sto dwadzieścia funtów to nieprzyzwoicie dużo za parę trampek.

Beverly postawiła tacę z kawą na stole i wcisnęła się na plastikową ławeczkę obok Jamesa. Była drobną, mniej więcej dwudziestopięcioletnią kobietą z długimi, kasztanowymi włosami i piegami. Zdecydowanie nie wyglądała na twardą funkcjonariuszkę agencji antynarkotykowej.

– Rozmawiałam z miejscowymi jednostkami – poinformowała. – Bandyci wpadli w panikę, kiedy uciekłeś. Próbowali wywieźć Keitha Moore'a swoim samochodem. Policja dopadła ich i wywiązała się strzelanina. Keith Moore dostał w ramię. Uważają, że wyjdzie z tego.

– A co z Juniorem? – spytał James.

– Paskudnie pobity. Trafił do szpitala, ale jeszcze nie wiemy, w jakim jest stanie.

– Mam nadzieję, że nic mu nie będzie – rzekł James. Siorbnął odrobinę kawy ze styropianowego kubka. – Ciekawe, co to za goście i czego chcieli od Keitha – podjął po chwili.

– Prawdopodobnie są powiązani z kartelem Lambayeke – wyjaśnił John. – Założę się o mojego ostatniego dolara, że szukali numerów tajnych kont bankowych Keitha.

– Myślałem, że Keith robił interesy z Lambayeke – zdziwił się James. – Nie lubili się czy jak?

– Keith robił z nimi interesy od dwudziestu lat, ale nie są to ludzie, których zaprasza się do domu na obiad – powiedział John. – Dopóki Keith kupował od Lambayeke narkotyki, zostawiali go w spokoju. Potem GKM rozpadł się. Keith nie mógł już kupować, nie wiedział, komu może ufać, ale za to siedział na wielkiej kupie pieniędzy.

– I wtedy postanowili go okraść – domyślił się James.

– Zgadza się. – John skinął głową. – Keith Moore ma miliony upchane na nielegalnych kontach bankowych. Wysłali więc paru zbirów, żeby tłukli go tak długo, aż poda im dane rachunków albo przeleje im wszystkie pieniądze.

– Keith byłby bezradny – dodała Beverly. – Przecież nie poszedłby na policję, żeby poskarżyć się, że pieniądze, które zarobił na sprzedaży narkotyków, zostały mu skradzione.

– Niemalże zbrodnia doskonała – ciągnął John. – Tyle że kolesie, których wysłali, okazali się niezbyt kompetentni i zapomnieli zajrzeć na górę, by wyciągnąć ciebie i Juniora z łóżek.

James odchrząknął z zakłopotaniem.

– Tak naprawdę to nas nie było na górze. Poszliśmy na plażę urządzić sobie nocną kąpiel.

Uznał, że lepiej nie wspominać o meczu bokserskim.

– Cóż, dobrze zrobiliście – oznajmił John z uśmiechem. – Inaczej obudzilibyście się z lufą przystawioną do skroni.

31. HAK

James zdrzemnął się w biurze Beverly w kwaterze DEA w Miami. Obudziła go dopiero o dziesiątej przed południem i wskazała leżące na biurku czyste ubranie i buty.

– Przywieźliśmy to z domu – powiedziała. – Jeśli chcesz się umyć, na końcu korytarza są prysznice. Za jakieś czterdzieści minut będziemy przesłuchiwać Keitha Moore'a. John powiedział, że jak chcesz, to możesz popatrzeć z obserwacyjnego.

– Myślałem, że go postrzelili – zdziwił się James.

– W ramię. Nic poważnego.

– Co u Juniora?

Beverly westchnęła.

– Bandyci nie wierzyli, że Keith podaje im prawdziwe informacje, więc dali mu spokój i skupili się na Juniorze. Ma zgruchotany nos, złamany obojczyk i poważne obrażenia wewnętrzne.

James poczuł mdłości na myśl o tym, przez co musiał przejść Junior.

– Powinienem był mu jakoś pomóc – powiedział ponuro.

– I pokonać ośmiu uzbrojonych mężczyzn? – spytała Beverly, uśmiechając się współczująco.

– Ale wyjdzie z tego, prawda?

– Przez jakiś czas nie będzie mógł wrócić do domu. Chciał się z tobą zobaczyć, ale ty już nie istniejesz.

James zdębiał.

– Jak to?

– Stany Zjednoczone nie mają żadnych akt Jamesa Be-cketta. Dziś wieczorem odlatujesz do Londynu. Chcemy, żebyś zniknął, zanim ludzie zaczną pytać o ciebie i tego faceta, którego postrzeliłeś.

– Och... – zająknął się James. – Przez całą noc męczył mnie koszmar o tym, co się stało. Czy on nie żyje?

– Tak.

– Nie chciał się zatrzymać – tłumaczył James, odtwarzając całą scenę w pamięci. – Próbowałem go zmusić, żeby się poddał. Myślałem, żeby mu strzelić w nogę, ale uczono mnie, żeby w takich sytuacjach celować w klatkę piersiową.

– Na twoim miejscu zrobiłabym to samo – przyznała Beverly. – Nie wolno ryzykować, zwłaszcza jeżeli trzyma się cudzą broń. Nigdy nie wiadomo, ile ma się nabojów ani czy pistolet nie jest przypadkiem sfatygowanym złomem, który zatnie się po pierwszym strzale.

– Po prostu nie mogę uwierzyć, że zabiłem człowieka.

*

James wziął prysznic w męskiej szatni zawalonej policyjnym sprzętem: krótkofalówkami, kaburami i kamizelkami kuloodpornymi. Stojąc pod strumieniami wody, przyglądał się swoim dłoniom, które zaledwie kilka godzin wcześniej uśmierciły człowieka. Odczuwał nie tyle poczucie winy – ostatecznie bronił własnego życia – ile smutek. Koleś prawdopodobnie miał mamę albo dziecko, w każdym razie kogoś bliskiego.

– Hej, chłopcze, co tu robisz?

James spojrzał w górę na dwóch muskularnych gliniarzy rozbierających się z mundurów.

– Beverly Shapiro powiedziała, że mogę się tu umyć.

– Mówisz trochę jak Anglik.

James skinął głową.

– Jestem z Londynu.

– Super – ucieszył się policjant. – Spotkałeś kiedyś kogoś z rodziny królewskiej?

– Jasne – rzucił James ze śmiechem. – Ciągle na siebie wpadamy.

Wyszedł spod prysznica i zaczął się wycierać. Patrzył na broń porzuconą na wypolerowanej drewnianej ławce, i zastanawiał się, czy kiedykolwiek użyto jej do odebrania komuś życia. Potem wyobrażał sobie, jak to jest umierać. Nie miał czasu myśleć o tym podczas ucieczki, ale w range roverze były dwie dziury po pociskach, a każda bliżej niż metr od miejsca kierowcy.

Beverly zaprowadziła go do kantyny. Idąc za jej radą, przełożył bekon i jajecznicę do styropianowego pudełka, żeby móc jeść w sali obserwacyjnej. Było to wąskie pomieszczenie wyposażone w rząd plastikowych krzeseł i kilka czarno-białych monitorów. W jedną ze ścian wprawiono olbrzymie weneckie lustro, przez które było widać salę przesłuchań. Keith Moore już tam siedział – wodził dookoła nieobecnym wzrokiem, nerwowo bębniąc palcami w stół. Na ramieniu miał opatrunek, który ledwie mieścił się w rękawie koszulki.

– Musisz być cicho, ścianka jest bardzo cienka – ostrzegła Beverly i wyszła, pozostawiając Jamesa sam na sam z upiornym dźwiękiem oddechu Keitha dobiegającym z głośników w suficie.

Kilka sekund później John Jones i Beverly weszli do sali przesłuchań.

– Dzień dobry – powiedział John, wysuwając krzesło spod stołu i siadając naprzeciw Keitha. – Nazywam się John Jones. Jestem tu, by panu pomóc.

– Chcę adwokata – warknął Keith. – Zostałem postrzelony, nie spałem, nie możecie mnie tak przesłuchiwać.

– Pracuję dla brytyjskiego wywiadu – uśmiechnął się John. – W Stanach Zjednoczonych nie mam żadnej władzy. Nasza rozmowa to zaledwie nieformalna pogawędka.

– Dla mnie możesz być nawet wielkim czarownikiem Ku--Klux-Klanu. Nie powiem ani słowa, dopóki nie zobaczę się ze swoim adwokatem.

– Miejscowa policja znalazła w pańskim domu zwłoki członka kartelu Lambayeke, jak również sporo nielegalnej broni – ciągnął niezrażony John. – Ktoś go zabił i o ile to nie handlarze postanowili pozabijać się nawzajem, to głównym podejrzanym jest pan.

– Chcę adwokata – powtórzył Keith kwaśno.

John obejrzał się na Beverly.

– Proszę przypomnieć, ile na Florydzie dostaje się za morderstwo na tle narkotykowym?

– Dożywocie bez prawa do wcześniejszego zwolnienia – rozpromieniła się agentka. – I to tylko wtedy, kiedy sędzia ma dobry dzień. Jeśli akurat pokłócił się z żoną, może zaordynować śmierć przez wstrzyknięcie trucizny.

– A jeśli Keith zezna, że działał w samoobronie, i przyzna się do zabójstwa?

– Od dwudziestu do dwudziestu pięciu lat więzienia – poinformowała Beverly, unosząc się na palcach.

– O rany! – zaśmiał się John. – Surowe macie prawo na tej waszej Florydzie. Panie Moore, odnoszę wrażenie, że ma pan poważne kłopoty.

– Mam pieniądze – oświadczył Keith z nieco wymuszoną pewnością siebie. – Stać mnie na bardzo dobrych prawników.

– Naprawdę sądzisz, że w ogóle dojdzie do rozprawy? – zaatakował John, nagle przechodząc na ty.

– A nie odbędzie się?

– Zostaniesz oskarżony o zabicie członka kartelu Lambayeke. Jako cudzoziemiec nie masz najmniejszej nawet szansy na wyjście za kaucją. Będziesz czekał na rozprawę w więzieniu na Florydzie, w którym roi się od członków Lambayeke. Jak sądzisz, ile czasu minie, nim ktoś wbije ci nóż w plecy?

Przez twarz Keitha przemknął cień lęku. John teatralnym gestem trzasnął w stół swoją komórką.

– Oto mój telefon, Keith. Śmiało. Dzwoń do tych swoich genialnych prawników. Florydzki wymiar sprawiedliwości weźmie cię pod swoje skrzydła i pójdę na twój pogrzeb jeszcze przed Gwiazdką.

Zapadła grobowa cisza.

– Jakie mam możliwości? – spytał Keith po dłuższej chwili.

– Dobijmy targu. DEA zagwarantuje ci odstąpienie od ścigania karnego w Stanach, jeśli złożysz pełny i szczegółowy raport z interesów, jakie prowadziłeś z Lambayeke przez minione dwadzieścia ileś tam lat. Musisz też obiecać, że już nigdy nie postawisz nogi na terenie Stanów Zjednoczonych. DEA przekaże też twoje zeznania brytyjskiej policji. Jestem pewien, że dasz im dość informacji, by można cię było oskarżyć. Zostaniesz osądzony i ukarany z całą surowością brytyjskiego wymiaru sprawiedliwości, co oznacza zapewne od dwudziestu do dwudziestu pięciu lat więzienia. Jeśli złagodzą ci karę za dobre zachowanie, możesz wrócić na wolność dopiero za, powiedzmy, piętnaście lat.

– Dlaczego nie zostawicie mnie tutaj, żebym zgnił? – spytał Keith.

– Taki układ zadowala wszystkich – wyjaśnił John. – Amerykanie dostaną mnóstwo cennych informacji o Lambayeke, zamiast wydawać pieniądze na procesy i utrzymywanie cię przy życiu w więzieniu. W kraju minister spraw wewnętrznych będzie mógł pochwalić się w parlamencie sukcesem operacji „Ścieżka" i swoim wielkim zwycięstwem nad handlarzami narkotyków. A co najistotniejsze, za rok o tej samej porze ty wciąż będziesz żywy!

– A jeśli Lambayeke dopadnie mnie w kraju? – zapytał Keith.

– Mogą próbować – zgodził się John, wzruszając ramionami. – Tyle że w brytyjskich więzieniach członków Lambayeke jest jak na lekarstwo, za to ty będziesz na swoim terenie. Spodziewam się, że człowiek o twoich możliwościach potrafi znaleźć sobie przyjaciół, którzy go ochronią.

Keith poruszył się niespokojnie.

– Wszystko już macie obmyślone, co?

– To twoja życiowa szansa – powiedział twardo John. – Nie będzie żadnych negocjacji. Masz godzinę na podjęcie decyzji.

Keith odchylił się na krześle i przeczesał dłonią lśniące od potu włosy.

– Wiecie co? – rzekł po chwili. – Siedzę w tym biznesie dość długo, żeby wiedzieć, kiedy ktoś trzyma mnie za jaja. – Sięgnął przez stół, by uścisnąć dłoń brytyjskiego agenta. – Umowa stoi, panie Jones.

*

Po przesłuchaniu James wrócił do biura Beverly i zadzwonił do domu w Luton.

– Kyle? To ty?

– James! Co nowego?

– John Jones właśnie załatwił Keitha Moore'a. Amerykanie aresztowali go wczoraj w nocy i zgodził się na współpracę, żeby ratować tyłek.

– Super! – ucieszył się Kyle. – A my właśnie się pakujemy. Musieliśmy powiedzieć wszystkim, że wracamy do Londynu.

– Jak tam ferie? – zapytał James.

– Przyjęcie u Ringa to był obłęd. Ludzie porozwalali meble, zarzygali schody. Poznałem takiego jednego Dave'a, jest naprawdę słodki i...

– Stop! Stop, stop – powiedział ostro James. – Jakoś daję sobie radę z tym, że jesteś gejem, Kyle, ale oszczędź mi szczegółów. A co z Kelvinem i w ogóle? Myślałem, że mieli pilnować domu Keitha.

– Nie słyszałeś? – zdziwił się Kyle. – We wtorek wieczorem policja zrobiła nalot na klub bokserski. Aresztowali Kelvina, Marcusa, Kena, tego wysokiego chłopaka z twojej klasy...

– Dela?

– Właśnie, i całą masę innych kolesiów. Znaleźli notatnik z kontaktami tej babeczki, która ustawiała kursy. Zgarnęli wszystkich kurierów. Gdybyś tu był, pewnie też byś wpadł.

– A jest Kerry? – zapytał nagle James. – Mogę zamienić z nią słówko?

– Jest u Maksa Powera.

– U kogo? – zesztywniał James.

– U tego przystojniaka, który od poniedziałku chodzi do jej klasy. Normalnie przykleili się do siebie. Koleś nie zdejmuje z niej łap rano, wieczór i w południe.

James uświadomił sobie, że jest wkręcany.

– Ta, jasne, Kyle.

– Ale na początku prawie zemdlałeś – zachichotał Kyle. – Kerry...! To twój cichy wielbiciel. Chce z tobą pogadać.

Kerry podeszła do telefonu.

– Dorwaliśmy Keitha – powiedział James. – Dostanie ze dwadzieścia pięć lat.

Kerry wydała z siebie przeraźliwy pisk radości. James musiał odsunąć słuchawkę od ucha.

– Fantastycznie! – zawołała. – Jutro rano wracamy do kampusu. Kiedy przyjeżdżasz?

– Wylatuję stąd dziś wieczorem. Pewnie dotrę do kampusu równocześnie z wami.

– Ale mówiłeś poważnie wtedy, no wiesz... O mnie... – Kerry nagle spoważniała.

James uśmiechnął się.

– O tak. Nie mogę się doczekać, kiedy cię zobaczę.

32. DOM

James wszedł do gabinetu Meryl Spencer, którego okna wychodziły na tor lekkoatletyczny kampusu CHERUBA. Choć okno było otwarte, wciąż dały się wyczuć pozostałości stęchłego zapaszku z szatni po drugiej stronie korytarza.

– Ewart jest pod wrażeniem – oznajmiła Meryl. – Zara jest pod wrażeniem, nawet pan Jones z MI5 jest pod wrażeniem. I muszę przyznać, James, że ja też jestem pod wrażeniem.

James uśmiechnął się do swojej opiekunki. Położył na biurku czarny foliowy worek, po czym usiadł na stojącym obok krześle. Meryl wysypała zawartość worka na blat. Były tam ubrania, buty, płyty CD, koperta z ponad pięciuset funtami w gotówce oraz pięć gier na Playstation ukradzionych w Centrum Reeve'a.

– Mam nadzieję, że nie wpadłeś na pomysł, żeby ukryć coś w swoim pokoju.

James potrząsnął głową.

– Nie. To wszystko, co ukradłem albo zarobiłem na sprzedaży narkotyków. To znaczy, nie licząc pieniędzy, które wydałem na jedzenie, kino, drobne prezenty dla Joshuy, no i urodzinowego prezentu Laury.

– Na jaki cel chciałbyś przeznaczyć te środki?

– Poszperaliśmy z Kerry w Internecie. Znalazła ośrodek koło Luton, który wspiera młodzież uzależnioną od narkotyków. Pomaga odstawić dragi, znaleźć pracę, szkołę i tak dalej.

– Brzmi znakomicie – powiedziała Meryl. – Należy ci się ponad trzydzieści funtów kieszonkowego za okres twojej nieobecności, a za ciuchy i tak wiele nie dostaniemy. Jeśli chcesz, dorzucimy kieszonkowe do koperty, a w zamian zatrzymasz sobie ubrania i buty.

– Fajnie – ucieszył się James. – Idę na to.

– Wiesz co, James? – spytała Meryl, przekrzywiając głowę. – To musi być wpływ Kerry. Na pierwszy rzut oka prawie można by cię wziąć za zresocjalizowanego.

James nie mógł powstrzymać uśmiechu, słysząc taką pochwałę.

– Jestem w CHERUBIE dokładnie rok – zauważył. – Chyba spędziłem zbyt dużo czasu na szorowaniu podłóg, obieraniu warzyw i zaliczaniu karnych okrążeń, żeby jeszcze z wami zadzierać.

Meryl parsknęła śmiechem.

– Tak, James, mów mi, co chcę usłyszeć. Karność absolutna. Ale poważnie, twoja efektywność podczas tej operacji pokazała, że szkolenia i ciężka praca przyniosły efekty. Kiedy dom Keitha Moore'a został zajęty przez gangsterów, zachowałeś zimną krew w bardzo trudnych warunkach i zdołałeś wyjść obronną ręką z poważnych kłopotów. Gdybyś znalazł się w podobnej sytuacji, zanim trafiłeś tutaj, jestem pewna, że twoje reakcje byłyby zupełnie inne.

James skinął głową.

– Pewnie bym spanikował jak Junior.

– A to, jak zdobyłeś zaufanie Keitha... Świetna robota.

– Keith to naprawdę miły facet – oznajmił James. – Wiem, że handlował narkotykami, ale i tak jest mi przykro, że pójdzie za kratki.

– Nie żałuj go – rzuciła Meryl ostro. – Keith miał dość pieniędzy i władzy, by trzymać się z dala od brudu w narkotykowym biznesie. Mógł całymi dniami dokazywać na swoim basenie i odgrywać fajnego gościa przed dzieciakami, ale dobrze wiedział, na czym opiera się jego bogactwo. GKM to bezwzględna organizacja, która w dążeniu do swoich celów nie cofała się przed stosowaniem przemocy i zastraszaniem ludzi. Na każdą osobę, która wzbogaciła się dzięki GKM, przypada tysiąc takich, które przez narkotyki mają przegwizdane życie, bo albo same brały, albo dały się złapać na dilerce, albo spotkało to ich najbliższych.

– Keith powiedział, że rozbicie GKM nie zmniejszy ilości kokainy trafiającej na ulice – oświadczył James.

– Pewnie miał trochę racji, ale nie można zaniechać walki tylko dlatego, że jest trudna. To byłoby jak stwierdzenie, że nie ma sensu kształcić lekarzy i budować szpitali, bo każdy i tak kiedyś umrze.

– To kiedy jadę na następną akcję? – zapytał James.

– Obawiam się, że mam dla ciebie złe wieści – odrzekła Meryl. – W tym roku wziąłeś udział już w dwóch długich operacjach i masz spore zaległości w nauce. Nie spodziewaj się żadnych nowych przydziałów aż do przyszłego roku.

– To nawet dobrze – przyznał James, wzruszając ramionami. – Misje to ciężka harówka. Miło będzie przez kilka miesięcy nie rozpoczynać dnia od przypominania sobie, jak się nazywam, i zastanawiania się, czy przeżyję kolejny dzień.

– Słyszałam o tym człowieku, którego zabiłeś. Robimy, co w naszej mocy, by uchronić agentów przed takimi sytuacjami, ale ponura prawda jest taka, że gdzie są handlarze narkotyków, tam są też broń i śmierć. Myślałeś o tym wypadku, odkąd wróciłeś?

– Trochę – skinął głową James. – Ale bardziej przeraża mnie wizja tego, co by się stało, gdybyśmy z Juniorem nie postanowili pobok... popływać trochę tamtej nocy.

– Miałeś kłopoty ze spaniem albo koszmary?

– Podczas lotu powrotnego nie mogłem zasnąć, bo ciągle myślałem o tej ucieczce samochodem – przyznał James.

– Kobieta obok mnie powiedziała, że jestem jakiś blady. Napoiła mnie mineralną.

– Zorganizuję ci spotkanie z psychologiem – zaproponowała Meryl. – Masz za sobą traumatyczne doświadczenie i to ważne, żebyś omówił z kimś swoje odczucia.

*

Kerry siedziała na ławce przy torze lekkoatletycznym, czekając na koniec spotkania Jamesa i Meryl Spencer.

James pocałował ją przelotnie w usta i usiadł obok.

– Ile karnych okrążeń dostałeś? – spytała Kerry.

– Zero.

– To nowość.

– Nie zrobiłem niczego złego.

– Kolejna nowość – zachichotała Kerry.

– W tym roku nie poślą mnie już na żadną misję. Możemy na jakiś czas wyluzować i mieć trochę czasu dla siebie. Będziemy sobie oglądać filmy, odrabiać razem lekcje i takie tam.

– Łatwo ci mówić, James. Zostałeś bohaterem dwóch operacji, masz granatową koszulkę, więc możesz śmiało wyluzować. Ja wciąż jestem nikim.

– To nic takiego. – James wzruszył ramionami. – To tylko głupia koszulka.

Kerry prychnęła gniewnie.

– Jeśli jest coś, czego szczerze nie cierpię, to ludzi, którzy coś mają i mówią, że to nic nie znaczy. Jak ci gwiazdorzy z MTV rozwodzący się nad tym, że miliony dolarów i kochanki supermodelki wcale nie dały im szczęścia. Jakoś nie widać, żeby rozdawali majątki bezdomnym i wracali do mamusi, by mieszkać z nią w przyczepie kempingowej.

James uznał, że najlepiej będzie zmienić temat, zanim Kerry wpadnie w jeden ze swoich humorków.

– Masz ochotę na spacer na tyłach kampusu? – spytał nieśmiało.

– Wspaniały pomysł – rozpromieniła się Kerry. – O tej porze roku drzewa mają niesamowite kolory. Miło mi, że masz w sobie jednak odrobinę romantyzmu.

– Chodziło mi o to, że Kyle i Laura czyszczą tam rowy. Pomyślałem, że moglibyśmy trochę się z nich ponabijać. – powiedział James.

Kerry pchnęła go lekko w ramię.

– Mogłam się domyślić, że chodzi ci o coś takiego. A co tam u Laury? Słyszałam, że wszyscy mieli jej pomagać.

– Mac powiedział, że Laura musi ponieść karę i że każdy, kto zostanie przyłapany na pomaganiu jej przy rowach, będzie biegał trzydzieści okrążeń dziennie przez miesiąc. Wszyscy ułatwiają jej życie w inne sposoby: robią jej pranie, wpuszczają bez kolejki w stołówce, dają odpisać lekcje, takie tam. – James zachichotał, jakby coś sobie przypomniał. – Szkoda, że nie widziałaś Kyle'a, jak wczoraj wrócił z kopania. Wiesz, jaki z niego czyścioch i pedancik. A teraz? Ubranko w strzępach, cały był oblepiony błotem i tak capił... – James pokręcił głową. – No, nie do opisania. Do tych rowów spływa woda z gospodarstw przy kampusie. Pełno w niej krowiego łajna i Bóg wie, czego jeszcze.

– Dobrze mu tak – rzuciła Kerry. – Trzeba było nie palić trawki.

– Daj spokój, Kerry, biedak złapał tylko parę buchów. Nikt by się nie dowiedział, gdyby Nicole nie...

– Mam to gdzieś – przerwała mu Kerry. – Jeśli coś jest nielegalne, to nie powinno się tego robić, a zwłaszcza brać narkotyków.

James zaczął się śmiać.

– Co cię tak śmieszy? – obruszyła się Kerry.

– Ty – odparł James. – Zawsze taka praworządna i... drętwa.

Kerry wysunęła dwa palce i dźgnęła Jamesa w żebra.

– Auć! A to za co?!

– Nie jestem drętwa.

James uśmiechnął się złośliwie.

– Panna chodząca doskonałość.

– Odwołaj to, bo pożałujesz!

– Odwołaj to, bo pożałujesz – powtórzył James, strojąc głupie miny.

– Przestań mnie przedrzeźniać!

– Przestań mnie przedrzeźniać!

– Dość tego, James! – zawołała gniewnie Kerry.

– Dość tego, James – powiedział James, nachylając się i wyciskając na jej policzku soczysty pocałunek.

Kerry uśmiechnęła się.

– Wiedziałem, że nie będziesz się długo złościć – zachichotał James. – Jestem na to zbyt słodki.

Przestał chichotać, gdy uświadomił sobie, że uśmiech Kerry wcale nie jest z tych miłych. To był zły uśmiech. Dziewczyna dźgnęła go jeszcze raz, a kiedy zwinął się z bólu, oplotła ramieniem jego szyję i unieruchomiła głowę w potężnym uścisku.

– Drętwa, tak? – wrzasnęła, zacieśniając chwyt.

– Skąd – skrzeknął James.

– Na pewno?

– Nie jesteś drętwa, Kerry... Ja... Proszę... Puść...

Kerry puściła. Poprawiając ubranie, James pomyślał, że mimo wszystko jest coś zabawnego w tym, że obezwładniła go dwunastolatka nosząca biało-różowe skarpetki z wyhaftowanymi na kostkach pingwinkami. Kerry wstała z ławki.

– Dokąd idziesz? – spytał James.

– Na romantyczny spacer – oznajmiła wyniośle, oddalając się w stronę drzew. – Idziesz czy nie?

*

Po spacerze James i Kerry wraz z dużą grupą innych dzieci spędzili niedzielny wieczór w kręgielni w pobliskim miasteczku. Przegrali trzy do dwóch z bliźniakami Callumem i Connorem. Bawili się znakomicie. James jeszcze nigdy dotąd nie czuł się tak odprężony w obecności dziewczyny. Teraz, kiedy już poprosił Kerry o chodzenie, wydawało mu się głupie, że tyle czasu zmarnował na szukanie pretekstów, by tego nie zrobić.

Minęła północ, a James nie mógł zasnąć. Jego ciało wciąż funkcjonowało według czasu Miami, gdzie był dopiero wczesny wieczór. Leżał na wznak z dłońmi pod głową, wpatrzony w cienie na suficie.

Zastanawiał się, jak się miewa Junior, i zjeżył się na chwilę, kiedy przypomniał sobie, że April wciąż ma jego zegarek. Ale misja GKM już teraz wydawała mu się odległa niczym życie jakiegoś innego dzieciaka. Nie było już Jamesa Becketta. James Adams wylegiwał się pod miękką, ciepłą kołdrą. Uświadomił sobie, że nie czuł się równie szczęśliwy, odkąd umarła jego mama.

Pomyślał o swoim życiu w kampusie. Znał najkrótszą drogę do każdego budynku. Znał z imienia większość kolegów. Wiedział, z kim nie zaczynać rozmowy w windzie, bo potrafi zanudzić do łez, z którym nauczycielem można się pośmiać, a który czyha na najdrobniejsze przewinienie.

James wiedział, że zawsze będą poranki, kiedy nie będzie mu się chciało zwlec z łóżka na dwugodzinny trening albo obezwładniająco nudną lekcję historii. Z drugiej strony, kiedy zakładał uniform i schodził na śniadanie, czuł, że inni patrzą na niego z szacunkiem. Gdy pojawiał się w stołówce i zaczynał rozglądać się za wolnym miejscem, zawsze znajdowało się kilka stolików, przy których mógł usiąść z przyjaciółmi, by wymienić się najnowszymi ploteczkami i pożartować.

Rok wcześniej kampus CHERUBA był labiryntem korytarzy pełnym obcych twarzy i strasznych nauczycieli. Z czasem przemienił się w dom.

EPILOG

KELVIN HOLMES został skazany na trzy lata pobytu w zakładzie karnym dla nieletnich za współpracę przy rozprowadzaniu narkotyków. Większość kurierów skończyła z ostrzeżeniami policyjnymi i nadzorem kuratorskim. Kilku chłopców, którzy byli karani już wcześniej, skazano na od trzech do sześciu miesięcy w zakładzie dla nieletnich.

Centrum Młodzieżowe JT Martina, pozbawione wsparcia finansowego ze strony Keitha Moore'a, zakończyło działalność tuż po imprezie gwiazdkowej w 2004 r. Opiekun klubu bokserskiego KEN FOWLER, któremu policja nie postawiła żadnych zarzutów, zmarł kilka miesięcy później na atak serca.

MADELINE BURROWS, miła pani, która kontaktowała się z Jamesem w sprawie dostaw, otrzymała wyrok pięciu lat więzienia, podobnie jak jej młodszy brat JOSEPH BURROWS (Szalony Joe). Oprócz nich w rezultacie prowadzonej przez MI5 obserwacji magazynu Thunderfoods do więzienia trafiło ponad stu trzydziestu członków GKM.

Ojciec Dinesha PARVINDER SINGH poszedł za kratki na dwanaście lat. DINESH SINGH przeprowadził się wraz z mamą do południowego Londynu.

KEITH MOORE wylądował w siedzibie DEA w Waszyngtonie na trwającym ponad tydzień przesłuchaniu. Biorąc odwet na Lambayeke za brutalną próbę ograbienia go, podał mnóstwo informacji, które umożliwiły między innymi natychmiastowe przejęcie stu trzydziestu milionów narkodolarów oraz aresztowanie kilku wysoko postawionych członków kartelu.

Później Keith został przewieziony do Wielkiej Brytanii, gdzie przyznał się do licznych zarzutów dotyczących prania pieniędzy i przemytu narkotyków. Sędzia skazał go na osiemnaście lat więzienia z prawem do ubiegania się o zwolnienie warunkowe po upływie dziesięciu lat.

Policja zdołała przejąć dwanaście milionów funtów z osobistego majątku Keitha, ale szacuje się, że na swoich tajnych kontach były handlarz ma jeszcze co najmniej czterdzieści milionów.

JUNIOR MOORE wyzdrowiał i wrócił do Wielkiej Brytanii. Po jakimś czasie wydalono go z Grey Park za notoryczne wagarowanie. Jego matka oznajmiła, że ma powyżej uszu takiego zachowania i że nie chce, żeby skończył jak jego ojciec, po czym znalazła mu miejsce w pewnej znanej z surowości szkole z internatem, specjalizującej się w kształceniu trudnych chłopców.

APRIL MOORE, zirytowana tym, że James Beckett uparcie nie odpowiada na jej SMS-y i e-maile, odesłała najlepszy zegarek Jamesa na adres rodziny Beckettów. Przesyłka została przekierowana do kampusu CHERUBA. Kiedy James otworzył kopertę, przekonał się, że jego zegarek został rozbity na mnóstwo kawałków. Dołączona notka stwierdzała: „Mógłbyś przynajmniej zdobyć się na tyle przyzwoitości, żeby powiedzieć mi w twarz, że masz mnie gdzieś. Mam nadzieję, że będziesz umierał powoli. April".

JOHN JONES ogłosił, że po dziewiętnastu latach służby odchodzi z MI5. Zdecydował się przyjąć funkcję koordynatora misji w CHERUBIE.

EWART i ZARA ASKEROWIE spodziewają się narodzin drugiego dziecka w kwietniu 2005 r.

NICOLE EDDISON mieszka z parą byłych agentów na farmie w Shropshire. Ma dwóch młodszych przybranych braci, których uwielbia, oraz chłopaka imieniem James. Dwa razy w tygodniu chodzi na sesje terapeutyczne z psychologiem i powoli dochodzi do równowagi psychicznej po utracie rodziny.

Dr McAfferty przeprowadził rewizję procesu rekrutacji Nicole, by sprawdzić, czy nie popełniono żadnych błędów. W swoim raporcie stwierdził: „Wyniki prób, jakim poddano Nicole Eddison przed zaproponowaniem jej zaciągnięcia się do CHERUBA, wskazują ponad wszelką wątpliwość, że miała ponadprzeciętną szansę na odniesienie sukcesu jako agentka. Niestety, żaden z istniejących testów rekrutacyjnych nie uwzględnia złożoności ludzkiej natury. Wydaje się pewne, że rekrutacyjne sita CHERUBA będą przepuszczały pewną liczbę nieodpowiednich kandydatów tak długo, jak długo będzie istniała nasza organizacja. Możemy jedynie zachować czujność i starać się ograniczać tę liczbę do minimum".

Ukochane przez Maca nowe centrum planowania misji ma zostać ukończone w lutym 2005 r.

Kilka tygodni po powrocie Jamesa z Miami AMY COLLINS opuściła kampus, by zamieszkać ze swoim bratem w Australii. James był w tłumie żegnającym ją na lotnisku Heathrow.

KYLE BLUEMAN i LAURA ADAMS potrzebowali dwóch miesięcy na odmulenie rowów na tyłach kampusu. Kyle został zawieszony w prawach agenta na kolejne cztery miesiące. Laura rozpoczęła szkolenie podstawowe od nowa, tym razem z kartką do odliczania dni w kieszeni oraz mocnym postanowieniem przetrzymania kursu bez względu na to, jak bardzo pan Large będzie utrudniał jej życie.

Po spędzeniu kilku tygodni w kampusie KERRY CHANG poleciała do Hongkongu na misję, która może potrwać nawet kilka miesięcy. James i Kerry codziennie piszą do siebie e-maile, a od czasu do czasu rozmawiają ze sobą przez telefon.

JAMES ADAMS wykorzystuje czas spędzony w kampusie do nadrobienia zaległości w nauce. Niedawno zaczął przygotowywać się do małej matury ze swoich trzech najmocniejszych przedmiotów. Rozpoczął też regularne treningi siłowe i mało brakowało, a zdałby egzamin na drugi dan czarnego pasa w klasie karate. Spodziewa się, że na następną akcję wyruszy na początku 2005 r.

CHERUB: HISTORIA (1941–1996)

1941 Podczas drugiej wojny światowej Charles Henderson, brytyjski agent działający w okupowanej Francji, wysłał raport do swojego dowództwa w Londynie. Chwalił w nim sposoby, w jakie francuski ruch oporu wykorzystywał dzieci do przemycania przesyłek przez punkty kontrolne i wyciągania informacji od niemieckich żołnierzy.

1942 Henderson utworzył niewielki oddział dziecięcy pod dowództwem brytyjskiego wywiadu wojskowego. Oddział składał się z chłopców w wieku trzynastu i czternastu lat, głównie uchodźców z Francji. Po podstawowym szkoleniu szpiegowskim zrzucono ich na spadochronach na terytorium Francji. Chłopcy pomogli w zebraniu ważnych informacji, które później wykorzystano podczas przygotowań do inwazji w Normandii.

1946 Jednostkę znaną jako Chłopcy Hendersona rozwiązano. Większość jej członków wróciła do Francji. Istnienie organizacji nigdy nie zostało oficjalnie potwierdzone.
Charles Henderson wierzył, że dzieci mogą być skutecznymi agentami także w czasie pokoju. W maju 1946 r. otrzymał pozwolenie na utworze-

nie agencji CHERUB z siedzibą w opuszczonej wiejskiej szkole. Pierwsi agenci (dwudziestu chłopców) mieszkali w drewnianych barakach za boiskiem szkolnym.

1951 Przez pięć lat CHERUB zmagał się z poważnymi kłopotami finansowymi. Wszystko zmieniło się po pierwszym znaczącym sukcesie: dwaj agenci zdemaskowali siatkę radzieckich szpiegów kradnących informacje o brytyjskim programie zbrojeń atomowych. Rząd był zachwycony. CHERUB otrzymał środki na rozwój. Wybudowano nowocześniejszy ośrodek, a liczbę agentów zwiększono z dwudziestu do sześćdziesięciu.

1954 Dwaj agenci CHERUBA Jason Lennox i Johan Urmiński zostali zabici podczas tajnej operacji w Niemczech Wschodnich. Nikt nie wie, jak zginęli. Rząd rozważał likwidację agencji, ale w owym czasie już ponad siedemdziesięciu funkcjonariuszy CHERUBA wykonywało ważne zadania na całym świecie. Dochodzenie w sprawie śmierci chłopców doprowadziło do wprowadzenia nowych środków bezpieczeństwa:
1) Utworzono komisję do spraw etyki. Od tej pory plan każdej misji musiał być zatwierdzony przez trzyosobowy zespół ekspertów.
2) Jason Lennox miał dziewięć lat. Po jego śmierci wprowadzono minimalny wiek uprawniający do wykonywania misji: dziesięć lat i cztery miesiące.
3) Zaczęto stosować bardziej rygorystyczne podejście do kwestii przygotowania agentów oraz wprowadzono studniowe szkolenie podstawowe.

1956 Chociaż wielu uważało, że dziewczęta nie nadają się do pracy w wywiadzie, CHERUB przyjął pięć dziewcząt w ramach eksperymentu. Próba powiodła się znakomicie. W ciągu roku liczba dziewcząt w szeregach agencji zwiększyła się do dwudziestu, a w ciągu kolejnych dziesięciu lat zrównała z liczbą chłopców.

1957 CHERUB wprowadził system kolorowych koszulek.

1960 Po kolejnych sukcesach CHERUB mógł sobie pozwolić na ponowne powiększenie liczebności, tym razem do 130 agentów. Otaczające siedzibę agencji pola wykupiono i ogrodzono. Była to mniej więcej jedna trzecia obszaru zajmowanego dziś przez kampus CHERUBA.

1967 Katherine Field stała się trzecim członkiem CHERUBA, który zginął podczas akcji. Ukąsił ją wąż podczas operacji w Indiach. Do szpitala trafiła w ciągu pół godziny, ale wąż został błędnie rozpoznany i Katherine podano niewłaściwą surowicę.

1973 Z biegiem lat siedziba CHERUBA stała się kompleksem małych budynków. Rozpoczęto budowę nowej, dziewięciopiętrowej kwatery głównej.

1977 Wszyscy agenci CHERUBA są sierotami albo dziećmi opuszczonymi przez rodzinę. Max Weaver był jednym z pierwszych funkcjonariuszy agencji. Później dorobił się fortuny, budując biurowce w Londynie i Nowym Jorku. Zmarł w 1977 r. w wieku zaledwie czterdziestu jeden lat. Przed śmiercią, nie mając żony ani dzieci, zapisał swój majątek dzieciom z CHERUBA.

Fundusz powierniczy Maksa Weavera sfinansował wzniesienie wielu budynków kampusu, w tym krytego ośrodka sportowego i biblioteki. Obecnie aktywa funduszu przekraczają miliard funtów.

1982 Thomas Webb zginął na minie na Falklandach-Malwinach, stając się czwartym agentem CHERUBA, który poległ w akcji. Thomas był jednym z dziewięciu agentów wykorzystanych w rozmaitych operacjach podczas konfliktu falklandzkiego.

1986 Rząd zezwolił CHERUBOWI na zwiększenie liczebności do czterystu agentów. Mimo to ich liczba zatrzymała się znacznie poniżej tej granicy. CHERUB potrzebuje funkcjonariuszy inteligentnych, o dobrej kondycji fizycznej i bez powiązań rodzinnych. Dzieci spełniające wszystkie te warunki są szalenie trudne do znalezienia.

1990 CHERUB dokupił więcej ziemi, powiększając obszar swojej siedziby oraz poprawiając jej zabezpieczenia. Na wszystkich brytyjskich mapach kampus jest zaznaczony jako wojskowa strzelnica. Prowadzi do niego tylko jedna droga. Zewnętrznego muru kampusu nie widać z okolicznych dróg. Przestrzeń powietrzna nad ośrodkiem jest zamknięta dla śmigłowców i samolotów lecących na wysokości mniejszej niż dziesięć tysięcy metrów. Zgodnie z ustawą o tajemnicy państwowej za nielegalne przekroczenie granic kampusu grozi dożywocie.

1996 CHERUB uczcił swoje pięćdziesiąte urodziny otwarciem basenu nurkowego i krytej strzelnicy. Na uroczystości zaproszono wszystkich byłych agentów. Gości z zewnątrz nie było. Zjawiło się ponad dziewięćset osób ściągniętych z różnych zakątków świata. Wśród gości znaleźli się między innymi były premier oraz gitarzysta rockowy, który sprzedał ponad 80 milionów płyt.

Po pokazie sztucznych ogni goście rozstawili namioty i przenocowali w kampusie. Następnego ranka przed odjazdem zebrali się wokół kaplicy, by uczcić pamięć czworga dzieci, które oddały za CHERUBA swoje życie.

CHERUB